Collection
CHRONIQUES  QUÉBÉCOISES

Michel **DAVID**

Les héritiers

Chronique de l'an 2000

 Guérin Montréal
Toronto
4501, rue Drolet
Montréal (Québec) H2T 2G2 Canada
Téléphone: 514 842-3481
Télécopie: 514 842-4923
Courriel: francel@guerin-editeur.qc.ca
www.guerin-editeur.qc.ca

© **Guérin, éditeur ltée, 2011**
4501, rue Drolet
Montréal (Québec) H2T 2G2
Téléphone: 514 842-3481
Télécopie: 514 842-4923
Courriel: francel@guerin-editeur.qc.ca
www.guerin-editeur.qc.ca

Dépôt légal
ISBN 978-2-7601-7282-1
Bibliothèque et Archives nationales du Québec, 2011
Bibliothèque et Archives Canada, 2011

IMPRIMÉ AU CANADA

Nous reconnaissons l'aide financière du gouvernement du Canada par
l'entremise du Fonds du livre du Canada (FLC) pour nos activités d'édition.

Canadä

Révision linguistique Monique Marcil, Marie-Ève Dubé
Maquette de la couverture Guérin éditeur
Illustration de la page couverture Monique Chaussé

Distribution
      A.D.G.
      (Agence de distribution Guérin)
      4501, rue Drolet
      Montréal (Québec) H2T 2G2
      Téléphone: 514 842-3481
      Télécopie: 514 842-4923

«Gouvernement du Québec – Programme de crédit d'impôt pour
l'édition de livres – Gestion SODEC»

Société
de développement
des entreprises
culturelles

Québec

Amenez-moi là où il est permis
De s'asseoir et de penser…
Mon corps murmure
Sa fatigue et son ennui.

Doucement, le temps me pousse
doucement

Paul Demers

PERSONNAGES PRINCIPAUX

La famille Marcotte

Eusèbe Marcotte – Estelle Côté (décédés)
|
Jocelyn (décédé) – Pierrette Descôteaux

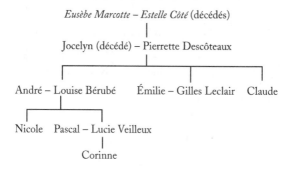

André – Louise Bérubé   Émilie – Gilles Leclair   Claude

Nicole   Pascal – Lucie Veilleux
|
Corinne

La famille Bergeron

Bernard Bergeron – Pauline Marcotte (décédés)

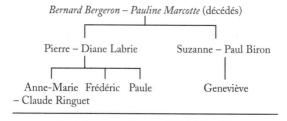

Pierre – Diane Labrie   Suzanne – Paul Biron

Anne-Marie   Frédéric   Paule   Geneviève
– Claude Ringuet

Louis Bergeron – Carmen Labelle (décédés)
|
Richard – Jocelyne Lemaire

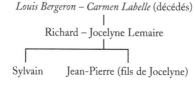

Sylvain   Jean-Pierre (fils de Jocelyne)

La famille Riopel

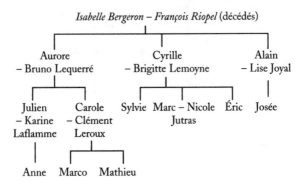

Isabelle Bergeron – François Riopel (décédés)

Aurore
– Bruno Lequerré

Cyrille
– Brigitte Lemoyne

Alain
– Lise Joyal

Julien
– Karine
Laflamme

Carole
– Clément
Leroux

Sylvie

Marc – Nicole
Jutras

Éric

Josée

Anne

Marco

Mathieu

Chapitre 1

Chez Daniel

Il était six heures et le soleil venait à peine de se lever, teintant d'orangé le clocher de l'église et la tête des arbres centenaires qui bordaient le cimetière paroissial. Une légère brise faisait bruire les feuilles des érables et chassait la brume qui s'élevait des eaux de la Nicolet. En ce premier lundi de septembre, seuls quelques aboiements de chiens venaient troubler la paix dans laquelle baignait encore le village de Saint-Anselme.

C'était l'heure préférée d'Adrien Beaulieu qui avait dirigé les destinées de la petite municipalité durant une dizaine d'années.

Depuis quatre ans, ce veuf de soixante-quatorze ans s'était installé tant bien que mal dans un petit bungalow de la rue Desmeules après avoir laissé sa ferme du rang Sainte-Marie à ses deux fils et à leur progéniture. Le septuagénaire était encore solide. Ses cheveux blancs étaient peut-être plus rares, mais le petit homme râblé déplaçait encore avec facilité ses cent kilos.

Il avait mis du temps à s'habituer à sa nouvelle vie de retraité et il lui arrivait encore souvent d'aller donner un coup de main à ses garçons. Mais peu à peu, il avait fini par se créer un horaire autant pour fuir l'ennui que pour se donner des points de repère durant la journée. Il avait ainsi l'impression que le temps passait plus rapidement.

Chaque matin, beau temps, mauvais temps, il faisait lentement le tour du village avant de s'arrêter au restaurant pour boire sa première tasse de café de la journée. Ensuite, il se rendait à l'épicerie Gagnon, toujours à pied, pour prendre son courrier et son journal avant de rentrer à la maison pour les lire.

Sans se l'avouer ouvertement, Adrien Beaulieu avait horreur de tout ce qui venait bouleverser sa routine. Or, en ce jour de la fête du Travail, *Le Journal de Montréal* n'était pas publié et le courrier n'était pas distribué. Il lui faudrait, tant bien que mal, occuper un trou important dans son emploi du temps.

– C'est la dernière grande fin de semaine de l'été, se dit le vieil homme en jetant un regard distrait à la dizaine de bungalows érigés de chaque côté de la courte rue Desmeules, voie parallèle à la rue Principale.

Il eut un sourire de satisfaction en constatant que les pelouses des voisins étaient aussi bien tondues que la sienne et qu'aucun jouet ne traînait devant les maisons. Tout était propre et respectait son sens de l'ordre. Les gens dormaient encore.

L'homme descendit les trois marches qui menaient à son balcon après avoir enfoncé sur sa tête sa casquette verte portant l'écusson John Deere. Il prit à droite et marcha jusqu'à la rue Lagacé où il s'engagea. Il longea sans se presser le garage municipal et il admira en passant les six camions réfrigérés bleu et blanc rangés devant l'entrepôt des Camirand, un long bâtiment en blocs de ciment gris coiffé d'un toit en tôle orangée. Les trois seules maisons de cette rue étaient habitées par des employés des frères Camirand. C'est d'ailleurs en face de leur boucherie, située sur la rue Principale, que s'ouvrait la petite artère.

Arrivé au coin, l'ex-maire tourna encore une fois à droite et il traversa la rue Principale. Tout en marchant, il regarda, sans vraiment les voir, les douze petites maisons à un étage, au toit pentu, recouvertes de vinyle blanc et ornées de faux volets bleus, rouges ou verts. Ces maisons, dont certaines étaient centenaires, tournaient le dos à la rivière Nicolet qu'elles surplombaient d'une dizaine de mètres. De l'autre côté de la rue, face à la rivière, le modeste hôtel de ville sans étage était un prolongement de l'école du village en brique beige. En passant, Adrien Beaulieu jeta un rapide coup d'œil au mât planté devant le petit édifice et au bout duquel un drapeau fleurdelisé déchiré et délavé battait paresseusement au gré de la brise matinale.

– Il va falloir que j'en parle à Patenaude, se dit à mi-voix le vieil homme. On peut pas garder une guenille pareille.

À côté, au fond d'un large terrain gazonné, se trouvait le Petit Foyer qu'avait fait construire le boucher et homme d'affaires Victor Camirand au milieu des

3

années 70. Ces six petites résidences attachées les unes aux autres, sans étage, en brique grise et au toit plat, n'avaient guère changé en près de vingt-cinq ans. Les trois balançoires blanches et les quelques bancs de la même couleur étaient toujours disposés sur la grande pelouse qui les séparait du trottoir. Coincés entre le stationnement de l'hôtel de ville et celui de la Caisse populaire, ces appartements en retrait destinés aux personnes âgées exprimaient peut-être la volonté de leurs occupants de se reposer en se mêlant le moins possible à la vie active du village.

D'un pas égal, Adrien Beaulieu continua sa promenade matinale en longeant la façade de l'épicerie Gagnon, toujours ceinturée de son long balcon gris. Il passa devant l'ancienne maison du docteur Babin, maintenant habitée par le maire Patenaude, puis devant celle de la veuve Lacombe. En face, la vieille église en pierre, au large parvis, était demeurée inchangée. La flèche argentée de son clocher dépassait toujours la cime des arbres et était même visible du rang Saint-Édouard, situé de l'autre côté de la rivière dont il épousait les méandres. À une trentaine de mètres à la droite du temple, se dressait l'imposant presbytère de deux étages en brique rouge. L'édifice inhabité depuis quelques années montrait certains signes de fatigue.

Le vieil homme dépassa deux autres maisons presque identiques à celle de Céline Lacombe et poursuivit son chemin. Il passa devant chez Frédéric Bergeron, puis devant l'ancien garage Cadieux que le jeune Olivier Rousseau venait d'acheter. Comme chaque matin depuis quatre ans, l'ex-maire s'arrêta au sommet de la côte qui plongeait vers le pont étroit qui, en bas, enjambait la rivière. Il scruta durant une minute ou deux les eaux agitées de la rivière et l'autre versant de la côte. C'est là que la rue Principale perdait son nom et devenait le rang Saint-Édouard, rang auquel aboutissait chacun des sept rangs qui constituaient, avec le village, la municipalité de Saint-Anselme.

Alors, fidèle à son habitude, le promeneur traversa sans hâte la rue Principale au sommet de la côte et il fit, en sens inverse, le trajet qu'il venait de parcourir. Arrivé au coin de la rue Lagacé, il poursuivit son chemin, passa devant la magnifique maison à tourelles que les habitants de Saint-Anselme continuaient d'appeler, non sans une trace d'envie, la «folie de Victor Camirand». Depuis le décès de leur père, deux ans auparavant, Jean et Yves Camirand n'avaient pas encore trouvé d'acquéreur pour la grande maison en pierre grise. Aucun des deux quadragénaires n'avait été tenté de s'y installer. De toute évidence, ils préféraient leur modeste bungalow de la rue Desmeules.

Quelques minutes plus tard, l'ex-maire poussa la porte de Chez Daniel, l'unique restaurant du village. Son propriétaire, Daniel Cardin, venait d'ouvrir les rideaux qui masquaient les deux baies vitrées de la devanture.

L'apparence extérieure de l'ancien restaurant Gadbois avait peu changé. La vieille maison sans étage avait conservé son revêtement en vinyle blanc et ses quelques tables de pique-nique disposées sur l'asphalte, à l'avant. Un auvent en toile verte était encore tendu

5

au-dessus de son large balcon. Par contre, à l'intérieur, les transformations étaient plus marquées, surtout depuis que l'actuel propriétaire avait décidé de ne plus habiter dans les trois pièces situées à l'arrière du bâtiment. Depuis longtemps, les murs avaient été jetés à terre. Daniel Cardin avait fait installer au fond de la grande pièce tous ses appareils ménagers, appareils protégés par un long comptoir devant lequel il avait fait visser huit hauts tabourets couverts de moleskine noire. Le reste du restaurant était occupé par huit tables au plateau en formica rouge vin, flanquées de banquettes recouvertes du même tissu que celui des tabourets disposés devant le comptoir.

– Salut Daniel, fit Adrien en se laissant tomber sur le dernier tabouret placé au bout du comptoir.

Le gros homme de près de 140 kilos leva la tête et sourit à son premier client de la journée.

– Bonjour, monsieur Beaulieu. Vous êtes toujours d'aussi bonne heure. Le café va être prêt dans cinq minutes. Voulez-vous des toasts avec votre café ?

– C'est pas de refus, accepta le vieil homme en regardant, par l'une des baies vitrées, Jean-Marie Dupré déverrouiller la porte de sa fromagerie.

– Ton voisin est-il toujours d'aussi bonne humeur ? demanda Adrien sans le nommer.

– Ah ! avec lui, ça change vite, fit avec philosophie le jeune homme de trente ans en tournant vers Adrien sa large figure joviale. Vous le connaissez mieux que moi.

Ça lui prend pas grand-chose pour le faire grimper dans les rideaux.

— Ouais, je sais ça depuis un bon bout de temps, fit l'ex-maire en pensant à tous les démêlés qu'il avait eus avec le fromager irascible à l'époque où le conseil municipal avait décidé de placer un panneau à la limite de son terrain pour dire «au revoir» aux automobilistes qui quittaient la municipalité.

****

Au même moment, les jambes un peu raides, Gilles Gagné franchissait le seuil de l'appartement 4 du Petit Foyer, appartement qu'il occupait depuis deux ans avec sa femme Anne. Le fils d'Ulrich Gagné avait hérité de son père sa haute taille un peu voûtée, sa maigreur, ses épais sourcils et son sens de l'humour. L'homme de soixante-cinq ans referma la porte derrière lui sans faire de bruit pour ne pas réveiller sa femme et il fit quelques pas sur le trottoir étroit qui longeait les cinq autres appartements. Levant le nez vers le ciel, il huma l'air frais de ce petit matin de septembre avec un plaisir non déguisé et il jeta un regard impatient vers la porte voisine.

À sept heures pile, comme tous les matins, cette dernière s'ouvrit pour livrer passage à Richard Miron, l'inspecteur municipal retraité depuis quelques années. Ce dernier était suivi de près par sa femme Marielle, engoncée dans une épaisse robe de chambre de ratine jaune et la tête couverte de bigoudis roses. Sur le pas de la porte, sans se presser le moins du monde, Miron enfonça sa casquette bleue sur sa tête à moitié chauve avant de resserrer d'un cran la ceinture de son pantalon.

– Richard Miron, essaie de pas passer tout ton avant-midi au restaurant à bavasser avec les autres vieux bons à rien du village, le prévint sa femme assez fort pour que le voisin l'entende clairement. J'ai de l'ouvrage pour toi, ici. Les vitres se laveront pas toutes seules, tu m'entends ?

– Ouais, ouais, répondit son mari, sans enthousiasme. C'est pas parce que c'est la fête du Travail que tu dois te forcer à me trouver de l'ouvrage.

– Arrête de ronchonner, pis reviens pas trop tard.

La porte claqua dans son dos et Miron fit un clin d'œil à son vieux complice qui l'attendait, comme chaque matin, pour aller boire un café au restaurant Cardin à l'autre bout du village.

– Dis donc, mon Richard, est-ce que ta femme essaie de ressembler à Pierrette Marcotte, notre voisine ? demanda Gilles Gagné en indiquant du menton l'appartement voisin habité par l'octogénaire. On dirait qu'elle a le même petit ton sec qu'elle quand elle parlait à son Jocelyn du temps qu'il vivait.

– Ben non ! Ben non ! Elle s'est juste levée du mauvais pied à matin. Elle est comme ça quand les enfants passent une semaine sans nous donner de leurs nouvelles.

– Nous autres, c'est le contraire, c'est le père qui nous donne trop souvent des siennes, fit Gilles en se mettant en marche aux côtés de son vieil ami. Il nous a encore appelés à cinq heures et demie à matin pour nous demander si on irait le voir aujourd'hui. À quatre-vingt-onze ans, il en perd des bouts, le père, et il a oublié de regarder l'heure avant de nous appeler. Pas nécessaire de dire que ma femme était pas de bonne humeur après le Centre Frédéric et elle se promet de leur dire un paquet de bêtises à notre prochain voyage à Drummondville. Mais je les connais, ça servira à rien. Ils vont nous dire que le vieux a voulu nous faire une farce et ça me surprendrait pas que ça soit vrai…

— Il est trop vieux pour changer, ton père. Il a toujours aimé rire.

— Il a toujours été un vieux verrat qui aimait jouer des tours, fit Gagné d'un ton affectueux.

Une centaine de mètres plus loin, Gilles Gagné descendit du trottoir et marcha dans la rue, les deux mains dans les poches.

— Tu vas finir par te faire ramasser par un char, lui fit remarquer Miron avec un sourire en coin… À moins que tu descendes du trottoir pour être à ma hauteur. On n'a pas idée d'être grand de même, c'est une vraie infirmité !

— Aïe ! Tu vas pas recommencer. Tu sais ben que j'haïs ça marcher sur ces maudits trottoirs tout fissurés et tout de travers. Ils sont pleins de trous et il y en a pas un bout d'aplomb. Un de ces jours, tu vas te casser une jambe à marcher là-dessus. Tu serais ben plus en sécurité dans la rue, comme moi.

– Si je faisais ça, ce serait comme critiquer l'ouvrage de Lupien, mon remplaçant.

– Voyons donc, en v'là toute une excuse. Dis donc la vérité. T'as peur de marcher dans la rue. T'es pas assuré ? demanda Gilles Gagné avec un sourire narquois. Avec la prime d'assurance, ta veuve pourrait se payer un jeune homme pour laver ses vitres et le reste…

Richard Miron se contenta de lever les épaules et d'enfoncer sa casquette.

Les deux hommes entrèrent dans le restaurant et s'installèrent sur les tabourets voisins de celui occupé par Adrien Beaulieu, après avoir salué l'ancien maire et le restaurateur. Cinq minutes plus tard, la veuve Lacombe poussa à son tour la porte du restaurant.

Céline Lacombe ne faisait pas ses soixante ans. Il faut dire que depuis près de quinze ans, elle menait une lutte de tous les instants contre le vieillissement à coups de régimes et d'exercices. Les résultats de tant d'efforts étaient probants : on lui donnait facilement dix ans de moins. Elle était mince et sa figure aux traits fins en forme de cœur était séduisante. Beaucoup d'hommes de Saint-Anselme ne se cachaient pas pour dire que la veuve du courtier d'assurances Roger Lacombe était pleine de vitalité et agréable à regarder.

Installée depuis cinq ans dans l'ancienne maison de feu le notaire Deschamps, elle s'était adaptée sans mal à Saint-Anselme et il ne manquait pas de gens au village pour apprécier à sa juste valeur son humour un peu sarcastique, son bénévolat et sa générosité.

— Bonjour madame Lacombe, fit Daniel Cardin en lui adressant son sourire le plus chaleureux.

— Bonjour Daniel, bonjour messieurs, dit-elle en s'adressant aux trois vieux clients perchés sur leurs tabourets. Je pensais être en retard, continua-t-elle en se tournant vers le restaurateur, mais comme nos trois corneilles sont encore là, je suppose qu'il n'est pas si tard que ça. Je pense que j'arrive à temps pour apprendre tous les commérages du village.

Elle prit place à l'une des tables du restaurant et fit semblant de consulter le menu qu'elle connaissait pourtant par cœur.

— Je vais prendre une omelette, laissa-t-elle finalement tomber à l'adresse de Daniel Cardin venu placer un napperon en papier et des ustensiles devant elle.

Beaulieu, Gagné et Miron jetèrent à la veuve un regard faussement mauvais, mais aucun n'osa relever l'insolence de la nouvelle arrivée. Ils savaient à l'avance qu'ils ne l'emporteraient pas dans une joute verbale avec elle. Elle avait la langue trop bien pendue. On fit semblant de ne pas l'avoir entendue.

— Dis donc Daniel, fit Gilles Gagné à l'adresse du restaurateur, j'ai joué aux cartes hier soir avec le père de ta Mélanie. Il paraît que tu te prépares à faire le grand saut…

— C'est pas vrai! s'exclama Richard Miron, la mine faussement horrifiée. Il a pourtant l'air intelligent, ce garçon-là. Pourquoi il irait se mettre la corde au cou?

Daniel Cardin cessa un instant de battre les œufs de l'omelette qu'il préparait et rougit légèrement.

– Il faut ben faire une fin, monsieur Gagné. On reste ensemble depuis six ans…

– Et ça te tente même pas d'essayer une plus jeune? demanda Adrien Beaulieu en entrant dans le jeu. À ta place, je le ferais. T'es encore jeune, t'as du bien…

– Oui, l'idée est pas bête, mon Daniel, ajouta Gilles Gagné en adressant un clin d'œil aux deux autres. Il faut que tu puisses comparer. En plus, trouver une femme avec un bon caractère, c'est dur en maudit! Plus elles vieillissent, pires elles sont. Moi, en tout cas, j'en ai pas trouvé…

Céline Lacombe ne put se retenir plus longtemps, même si elle se doutait bien que les propos des trois hommes n'étaient que des provocations à son endroit.

– Écoutez-moi ces trois vieux croûtons parler contre les femmes. Dans le tas, il y en a pas un pour racheter les deux autres… Et ça se mêle de juger les femmes! Si ça se trouve, il y a un veuf qui se souvient même plus comment sa pauvre femme l'a servi dans les dents toute sa vie et les deux autres exploitent encore leur femme comme des esclaves. Maudits hommes!

Seul le ricanement des trois hommes répondit à sa sortie.

– Daniel, marie-la, ta Mélanie, conclut la veuve. C'est le meilleur coup que tu peux faire. Un vrai homme se marie et il apprécie sa femme…

Le ton redevint sérieux.

– C'est pour quand le mariage? demanda Adrien Beaulieu.

– On a pensé faire ça le printemps prochain.

– Ah bon! Ben, t'as encore le temps de réfléchir. Il va encore couler pas mal d'eau sous les ponts avant que tu sois vraiment coincé.

Daniel Cardin fit glisser l'omelette dans une assiette et il beurra deux rôties qu'il coupa et disposa sur le bord de l'assiette avant d'apporter le tout à la table de Céline Lacombe.

De retour derrière son comptoir, le restaurateur dit à haute voix, sans s'adresser à un client en particulier:

– Hier après-midi, j'ai rencontré Marc Riopel chez Gagnon. J'en parle parce qu'il m'a dit que c'était pas un secret. Vous faites partie de la fabrique, madame Lacombe, vous devez le savoir. On dirait que le président de notre fabrique est pris avec une sacrifice de patate chaude dans les mains avec l'histoire du presbytère.

– Qu'est-ce qu'il a, le presbytère? demanda Gilles Gagné. Le curé reste plus là depuis au moins cinq ans. Il est vide…

– Il est vide, mais il continue à nous coûter cher, le coupa Céline Lacombe en s'essuyant la bouche avec une serviette en papier. C'est un gros bâtiment que la paroisse doit entretenir, chauffer et assurer. Tout ça mange la plus grande partie des contributions volontaires.

– Mais vous avez demandé à l'évêché le droit de vous en débarrasser, non? demanda Adrien Beaulieu en se tournant vers elle.

– Oui, c'est vrai. On nous a d'abord répondu l'année passée que le presbytère appartenait à toute la communauté et qu'on ne pouvait pas prendre la décision à la place des gens de Saint-Anselme.

– Ça fait longtemps que la fabrique nous a consultés là-dessus, affirma Miron.

– Oui, mais Marc Riopel a reçu seulement vendredi passé la permission de l'évêque de vendre ou de donner le presbytère si les membres de la fabrique étaient d'accord.

– Bon! Qu'est-ce que vous avez décidé? demanda Gagné.

– On va offrir le bâtiment à la municipalité pour un dollar.

– Hein! fit l'ex-maire en sursautant. Vous êtes pas sérieuse! Vous savez ben que Patenaude est pas assez fou pour accepter ça. Il coûterait ben trop cher à entretenir. On ferait quoi de ce gros éléphant blanc?

– On pourrait transférer là l'hôtel de ville, faire une garderie, une salle de rencontre ou même un CLSC, suggéra Céline Lacombe.

– Voyons donc, madame Lacombe, vous devriez savoir que pas une compagnie d'assurances va accepter d'assurer le bâtiment sans qu'on fasse des grosses transformations s'il devient un édifice public. En plus, pourquoi on déménagerait l'hôtel de ville là quand on a déjà un hôtel de ville qui fait l'affaire ? Une garderie ? Qui va envoyer faire garder ses petits dans une maison avec des escaliers aussi raides et un balcon à moitié pourri ? Pour un CLSC, je serais ben surpris que le ministère de la Santé accepte d'en ouvrir un dans cette vieille bâtisse…

– On peut pas savoir encore ce que le conseil de ville va répondre, dit sagement la veuve. Marc Riopel est supposé faire son offre officiellement au maire demain soir. On verra bien ce que le conseil va en penser. Peut-être que quelqu'un trouvera quelque chose à faire de notre vieux presbytère, ajouta-t-elle.

– Moi, je pense que le mieux serait de le vendre à un particulier, dit Richard Miron. J'ai fait le tour du presbytère avec le plombier au début juillet, quand il y a eu une fuite d'eau. Il paraît que la plomberie est en mauvais état. Étienne Dubé, qui s'est occupé de la fournaise tout l'hiver passé, m'a dit qu'elle est pas mal essoufflée. Si la municipalité s'embarque dans ce bateau-là, elle a pas fini de payer.

– On verra bien ce que le maire va décider, conclut Céline Lacombe.

Une voiture de la Sûreté du Québec s'arrêta lentement le long du trottoir, devant le restaurant.

— Tiens, on a de la visite, fit Gilles Gagné en regardant le policier ouvrir la portière de son véhicule et en sortir péniblement.

— Pour moi, sa nuit a été ben dure, dit son ami Miron.

Le policier, un gros homme arborant une épaisse moustache noire, se coiffa de son képi et entra sa chemise dans son pantalon avant d'ajuster son ceinturon auquel étaient suspendues, entre autres, son arme de service, une courte matraque, une radio portative et des menottes. L'homme se dirigea d'un pas conquérant vers le restaurant, sachant fort bien que son arrivée était épiée.

— Regardez-le ben changer de couleur, prévint Gagné au moment où l'autre pénétrait dans le restaurant.

— Bonjour tout le monde, salua l'agent en refermant la porte.

Le policier s'avança jusqu'au comptoir auquel il s'appuya avant de demander à Daniel Cardin de lui préparer un café à emporter.

Gilles Gagné se leva de son tabouret et regarda par la baie vitrée, avec le plus grand intérêt, la voiture de police en prenant un air étonné.

— Y a-t-il quelque chose qui va pas? demanda le policier intrigué par l'intérêt manifeste du vieil homme pour sa voiture de patrouille.

Personne ne parlait dans le restaurant.

— Ben là, je le sais plus, fit le grand sexagénaire en ajustant ses lunettes sur son nez. C'est drôle, j'avais

16

l'impression que la police provinciale avait changé la couleur de ses chars depuis une couple de semaines. Puis là, à matin, je m'aperçois que c'est encore la même maudite couleur blanche... Est-ce que je me trompe?

— Non, vous vous trompez pas, monsieur, rétorqua sèchement le policier dont le sourire s'effaça. On n'a pas changé la couleur de nos chars.

Il laissa tomber un dollar sur le comptoir, prit son verre de polystyrène rempli de café et s'empressa de sortir du restaurant dont il claqua la porte derrière lui. Moins d'une minute plus tard, l'auto démarrait en direction de l'autre extrémité du village.

— Qu'est-ce qui lui a pris? demanda Adrien Beaulieu, surpris par la vive réaction du policier. On dirait que tu l'as insulté.

Gagné et Miron se mirent à rire en se claquant les cuisses.

— Est-ce qu'on peut rire, nous autres aussi? demanda Daniel, intrigué par l'hilarité de ses deux clients.

Gilles Gagné retrouva un peu de sérieux pour expliquer ce qui en était à son auditoire. À son air satisfait, on voyait qu'il était heureux d'être le centre de l'attention générale. Avant de commencer, il passa ses gros doigts noueux dans sa tignasse blanche rebelle.

— Écoutez! Depuis le début de l'été, il y avait une auto-patrouille arrêtée dans le stationnement de l'église presque chaque jour, pendant une heure ou deux.

17

– Moi, je l'ai remarquée, fit Céline Lacombe. Le stationnement est devant mes fenêtres et je me suis souvent demandé ce qu'elle faisait là.

– Moi aussi, ça me chicotait qu'un char de police soit là si souvent, poursuivit Gagné. Il était là comme s'il y avait eu une chance de donner un ticket de vitesse à quelqu'un en haut de notre côte... N'importe qui, même un policier pas brillant, est capable de se rendre compte que cette côte-là est tellement à pic que ça prend tout le petit change d'un moteur pour la grimper.

– Aboutis, testament! fit Miron avec impatience. On va pas y passer la journée!

– Bon, après une couple de jours, j'ai fini par aller rôder autour du char pour savoir ce que le policier attendait là quand je me suis rendu compte qu'il dormait. Notre gros s'était trouvé le coin idéal pour faire sa petite sieste et il ronflait comme un bienheureux... Et ce gros-là, c'était celui qui vient de partir.

– Après? demanda Daniel Cardin.

– Après, un après-midi, il y a une quinzaine de jours, je faisais quelques pas sur le trottoir pour me dégourdir les jambes quand j'ai cru apercevoir quelque chose qui grouillait proche du char de police dans le parking de l'église. Tout d'abord, j'ai pensé que c'était un chien. Je me suis arrêté d'avancer et il a fallu que je regarde ben comme il faut avant de me rendre compte que c'était la tête d'un jeune.

– Qu'est-ce qu'il faisait là? demanda Beaulieu, intrigué.

18

– Attends! J'ai ben vu que notre policier dormait comme d'habitude, la bouche à moitié ouverte. Quand le jeune s'est relevé à moitié, je me suis aperçu qu'il tenait quelque chose dans les mains et, tout de suite après, je l'ai vu faire lentement le tour du char, en petit bonhomme, en arrosant les côtés et l'arrière avec de la peinture fluorescente orange.

– Le policier a rien vu? demanda la veuve Lacombe.

– Pantoute! Après son mauvais coup, le jeune a filé par le cimetière, ni vu ni connu. Moi, je suis allé m'asseoir sur une marche de l'escalier du presbytère pour voir la tête que notre gros ferait en apercevant la nouvelle couleur de son char.

– Il devait être content! fit Daniel Cardin en réprimant un sourire.

– Ça, mon jeune, il y a pas eu moyen de le savoir. Une demi-heure plus tard, un appel radio l'a tiré des limbes et il est parti à toute vitesse. Mais je suppose qu'au poste, il a dû avoir une maudite surprise en débarquant. J'aurais ben aimé être là pour entendre les explications qu'il a fournies à son boss.

– Je voudrais pas être mauvaise langue, dit Richard Miron, mais ça me surprendrait pas que ce soit encore le petit maudit Leroux qui a fait ce coup-là.

– Lequel? demanda l'ex-maire.

– Le Mathieu. J'ai jamais vu un jeune aussi malfaisant. Remarque, son frère Marco donne pas sa place non

19

plus, mais lui… Je suis certain que le Clément doit se retenir à deux mains depuis longtemps pour ne pas lui sacrer la volée qu'il mérite.

– Voyons, Richard, le réprimanda Gilles Gagné, l'air faussement scandalisé. Une chance que t'as pas à élever tes enfants aujourd'hui. Tu sauras, mon homme, qu'on n'a plus le droit de lever la main sur un enfant. Il y a l'Office de la protection de la jeunesse. Un jeune peut porter plainte contre ses parents et les faire condamner s'ils osent le toucher…

– Je le sais, fit Richard Miron en coiffant sa casquette, signe qu'il se préparait à partir. Mais avec tous les mauvais coups que celui-là a faits depuis qu'il sait marcher, je pense que son père aurait dû prendre une chance de temps en temps de lui en sacrer une bonne pour lui mettre un peu de plomb dans la tête. En tout cas, son grand-père, le vieux Bruno Lequerré, a dû en avoir souvent envie, lui aussi. Je suis certain qu'il a jamais digéré d'avoir des petits-fils pareils. Aurore a dû avoir de la misère à le retenir des fois…

– Oh! mais attention! Moi, j'ai jamais dit que c'était le petit Leroux qui avait fait ce mauvais coup-là, corrigea Gilles Gagné. Je suis vieux et ma vue baisse…

Tout le monde se regarda avec un sourire entendu. Gagné et Miron se levèrent et fouillèrent dans leurs poches avec un synchronisme presque parfait. Ils en tirèrent un peu de monnaie qu'ils laissèrent tomber sur le comptoir.

– En tout cas, dit Gagné en faisant quelques pas pour suivre Richard Miron qui venait d'ouvrir la porte du restaurant, vous venez de comprendre pourquoi notre homme avait pas l'air de trop bonne humeur quand je lui ai demandé si les chars de la police provinciale avaient pas changé de couleur.

Des rires discrets saluèrent la sortie des deux hommes.

Chapitre 2

L'enquête

Pendant ce temps, l'auto-patrouille traversa lentement tout le village et descendit la côte. Après avoir franchi le pont, elle escalada la côte opposée. Parvenue au sommet, elle poursuivit son chemin sur le rang Saint-Édouard en longeant la rivière Nicolet. Elle ne tourna qu'au second rang qui s'ouvrait à gauche : le rang Sainte-Anne.

À l'entrée du rang, l'agent Perreault ralentit encore, jetant de fréquents coups d'œil vers les champs de maïs à ensiler à gauche et à droite de la route. Il bénit intérieurement l'asphalte économique dont étaient pavés maintenant tous les rangs de Saint-Anselme. Après une attente de plus de cinquante ans, les cultivateurs profitaient enfin de chemins carrossables en toute saison. Finie l'époque où le moindre véhicule soulevait un nuage de poussière ou s'embourbait dans les fondrières.

Le policier parcourut un bon quart du rang Sainte-Anne avant de voir les bâtiments de la première ferme.

Les noms Leroux-Lequerré étaient écrits en grosses lettres noires sur la boîte aux lettres plantée au bord de la route. La maison blanche à un étage avait conservé son recouvrement original en bardeaux de bois. À l'arrière, la grange, le silo, l'étable, la remise et le garage étaient en bon état, sans plus. Une petite voiture Ford bleue et une camionnette blanche, sur les flancs de laquelle on pouvait lire Leroux électrique, étaient stationnées près d'un tracteur sans âge.

L'agent de la SQ ralentit encore en passant devant les trois fermes suivantes situées de l'autre côté de la route, de biais avec celle des Leroux-Lequerré. Pour être venu plusieurs fois dans le rang Sainte-Anne, il savait qu'il s'agissait des maisons de Pierre Bergeron, de Marc Riopel et de Richard Bergeron qui faisaient face à des champs appartenant tous à André Marcotte, le plus gros fermier du rang Sainte-Anne. Ces trois fermes se ressemblaient étrangement tant par leur taille que par leur maison à un étage prolongée par ce qu'on appelait autrefois une cuisine d'été.

Les trois propriétaires avaient recouvert leur maison de déclin de vinyle tant pour en améliorer l'apparence que pour en faciliter l'entretien. Si Richard Bergeron avait choisi de couvrir la sienne de déclin jaune pâle et de la parer de faux volets brun foncé, ses deux voisins avaient opté pour la couleur blanche et des faux volets verts. Par ailleurs, ces trois fermes possédaient des bâtiments pratiquement de la même taille et des silos identiques. Leur unique originalité était les dessins géométriques qui ornaient les portes de leur grange.

À moins d'un demi-kilomètre, au bout d'un court chemin privé, se dressait la grande maison à deux étages de la famille Marcotte. La demeure imposante était entourée d'érables centenaires. Au premier coup d'œil, le passant devinait que le propriétaire était aisé. Les auvents bleu marine installés au-dessus de chacune des nombreuses fenêtres mettaient en valeur le vinyle bleu-gris qui recouvrait cette grande maison. L'ajout d'une vaste salle vitrée orientée vers le jardin et les grands bâtiments construits derrière donnaient à l'ensemble un aspect cossu indéniable. Cette impression était d'ailleurs renforcée, si besoin était, par l'immense étable ultra-moderne pouvant accueillir une centaine de bêtes et par les trois silos qui la flanquaient. Par les portes ouvertes de la grande remise, on pouvait voir deux gros tracteurs et de grosses machines aratoires modernes et bien entretenues.

Le policier engagea son véhicule dans ce chemin privé et après avoir effectué un large virage dans la grande cour asphaltée, il l'immobilisa à une faible distance du court escalier qui permettait d'accéder au large balcon sur lequel s'ouvrait la porte de la maison située sur le côté.

Un visage bronzé aux traits taillés à coups de serpe apparut à la fenêtre de la cuisine. Deux yeux noirs avaient suivi la progression de l'auto-patrouille sur le chemin privé. La jeune femme d'une trentaine d'années écrasa sa cigarette d'un geste brusque dans le cendrier posé sur le comptoir près d'elle et elle enleva le tablier qui protégeait son pantalon noir et son chandail gris. Après avoir repoussé vers l'arrière la masse de ses cheveux brun foncé, elle ouvrit la porte d'un geste décidé avant même que l'agent ait fini de s'extirper de son véhicule. Elle se tint immobile en haut des trois marches qui conduisaient au balcon et elle attendit que l'autre lui parle.

– Agent Michel Perreault de la Sûreté du Québec, se présenta le gros policier en coiffant son képi et en demeurant debout au pied des marches de l'escalier. Madame André Marcotte?

– Madame Lucie Veilleux-Marcotte, corrigea sèchement la jeune femme. André Marcotte est mon beau-père et il y a pas de madame André Marcotte.

– Est-ce que je peux dire deux mots à votre beau-père? demanda l'agent.

– Si vous voulez lui parler, vous avez qu'à aller à la laiterie; il est là avec mon mari, répondit la femme en pointant l'index vers un petit bâtiment accolé à l'étable. Sur ces mots, elle lui tourna carrément le dos et rentra dans la maison.

Le policier, surpris par les manières abruptes de la jeune femme, resta un instant sans bouger avant de se décider à traverser la cour à pied.

Il frappa à la porte de la laiterie avant d'y pénétrer. La pièce de taille moyenne sentait le désinfectant et elle était occupée en grande partie par un réservoir central, un système compliqué de tuyauterie et deux grandes cuves en acier inoxydable.

Un homme mince d'une trentaine d'années, à la chevelure châtaine clairsemée, était penché au-dessus de l'une des cuves. En entendant une voix dans son dos, il sursauta. Il ferma immédiatement le robinet et il cessa de nettoyer la chaudière qu'il était en train de récurer. Il se redressa en s'essuyant les mains sur la salopette bleue qu'il portait.

– Vous êtes André Marcotte?

– Non, c'est mon père, répondit-il d'une voix posée. Moi, je suis Pascal Marcotte. Vous voulez le voir?

– Oui, si c'est possible.

– P'pa, il y a quelqu'un qui veut vous parler! cria Pascal Marcotte en poussant une porte battante qui communiquait avec l'étable. Mon père est en train de soigner les veaux, dit Pascal Marcotte à l'adresse du policier. Ce sera pas long. Aujourd'hui, nos deux hommes engagés sont en congé et on doit tout de même faire le train, ajouta-t-il en guise d'explication.

Deux minutes plus tard, André Marcotte entra dans la laiterie. Il déposa sans se presser deux chaudières qui avaient contenu du lait près d'une cuve remplie d'eau savonneuse.

En vieillissant, l'homme de soixante-trois ans ressemblait de plus en plus à son défunt père, Jocelyn Marcotte. Il possédait la même taille un peu supérieure à la moyenne, le même visage rond et la même épaisse chevelure poivre et sel. Sans être gras, il était tout de même un peu enveloppé. Il dépassait d'une demi-tête son fils Pascal avec qui il exploitait sa ferme. Il repoussa sur son nez ses lunettes à monture métallique.

– Va donc finir de nourrir les veaux, jeta-t-il à son fils avant de s'avancer vers le policier.

Pascal sortit de la laiterie et laissa les deux hommes face à face.

– Qu'est-ce qui se passe? demanda André Marcotte, sans faire montre de la moindre amabilité.

– Agent Perreault du poste de Drummondville, fit l'autre en adoptant le même ton que son interlocuteur. Je sais pas si vous l'avez remarqué, mais notre hélicoptère est passé plusieurs fois au-dessus des terres de Saint-Anselme depuis quelques jours.

– Je l'ai pas vu, mais je l'ai entendu.

– Bon, vous vous doutez ben pourquoi, continua le policier. On a détecté quelques plantations de marijuana…

– Ah oui! Où ça?

– D'après nous, la plus grosse se trouve sur une de vos terres, dit l'agent Perreault sans ménagement, heureux de saisir l'occasion de rabattre le caquet à son interlocuteur.

– Impossible! le coupa brutalement André Marcotte. Mes terres sont toutes semées de blé d'Inde à ensiler et de soja. Il y a pas de drogue là.

– Écoutez, je vous contredirai pas pour rien… Juste une information. À qui appartiennent les deux premiers champs à l'entrée du rang? demanda Michel Perreault.

– À gauche ou à droite de la route?

– À droite de la route, en entrant dans le rang du côté du rang Saint-Édouard, précisa l'agent avec une impatience visible.

– À mon gars et à moi. Vous avez consulté le cadastre à l'hôtel de ville, non?

– Oui, vendredi passé. On s'est aperçu que vous possédiez près de 45 % des terres du rang…

– Oui, et on en a quelques-unes aussi dans le rang Sainte-Marie.

– Bon! Alors, c'est dans deux de vos champs que l'hélicoptère de la Sûreté a détecté plusieurs centaines de plants de mari.

– Ça me surprendrait en maudit, dit André avec humeur. Je vais faire un tour dans mes champs au moins une fois par semaine et j'ai jamais rien vu.

– Alors, c'est que vous avez mal regardé, monsieur, parce que si on se fie à la taille des plants, ça fait un bon bout de temps qu'ils ont été plantés. Je suppose que vous savez qu'il s'agit d'une activité criminelle.

– Ouais!

– Vous avez pas remarqué des allées et venues d'étrangers dans votre rang?

– Aïe! Je passe pas mon temps à regarder passer le monde. Avec une ferme aussi grosse que la mienne, l'ouvrage manque pas. En plus, avec le club gay qui marche à plein sur l'île Ouellet, au bout du rang, c'est pas les chars d'étrangers qui manquent.

– Donc, si je comprends bien, vous étiez au courant de rien?

– Sûr et certain! Est-ce que j'ai l'air d'un vendeur de drogue? Nous autres, les Marcotte, on est installés dans le rang Sainte-Anne depuis 1891 et on a toujours cultivé la terre. On n'a jamais eu besoin de la mari pour manger nos trois repas par jour.

– Vous savez, c'est jamais écrit dans la figure des gens qu'ils cultivent de la drogue, monsieur Marcotte. On aurait pu vous donner un bon montant pour fermer les yeux. Ça arrive plus souvent qu'on pense, vous savez!

– Une minute! s'emporta pour de bon André Marcotte, le visage rouge de colère, je viens de vous dire que j'ai rien à voir là-dedans.

– Et vous avez pas reçu de menaces de personne? continua, imperturbable, l'agent Perreault.

– Pour la nième fois, je vous répète que je savais pas qu'on avait planté de la mari sur mes terres. Et pour mon gars, c'est pareil. On n'en a pas planté et on n'en a jamais planté. En plus, on n'a jamais accepté que

29

quelqu'un vienne en planter. Est-ce que c'est assez clair, ça?

– L'enquête ne fait que débuter, monsieur, dit le policier d'une voix radoucie. Pour l'instant, on n'a aucune raison de mettre en doute votre parole.

– En tout cas, je voudrais ben aller jeter un coup d'œil dans mes champs pour être sûr que vous vous trompez pas…

– Il en est pas question, monsieur Marcotte, s'empressa de préciser Michel Perreault. Vos deux champs sont sous surveillance depuis samedi matin et on essaie de mettre la main sur ceux qui viennent entretenir la plantation. Vous savez que la mari doit être suffisamment arrosée. Il y a forcément quelqu'un qui vient s'en occuper, le jour ou, plus probablement, la nuit. Il y a des traces de tout-terrain. On surveille et on va finir par pogner ceux qui viennent.

– Aïe! C'est ma terre! s'exclama le sexagénaire. J'ai tout de même le droit d'aller voir.

– À votre place, je ferais pas ça. Il y en a qui posent des pièges autour de leurs plants ou qui les protègent avec des armes. Si vous mettez votre nez là, il risque de vous arriver un accident.

– Bon, mais qu'est-ce que je fais?

– Nous aimerions que vous et votre fils, vous vous teniez le plus loin possible de ces deux champs jusqu'à la fin de l'enquête.

– Et ça va durer longtemps?

– Pas plus que quelques jours.

– Bon, c'est correct.

– Oh! En passant, ajouta l'agent, connaissez-vous les gens qui restent dans la dernière maison du rang avant le chemin qui mène à l'île du club gay? Vous savez, la petite maison blanche…

– Ben sûr que je les connais. La maison est à moi. Avant, elle était ici, juste au bout de mon entrée. C'est l'ancienne école du rang achetée par mon grand-père dans les années 40. Je l'ai rachetée quand ma tante qui l'habitait est morte. Je l'ai fait déménager sur une de mes terres et je l'ai louée en 93, aux Paquette, un couple de Montréal. Je les connais; c'est du monde tranquille. Ils ont une quarantaine d'années. Lui, il écrit des livres; elle, elle est secrétaire à Drummondville. C'est du bon monde. On les entend jamais.

– Bon, si vous avez la moindre information à nous donner, vous pouvez appeler au poste de Drummondville et demander à parler au lieutenant Tondreau. C'est lui qui s'occupe du dossier.

Sur ces mots, le policier sortit de la laiterie et traversa la cour. Avant de monter à bord de son auto-patrouille, il jeta un dernier regard à la grande maison et il crut apercevoir la figure de la bru d'André Marcotte à l'une des fenêtres. Quand elle se sentit observée, son visage disparut brusquement.

Une minute plus tard, André Marcotte sortit à son tour de la laiterie et il regagna sa maison à pas lents. Il enleva ses bottes sur le pas de la porte et il chaussa une paire de vieilles pantoufles éculées avant d'entrer dans la cuisine.

Sa bru, installée à la table de cuisine, regardait une émission sur le petit téléviseur posé sur le comptoir. Elle eut une moue en apercevant son beau-père et elle se garda bien de lui adresser la parole. Il était évident que la communication n'était guère facile entre ces deux êtres.

André Marcotte traversa la cuisine sans dire un mot et il entra dans la pièce voisine du salon, pièce qu'il avait transformée en bureau quelques années auparavant. Il referma la porte derrière lui.

– Maudite fouine! dit-il à mi-voix en se laissant tomber dans son fauteuil préféré placé devant la fenêtre.

La visite du policier ne l'avait surpris qu'à moitié. Il fallait bien qu'un jour ou l'autre, on découvre quelque chose, mais il avait pris ses précautions. Depuis trois ans, il fermait les yeux sur ce qu'on plantait au bout de sa terre, près du bois, en échange du contenu d'une enveloppe qu'on laissait dans sa boîte aux lettres au début de l'été. Pascal et sa femme n'étaient au courant de rien et il voyait à ce que ni l'un ni l'autre n'aille traîner dans ses deux champs au bout du rang.

Avec les années, c'était probablement l'unique aspect du cultivateur qui n'avait pas changé: son appétit insatiable de profits. Il avait hérité cela de ses parents. Comme Jocelyn et Pierrette Marcotte, il croyait fermement qu'il n'y avait jamais de trop petits bénéfices. Pourquoi laisser à d'autres cet argent facile? s'était-il demandé quand une voix anonyme lui avait proposé au téléphone une somme confortable en échange d'un peu de sa bonne volonté.

André ne manquait pourtant pas d'argent, loin de là! Ses démêlés de 1980 avec le fisc lui avaient coûté cher, mais il s'était largement repris depuis lors.

Il eut une grimace en pensant à cette époque. Une année à marquer d'une croix noire. D'abord, ses parents l'avaient abandonné pour aller s'installer au Petit Foyer, puis sa fille Nicole avait décidé, à dix-huit ans, d'aller vivre à Montréal sous le prétexte que le Cégep Maisonneuve était la seule institution à offrir les cours qu'elle désirait suivre. En fait, elle avait sauté sur la première occasion pour couper les ponts avec les siens. Puis, les inspecteurs des ministères du Revenu provincial et fédéral ne l'avaient pas lâché tant qu'il n'avait pas payé tout ce qu'il leur devait, avec les pénalités et les intérêts. Les cent mille dollars qu'il avait dû débourser avaient fait un trou non négligeable dans ses économies… Mais le pire avait été le départ imprévu de Louise, sa femme.

Presque vingt ans déjà qu'elle l'avait quitté et la blessure n'était toujours pas cicatrisée. Ah! si c'était à refaire! Mais aurait-il pu empêcher cela? Durant des mois, il avait tout fait pour reconquérir celle qui avait choisi de s'installer à Drummondville, dans un appartement miteux et de vivre d'un petit salaire de décoratrice. Pour l'attendre, il l'avait attendue… et au prix de nombreux sacrifices! Par exemple, il avait refusé à plusieurs reprises que sa mère vienne prendre soin de son ménage, de peur que Louise, en découvrant sa présence, refuse de revenir. Il s'était humilié sans obtenir le moindre résultat. Pire, pendant qu'il se morfondait dans une maison de moins en moins propre et accueillante, sa femme, par contre, semblait s'épanouir loin de lui. Durant des mois, il avait eu beau multiplier les avances, proposer des sorties et promettre de changer; elle était demeurée froide et distante. Elle l'avait repoussé… Puis, un jour, Louise lui avait annoncé que son patron ouvrait une boutique dans la capitale et qu'elle s'en allait vivre à Québec pour y travailler. Elle avait promis, sans enthousiasme, de lui donner des nouvelles. Il n'en avait reçu que six mois plus tard sous la forme d'une demande de divorce en bonne et due forme adressée par une avocate.

À cette pensée, André Marcotte crispa les poings. Le souvenir de sa rage impuissante d'alors le submergea. Il avait dû prendre à son tour un avocat et il s'était battu pied à pied pour ne pas être dépouillé. Objectivement, il devait reconnaître aujourd'hui qu'il s'en était assez bien tiré. Après quelques rencontres en compagnie de leurs avocats, ils s'étaient mis d'accord pour éviter les tribunaux. Sur le conseil de son avocate, Louise avait accepté de renoncer à une pension annuelle pour un confortable montant forfaitaire, comme si elle était soudainement soulagée de couper le dernier lien qui les unissait. Finalement, il était demeuré seul avec son fils de dix-sept ans dans cette trop grande maison.

Bien sûr, les veuves et les «trésors oubliés» de la région avaient commencé à lui tourner autour dès que le divorce avait été connu. Elles étaient sans doute attirées par sa réputation d'homme d'affaires avisé et par son argent. Mais son divorce l'avait tellement marqué qu'il n'avait plus aucune confiance dans les femmes. Au lieu de se jeter sur la première femme disponible, il eut alors la chance et la bonne idée d'engager un couple de Saint-Lucien, les Perron. L'homme était un ouvrier habile et sa femme se révéla surtout une excellente ménagère. En moins d'un mois, la grande maison redevint un foyer accueillant tant pour lui que pour Pascal. Les Perron demeurèrent à son service durant sept ou huit ans et ils y seraient encore si le caractère désagréable de sa bru ne les avait chassés.

À cette pensée, André eut une grimace comme s'il venait de mordre dans un citron.

Lucie Veilleux était originaire d'un petit village de la Gaspésie. Pascal l'avait rencontrée à une soirée donnée chez une cousine où elle demeurait pendant qu'elle suivait un cours de dessinatrice de mode dans une école privée de Drummondville, cours qu'elle n'avait d'ailleurs pas réussi.

Il n'avait jamais compris ce qui avait attiré son fils chez cette fille mal dégrossie et sans manières. Elle était aussi fruste que Louise avait été délicate et raffinée. Comme Pascal n'était pas le plus communicatif des garçons, il ne présenta la jeune fille à son père que trois mois avant de l'épouser. À ce moment-là, il était déjà trop tard pour intervenir auprès du jeune homme de vingt-six ans.

André la revoyait encore faire le tour du propriétaire à sa première visite, critiquant tout ce qu'elle voyait, comme si elle était déjà la maîtresse des lieux. Ce n'est qu'un peu plus tard qu'il comprit que la Gaspésienne avait probablement piégé le naïf, quand elle accoucha de la petite Corinne cinq mois après les noces. Ce qu'il avait redouté à l'époque était bien en dessous de ce qui allait se produire. Sa vieille mère avait bien jaugé la nouvelle venue quand elle lui avait dit le jour des noces : « Celle-là, mon André, elle va t'en faire voir de toutes les couleurs. »

De fait, en quelques mois, les manières brusques et la langue acérée de la jeune femme lui avaient mis tout le monde à dos dans le rang Sainte-Anne. Les premiers à lui céder la place furent les Perron qui partirent après une scène particulièrement désagréable. Ensuite, les voisins eurent tôt fait de juger et de mettre à l'écart cette féministe enragée qui clamait haut et fort, les mains sur les hanches, qu'elle était l'égale de tout homme et la maîtresse de son corps. Même Pierrette Marcotte, bien connue pour son caractère acariâtre, évita de plus en plus de quitter durant quelques heures son appartement du Petit Foyer pour venir visiter son fils et son petit-fils.

Si Pascal se montrait, en général, un mari assez soumis, il en allait tout autrement avec André. Le beau-père s'estimait encore roi et maître dans sa maison et il refusait de baisser pavillon devant celle qu'il avait surnommée depuis longtemps la « garce ». Le ton montait souvent entre lui et sa bru qui menaçait au moins une fois par mois d'aller vivre ailleurs parce qu'on ne respectait pas ses droits. Bien sûr, ce départ aurait fait le plus grand plaisir au sexagénaire si elle était partie seule… Mais elle aurait quitté en emportant dans ses bagages Pascal et surtout Corinne, sa petite-fille de huit ans. Cela, il ne pouvait l'accepter. Il n'avait pas travaillé toute sa vie pour laisser son bien à des étrangers. Bref, même s'il la détestait royalement, André devait supporter sa bru.

Par la fenêtre entrouverte, il entendit le bruit d'une voiture qui passait sur la route. Il tourna la tête juste à temps pour apercevoir l'auto-patrouille de la Sûreté du Québec qui se dirigeait lentement vers le rang Saint-Édouard. Le policier était probablement allé interroger les Paquette.

**

Deux minutes plus tard, le véhicule de police s'immobilisa près d'un vieil homme armé d'une bêche qui traversait la cour de la ferme Leroux-Lequerré. À la vue de la voiture de police, ce dernier s'arrêta et attendit que le policier ait terminé de descendre la glace de sa portière.

– Bonjour, monsieur, salua le policier. Vous êtes monsieur Leroux ou monsieur Lequerré?

– Bruno Lequerré, fit le vieil homme avec un reste d'accent chantant trahissant ses origines provençales. Qu'est-ce que je peux faire pour vous?

– Vous êtes le propriétaire des lieux?

– Oui, avec mon gendre, Clément Leroux.

– Dites-moi, monsieur Lequerré, est-ce que vous auriez pas remarqué des gens bizarres qui se promenaient dans votre rang ces derniers temps?

Une lueur amusée s'alluma dans l'œil de Bruno Lequerré qui, à soixante-quatorze ans, n'avait rien perdu de son sens de l'humour.

– Mais, mon ami, des gens bizarres, de nos jours, il n'y a que ça.

Le visage de l'agent Perreault se rembrunit.

– C'est possible, admit l'agent, mais avez-vous vu des gens aller et venir dans votre rang à de drôles d'heures?

– Qu'est-ce que vous appelez de «drôles d'heures»?

– Tard le soir ou durant la nuit… Pour vous dire la vérité, on a découvert de la marijuana dans certains champs avec le détecteur qu'on a maintenant dans notre hélicoptère. On cherche à mettre la main sur ceux qui l'ont plantée.

– Pourquoi? C'est pas permis de planter de la marijuana?

– Non, monsieur, fit Michel Perreault en se demandant ce qu'il avait fait au bon Dieu pour tomber sur quelqu'un d'aussi attardé. C'est défendu par la loi. Les responsables sont passibles de lourdes peines de prison.

– Si c'est comme ça, j'espère que vous en avez pas trouvé dans mes champs.

– Non, pas dans les vôtres. Mais on aimerait que vous nous préveniez si vous voyez quelque chose d'anormal.

– Vous pouvez y compter, fit Bruno en réprimant avec peine un sourire.

Le policier le salua et fit faire demi-tour à son véhicule avant de quitter la cour.

Durant un long moment, le vieil homme ne bougea pas, debout au milieu de sa cour. Il passa une main calleuse sur son visage ridé avant de soulever sa casquette rouge délavée pour étaler soigneusement sur son crâne dégarni ses quelques cheveux blancs. Puis, il se remit en marche en direction de son garage.

Chapitre 3

La leçon

Au moment où Bruno entrait dans le garage, son gendre, Clément Leroux, en sortait en compagnie de son fils Marco, âgé de dix-sept ans. Les deux hommes s'essuyèrent les mains couvertes de cambouis avec un vieux chiffon sale. De toute évidence, ils ne s'étaient pas aperçus de la visite du policier.

Le père et le fils étaient l'un et l'autre grands et minces, mais le fils avait hérité de sa mère Carole une épaisse chevelure brune.

– On a fini de réparer l'ensileuse, beau-père, fit Clément. On a même eu le temps de la graisser.

– C'est parfait, fit Bruno avec une satisfaction visible. Une chance que vous êtes habiles tous les deux pour réparer, sinon on passerait notre temps à payer le petit Rousseau, au village, pour faire les réparations.

Bruno Lequerré déposa sa bêche près de la porte du garage et il suivit son gendre et son petit-fils déjà en route vers la maison. En entrant dans la cuisine, tous les trois furent accueillis par une odeur appétissante. Aurore s'activait autour de la cuisinière électrique tandis que sa fille Carole finissait de laver la vaisselle.

À soixante-huit ans, Aurore Lequerré était encore une femme très active, même si elle souffrait de diabète. Ses cheveux blancs coiffés en chignon et son habitude de se tenir très droite lui donnaient une allure sévère que démentaient le plus souvent ses yeux rieurs.

Elle considérait comme une véritable bénédiction de vivre depuis près de vingt ans avec sa fille Carole et sa famille. Clément était un bon père de famille et surtout un homme patient. Dieu sait s'il le fallait avec ses deux fils. Depuis quelques années, elle voyait bien que son Bruno prenait de l'âge et qu'il appréciait lui aussi l'aide que son gendre et les siens lui apportaient.

Clément Leroux avait beau être avant tout un maître électricien, il n'en consacrait pas moins quelques heures chaque jour au travail de la ferme et il poussait sans cesse Marco et Mathieu à faire leur part. Bref, il était entendu pour Bruno et Aurore que Carole et son mari prendraient leur relève sur la ferme qu'ils exploitaient depuis plus de quarante ans.

– On finit de faire cuire des biscuits, dit Aurore aux trois hommes. Vous pourrez en manger chacun deux, pas plus. Il est pas question de gâcher votre dîner.

Il y eut un murmure approbateur des nouveaux arrivés pendant qu'ils s'installaient autour de la grande table de cuisine.

— M'man, regardez Mathieu qui vient de sortir de l'étable, dit Carole en lui montrant la fenêtre placée au-dessus de l'évier. Il a l'air d'avoir les deux yeux dans le même trou. Regardez comment il se traîne les pieds…

— Je comprends, dit Bruno qui s'était étiré le cou pour regarder venir son petit-fils. Quand je me suis levé à deux heures, la nuit passée, il était encore assis devant son maudit ordinateur à jouer à un de ses jeux insignifiants.

— Ça, cette invention-là, ajouta Clément, si c'était juste de moi, elle prendrait le bord des poubelles.

— Voyons p'pa, fit Marco, vous êtes ben plus moderne que ça. C'est utile, un ordinateur.

— C'est utile quand on sait s'en servir intelligemment, corrigea la grand-mère en déposant sur la table un litre de lait froid et une assiette sur laquelle étaient empilés des biscuits à la farine d'avoine encore chauds.

Il y eut un bruit de raclement de pieds sur le balcon avant que la porte ne s'ouvre sur la tignasse flamboyante de Mathieu. L'adolescent de seize ans était dégingandé et sa figure à l'air boudeur arborait quelques boutons d'acné.

— T'es boutonné en jaloux, fit sa mère qui lui jeta un rapide coup d'œil avant d'ouvrir une porte de l'armoire pour y prendre un verre supplémentaire.

Mathieu répondit par un grognement inintelligible.

Carole suspendit son geste et se tourna vivement vers son fils. Ce dernier eut un léger mouvement de recul. À trente-neuf ans, sa mère était dotée d'un embonpoint confortable et elle était encore très capable de lui montrer les belles manières.

– Dis donc, toi, il me semble t'avoir appris à parler, lui dit-elle sur un ton légèrement menaçant. Qu'est-ce que tu viens de dire?

Le silence se fit autour de la table. Mathieu pâlit légèrement.

– J'ai dit que c'était pas ben, ben important d'être mal boutonné parce qu'on n'a pas de visite, dit l'adolescent en s'assoyant à côté de son frère.

– C'est là où tu te trompes, fit son grand-père. On en a eu de la visite. La police provinciale vient de partir.

– Justement, p'pa, j'allais vous demander ce que le policier voulait, fit Carole qui avait vu par la fenêtre la voiture de police.

– Nous, dans le garage, on s'est pas aperçus, de rien, fit Clément en regardant Marco.

– Ah! Il paraît qu'il va y avoir pas mal de remue-ménage dans le rang aujourd'hui, dit Bruno. Le policier m'a dit qu'on avait trouvé de la marijuana un peu partout dans le rang. Les voitures de police s'en viennent. Ils vont arrêter les coupables et arracher tous les plants pour les brûler, je suppose. Il y en a qui vont y goûter, ajouta le vieil homme en saisissant le regard inquiet que ses deux petits-fils venaient d'échanger entre eux.

– Comment ils ont fait pour trouver la mari ? demanda Clément.

– Il paraît qu'ils se sont servis d'un détecteur qu'ils ont à bord de leur hélicoptère. Ils surveillent maintenant ceux qui viennent arroser les plants…

– Tant mieux ! fit Clément. Cette maudite drogue-là est devenue une vraie plaie. Il est temps qu'ils fassent quelque chose pour nous en débarrasser.

Pendant que Carole et sa mère donnaient à leur tour leur point de vue sur la nouvelle du jour, Marco et Mathieu mangèrent rapidement leurs biscuits et burent leur verre de lait. Ils se levèrent de table presque en même temps.

– Où est-ce que vous allez comme ça ? leur demanda leur mère, surprise de les voir quitter la table sans quémander quelques biscuits supplémentaires.

– On va juste aller voir ce qui se passe dans le rang, répondit Mathieu en repoussant une mèche de cheveux roux qui lui tombait dans l'œil.

– Pour une fois qu'il se passe quelque chose chez nous, reprit son frère aîné, on n'est pas pour manquer ça.

Les deux adolescents quittèrent rapidement la pièce. Il y eut un claquement de porte. Par la fenêtre, Carole vit ses deux fils enfourcher leur bicyclette et prendre la direction de la ferme d'André Marcotte.

– Ça m'étonnerait qu'ils aillent bien, bien loin, fit Bruno Lequerré en allumant sa pipe.

44

– Pourquoi vous dites ça, le beau-père? demanda Clément.

– Je pense que tes gars ont bien plus envie d'aller voir au bout de notre champ de blé d'Inde que de s'informer de ce qui se passe dans le rang.

Carole et sa mère cessèrent d'amasser la vaisselle sale sur la table et elles se tournèrent vers le vieil homme.

– Qu'est-ce que tu cherches à nous dire, Bruno? demanda sa femme. T'as l'air de savoir quelque chose qu'on sait pas.

Bruno Lequerré retira sa pipe de sa bouche avant de parler.

– Au mois de juillet, un matin, je suis allé vérifier les clôtures au bout du champ derrière l'étable. Je me suis aperçu par accident qu'on avait planté quelque chose entre nos plants de blé d'Inde, près du bois. Personne a eu besoin de me faire un dessin pour que je comprenne que c'était de la marijuana. J'ai touché à rien. Je voulais savoir qui avait eu le culot de venir planter cette saloperie sur notre terre.

– Vous auriez dû nous en parler, monsieur Lequerré, fit Clément.

– Ça servait à rien de vous inquiéter avec ça. Je me suis contenté de surveiller. J'étais décidé d'appeler la police aussitôt que je verrais quelqu'un entrer dans notre champ.

45

– Puis? fit Carole.

– J'ai changé d'idée quand j'ai aperçu tes deux garçons, un soir, en train d'arroser les plants.

– Pas Mathieu et Marco! s'exclama Carole, la mine catastrophée.

– Oui. J'ai touché à rien et je les ai laissés aller s'occuper de leur petite plantation durant tout l'été. Ils y allaient une fois ou deux par semaine. En fin de semaine passée, quand j'ai vu la police provinciale passer deux ou trois fois dans le rang, j'ai senti que ça devenait dangereux et je suis allé arracher tous leurs plants. Je les ai brûlés avec les déchets. On dirait que nos deux moineaux s'en sont pas encore aperçus, mais ça tardera pas.

– Les maudits innocents! s'exclama Carole avec rage. Attendez qu'ils reviennent...

Son mari, plus calme, avait pâli et, à sa façon d'ouvrir et de fermer les poings, il était évident qu'il avait beaucoup de mal à maîtriser sa colère.

– Ça sert à rien de s'énerver et de s'enrager noir, fit Aurore avec beaucoup de bon sens. Il y a qu'à leur donner une bonne leçon.

Les parents et les grands-parents n'eurent pas longtemps à attendre le retour des deux adolescents. Moins d'une heure plus tard, Mathieu et Marco Leroux rentrèrent dans la maison après avoir laissé tomber bruyamment leur bicyclette près du balcon. Ils trouvèrent les quatre adultes encore assis dans la cuisine.

– Vous avez pas été longtemps partis! constata hypocritement leur grand-mère.

– Ben, il y avait pas grand-chose à voir, grand-mère, répliqua Mathieu.

– Tu t'attendais à voir quoi, au juste? demanda sa mère.

– Je sais pas… La police, des VTT, n'importe quoi. Mais il y a rien à voir. Comme d'habitude, il se passe jamais rien d'intéressant dans notre rang.

– Peut-être que t'aurais aimé mieux voir les policiers au bout de notre champ de blé d'Inde en train d'arracher tes plants de pot puis venir vous arrêter, toi et ton frère? fit Clément, les dents serrées.

Les deux jeunes se regardèrent, soudainement certains que les policiers étaient responsables de la disparition de leur plantation et que leur arrestation n'était plus qu'une question de quelques minutes. Les adultes ne firent rien pour les détromper.

– Vous êtes deux beaux salopards! éclata Bruno. Si je le pouvais, je vous étriperais. Votre grand-mère et moi, on a travaillé dur toute notre vie et vos parents ont fait la même chose. On est du monde honnête et on tient à notre réputation. À cause de vous deux, tout le monde de Saint-Anselme va nous regarder de travers et notre nom va se retrouver dans les journaux. C'est écœurant ce que vous avez fait là!

– Pourquoi vous avez fait ça? demanda sévèrement Aurore à ses deux petits-fils. Fumez-vous cette cochonnerie-là?

– Ben non, grand-mère, on n'est pas niaiseux à ce point-là. On voulait juste la vendre.

– Vendre de la drogue ! s'écria leur mère avec colère.

– Il y a ben du monde qui le fait, m'man, répliqua Mathieu.

– Oui, c'est ça. S'il y a ben du monde qui va se jeter à l'eau, je suppose, maudit innocent, que tu vas les suivre !

– La mari est moins pire que le tabac, tenta d'argumenter Marco, tant pour se défendre que pour défendre son frère cadet. Ça nuit moins à la santé et…

– Laisse faire, docteur Leroux, dit Clément à son aîné. Est-ce qu'on peut savoir ce que vous aviez l'intention de faire avec cet argent-là ?

– Il nous aurait servi à acheter notre char, fit Marco en baissant la tête.

Et voilà ! Le chat venait de sortir du sac. Les deux adolescents avaient obtenu de haute lutte, au début de l'été, la permission de leurs parents de suivre des cours de conduite automobile et de passer leur permis de conduire au début de l'automne. Ils avaient d'ailleurs commencé à économiser pour s'acheter une vieille voiture en vente au garage Rousseau.

– Et qu'est-ce que vous pensez qui va vous arriver maintenant ? demanda leur mère.

– À seize et dix-sept ans, vous allez passer devant un juge pour enfants et vous en tirer avec un an ou deux d'école de redressement. Vous allez avoir l'air brillant, hein? dit Clément Leroux à l'adresse des deux jeunes qui avaient encore pâli à l'annonce de ce qui les attendait.

Bruno Lequerré claqua sur la table pour attirer l'attention des deux adolescents.

– On peut dire que vous avez de la chance de nous avoir, vous deux, affirma-t-il. J'ai découvert vos plants depuis longtemps et c'est moi qui les ai arrachés la fin de semaine passée. Si je ne l'avais pas fait, vous seriez probablement ce matin dans une cellule du poste de la Sûreté du Québec, à Drummondville.

Le soulagement de Mathieu et Marco fut immédiatement visible et déjà un sourire naissait sur leur visage quand leur mère les ramena à la réalité.

– Oh! mais vous ne vous en tirerez pas à si bon compte! fit-elle d'un ton menaçant. Je vous conseille d'oublier la vieille bagnole que vous vouliez acheter cet automne. On en reparlera le printemps prochain si vous avez un peu plus de plomb entre les deux oreilles. Pour l'ordinateur, vous allez me l'installer à compter d'aujourd'hui sur une table dans le coin du salon… C'est fini le temps où vous passiez vos soirées et une partie de vos nuits à niaiser là-dessus. Est-ce que je suis claire? Mes deux «zozos», vous allez d'abord vous occuper de vos études.

Les deux garçons allaient rouspéter, mais le regard mauvais de leur père les en dissuada.

***

49

Trois jours plus tard, au début de l'après-midi, deux camions de la Sûreté du Québec, précédés de quelques voitures de patrouille, s'arrêtèrent à l'entrée du rang Sainte-Anne. Des VTT auxquels étaient attachées des remorques sillonnèrent en tous sens les deux premiers champs couverts de maïs à ensiler de près de deux mètres de hauteur. Les policiers firent de nombreux va-et-vient et ils chargèrent des centaines de plants de marijuana sous l'œil intéressé d'une dizaine de curieux.

Au début de la soirée, le téléphone sonna chez les Marcotte. Heureusement, ce fut André qui répondit. La conversation fut brève et explicite.

– André Marcotte?

– Oui, qui est-ce? demanda le cultivateur.

– Laisse faire qui c'est, répliqua sèchement la voix. Tu te rappelles d'une enveloppe avec cinq mille piastres dans ta boîte aux lettres? Je vais passer la ramasser demain soir… Arrange-toi pour qu'elle y soit.

– Aïe! J'ai rien à voir avec ce qui est arrivé, protesta André Marcotte. J'ai tenu…

– T'as pas compris, on dirait, le coupa son interlocuteur. L'enveloppe, c'était pour la récolte. Il y aura pas de récolte. Donc, tu me remets l'enveloppe, point final. Si l'idée te prenait d'oublier de rembourser, pense qu'un feu dans ta belle étable te coûterait ben plus cher que cinq mille piastres.

Sur ces mots, l'inconnu coupa la communication. André raccrocha en jurant. Il venait de perdre bêtement un beau montant d'argent.

Chapitre 4

Pierre Bergeron

Dès la fin de la seconde semaine de septembre, la nature sembla brusquement se rendre compte qu'elle devait se préparer à un changement prochain de saison. Les nuits devinrent graduellement plus fraîches et la rosée se fit un peu plus abondante. Le soleil, devenu paresseux, se mit à se coucher de plus en plus tôt et à se lever de plus en plus tard. Çà et là, certains arbres arborèrent timidement quelques feuilles jaunes, orangées ou rouges. Il ne restait pratiquement dans les champs que le maïs à ensiler. La plupart des jardins livraient déjà leurs derniers légumes. Certains cultivateurs avaient même entrepris de labourer leurs champs, pour la plus grande joie des mouettes qui s'abattaient en rangs serrés sur les sillons fraîchement tracés.

À Saint-Anselme, d'autres indices révélaient l'arrivée imminente de l'automne. Des chasseurs impatients s'activaient fiévreusement à dresser un abri sur les rives de la Nicolet, abri qu'ils utiliseraient dans quelques jours, à l'ouverture de la chasse aux canards. Par ailleurs, à cette période de l'année, la circulation augmentait sensiblement dans le rang Sainte-Anne parce qu'on se préparait à abandonner pour l'hiver les vingt petits chalets du club gay de l'île Ouellet. Le club était désert durant la saison froide et sa surveillance était confiée, depuis une dizaine d'années, à Pierre Bergeron, le troisième voisin d'André Marcotte. Dès l'Action de grâce, il ne resterait plus personne sur l'île. On ne reverrait les locataires des chalets qu'au début du mois de mai.

Ce n'était pas le cas du Carrefour des jeunes fondé vingt ans auparavant par le curé Lanctôt. L'ancienne terre d'Antoine Girouard, située au bout du rang Sainte-Marie, que le curé entreprenant avait vendue en petits lots au début des années 80, s'était rapidement transformée en un lieu de villégiature fort profitable pour les commerçants de Saint-Anselme.

Tel que prévu dans le plan initial de son concepteur, une salle communautaire et un restaurant complétaient à merveille le terrain de camping. Ce dernier était fréquenté par une cinquantaine de campeurs qui venaient installer leur roulotte ou leur tente sur les bords de la Nicolet chaque été. Si, au début des années 80, on ne trouvait au Carrefour des jeunes que les maisons du curé Lanctôt et d'Alain Riopel, il en allait tout autrement maintenant. À la quinzaine de petits chalets qui occupaient initialement les autres lots s'étaient ajoutées quelques maisons confortables que leurs propriétaires à la retraite avaient déjà commencé à habiter toute l'année. Ces derniers n'étaient peut-être pas parvenus à garder ouverts la salle communautaire et le restaurant durant la saison froide, mais ils avaient obtenu, après une lutte épique, que le chemin qui les desservait soit municipalisé et entretenu durant l'hiver, ce qui était un avantage non négligeable.

On pouvait aussi considérer comme un indice de l'arrivée prochaine de l'automne le va-et-vient des remorques remplies de bûches d'érable que tiraient péniblement des voitures.

Ce matin-là, la famille Riopel finissait de déjeuner quand le téléphone sonna. Nicole, la femme de Marc, se leva de table et alla répondre pendant que son beau-père, sa belle-mère et son mari suspendaient durant un court instant leur repas, curieux de connaître l'identité de la personne qui appelait.

– Bonjour, madame Bergeron, salua Nicole, en repoussant une mèche de ses cheveux blonds.

– …

– Ça, c'est de valeur. On peut pas le prévoir…

Les trois auditeurs se jetèrent un regard intrigué tout en tendant l'oreille avec plus d'attention.

– …

– Oui, madame Bergeron. Je vais lui faire la commission. Il va y aller, inquiétez-vous pas. Ce sera pas long.

Nicole Riopel raccrocha.

– C'est la femme de Pierre Bergeron. Une de ses vaches est morte dans l'étable et il aurait besoin d'un coup de main pour la sortir de là, dit-elle à son mari.

– Ah! Une vache! Je commençais à penser qu'il y avait de la mortalité dans sa famille. Je finis mon café et j'y vais, répondit Marc.

– Je vais y aller avec toi, ajouta son père en se levant de table. On sera pas trop de trois pour la sortir de là.

Cyrille Riopel serra d'un cran sa ceinture et passa une main sur son crâne largement dénudé avant d'enfoncer sur ce dernier une vieille casquette en cuir à la palette déformée qu'il avait déposée sur une chaise berçante.

– Il est têtu en maudit, le Pierre, continua le frère d'Aurore Lequerré. Je lui ai répété autant comme autant de se percer une porte plus large pour pouvoir entrer dans son étable avec son tracteur quand c'était nécessaire, mais il l'a jamais fait.

– En tout cas, le prévint sa femme, va pas t'éreinter en forçant pour sortir cette bête-là. Essaye de te souvenir que t'as soixante-six ans et que t'es plus une jeunesse.

– Inquiète-toi pas, je vais faire attention à ma peau, la rassura le vieil homme en adressant un sourire tendre à la grosse femme qui partageait sa vie depuis plus de quarante ans. Bon! Marc, on est aussi ben d'y aller tout de suite. On va prendre notre petit tracteur; ça va être plus facile de tirer la bête en attachant un câble au crochet en avant.

Les deux hommes quittèrent l'un derrière l'autre la cuisine. Deux minutes plus tard, au moment où ils allaient s'engager sur le rang Sainte-Anne, montés sur leur vieux Massey Ferguson, leur voisin, Richard Bergeron, s'arrêta à leur hauteur, au volant de sa camionnette. L'homme de taille moyenne passa sa large figure surmontée de cheveux gris et raides coupés court par la portière de sa camionnette, du côté passager.

– Où est-ce que vous allez comme ça? leur demanda-t-il.

– On s'en va aider ton cousin Pierre, à côté. Une de ses vaches est morte dans l'étable.

– Bon, je vous suis.

À leur arrivée devant l'étable, Pierre Bergeron sortait du bâtiment. Le sexagénaire était blême d'avoir fait trop d'efforts.

– Vous êtes ben fins de venir me donner un coup de main, dit-il aux trois hommes qui venaient de descendre de leurs véhicules.

– Reprends ton souffle, lui conseilla Cyrille. On n'est pas à deux minutes près.

Le conseil était inutile. Avec les années, l'homme avait peut-être pris du poids et gagné une large calvitie, mais il avait conservé le calme qui l'avait toujours caractérisé. Contrairement à son cousin Richard dont les rages étaient bien connues, Pierre Bergeron ne perdait pas facilement son sang-froid et habituellement, rien ne le faisait dévier de la voie qu'il avait choisie. En outre, sans être aussi taciturne que son défunt père, Bernard Bergeron, il n'était guère bavard.

Quarante-quatre ans auparavant, il avait ignoré l'opposition de sa mère pour épouser Diane Labrie, une fille-mère dont il avait adopté la fille, Anne-Marie. Les deux années suivantes, le couple avait donné naissance à Paule et à Frédéric.

Fait étonnant, c'était la fille adoptive de Pierre qui lui ressemblait le plus. Elle était aussi celle qui lui avait offert ses plus grandes joies. Mariée à Claude Ringuet depuis plus de vingt ans, Anne-Marie vivait avec sa famille à Saint-Zéphirin. C'était une femme calme et pondérée qui se consacrait autant à aider son mari qu'à bien éduquer ses trois enfants. Frédéric et Paule, ses propres enfants, n'avaient pas une vie aussi bien remplie.

Le mariage de Paule n'avait résisté que six ans et la coiffeuse avait dû reprendre son travail à Drummondville pour faire vivre Annick et Philippe, ses deux adolescents.

Pour sa part, à quarante ans, Frédéric était un célibataire timide et casanier dont l'unique passion était le travail du bois. Il se disait heureux de demeurer au village dans l'ancienne maison des Cadieux et de vivre de son métier d'ébéniste. Celui sur qui Pierre Bergeron avait fondé tous ses espoirs pour perpétuer la lignée et reprendre la ferme familiale lui faisait faux bond. Bien sûr, son fils était toujours prêt à venir l'aider quand c'était nécessaire, mais il refusait catégoriquement de prendre la relève.

Après quelques instants de répit, Pierre et son cousin entrèrent dans l'étable et passèrent un câble autour des pattes arrière de la Jersey qui s'était écroulée entre deux stalles. Pendant ce temps, Cyrille et son fils manœuvraient le tracteur près de la porte et attachaient l'autre extrémité du câble au crochet fixé au châssis du vieux Massey Ferguson. Ensuite, quelques minutes suffirent aux quatre hommes pour sortir la bête morte du bâtiment et placer sa carcasse près du silo voisin de l'étable.

— Tondreau, l'équarrisseur, va venir la chercher cet après-midi, dit Pierre en s'essuyant le front.

— Voulez-vous venir prendre une tasse de café? proposa Diane qui venait de rejoindre les hommes.

La petite femme aux cheveux poivre et sel avait enfilé en hâte une grosse veste de laine brune avant de venir rejoindre son mari et ses voisins. Tout en parlant, elle jeta un regard désolé à la bête que Marc venait de détacher.

— Merci, Diane, fit Cyrille. On sort de table.

Puis, tournant lui aussi son regard vers la Jersey, le sexagénaire ne put s'empêcher d'ajouter, sans s'adresser à personne en particulier:

— C'est ben de valeur de perdre une aussi belle vache.

— Ouais! acquiesça Pierre Bergeron. En plus, elle était à la veille de vêler. On sait pas ce qui s'est passé. Hier, elle s'est écrasée dans l'étable. Pas moyen de la faire bouger! J'ai dû appeler le vétérinaire. Il lui a donné une piqûre de calcium en disant que ça lui donnerait de l'énergie. Rien! À matin, ça a tout pris pour la faire lever. Quand j'ai fini mon train, je me suis aperçu qu'elle s'était écrasée encore une fois et qu'elle était morte.

— T'as des assurances? demanda Richard Bergeron.

— Voyons, tu sais aussi ben que moi que les assurances donneront pas la moitié de sa valeur. En tout cas, c'est décidé: on arrête! dit Pierre Bergeron en jetant un coup d'œil à sa femme debout à ses côtés.

— Comment ça, t'arrêtes? demanda Cyrille.

— Oui, je vends. C'est fini. J'ai fait les foins pour la dernière fois cet été. Ça fait longtemps que ça nous trotte dans la tête, à Diane et à moi… Nous autres, on n'a personne qui reprend la terre. Pourquoi on continuerait à se décarcasser pour rien?

— Vas-tu faire encan? demanda son cousin.

— Es-tu fou, toi? J'ai pas le goût de me compliquer la vie pour rien. On va essayer de vendre le quota de lait, les bêtes et la machinerie… Si ça marche, on gardera peut-être la maison et on louera la terre. André Marcotte sera peut-être intéressé à louer mes champs. De cette façon-là, on pourrait continuer à rester ici plutôt que d'aller se ramasser dans un logement au village ou à Drummondville.

— Mais c'est pas pour tout de suite? demanda Marc qui n'avait pas encore dit un mot.

— Non, on va attendre le printemps prochain. Il y a encore rien qui presse, lui répondit Diane, l'air attristé.

– En six mois, il peut encore se passer pas mal d'affaires avant que ça se fasse, conclut Richard Bergeron.

Il y eut un court silence avant que Diane reprenne la parole, bien décidée à changer de sujet de conversation.

– Puis, Marc, as-tu reçu des offres pour le presbytère?

– Pas encore, madame Bergeron, répondit le président de la fabrique paroissiale. Il faut dire que ça fait juste trois semaines que la municipalité a refusé de l'acheter pour une piastre.

– Sacrement! jura Richard, il fallait s'y attendre. Qu'est-ce que tu voulais que Patenaude fasse avec cette grosse bâtisse?

– Je l'ai déjà expliqué, dit patiemment Marc Riopel. On n'avait pas le choix. L'évêché nous a obligés à proposer le bâtiment à la municipalité parce qu'il a été payé par les gens de Saint-Anselme.

– C'était normal, conclut Diane.

– Saint-Anselme aurait été ben bête de s'encombrer de cette grosse cabane de deux étages tout en démanche! reprit Richard.

– Il faut pas exagérer, monsieur Bergeron, protesta le président de la fabrique paroissiale, le presbytère est pas si pire que ça.

– Aïe! Mon œil! La semaine passée, je suis allé y jeter un coup d'œil avec Étienne Dubé. Ça crève les yeux que la tuyauterie est à refaire. En plus, la fournaise date de Mathusalem. C'est tellement humide en dedans que le bois des portes et des fenêtres est tout gonflé. Puis là, je te parle même pas du plâtre des murs; il s'en va par plaques. En tout cas, celui qui va acheter ça, il est mieux de se préparer à sortir ses cennes. Ça va lui coûter un bras pour remettre ça d'aplomb, je t'en passe un papier! Il est mieux de pas payer trop cher parce qu'il va avoir besoin de son argent pour les réparations.

– Je pense que le conseil de fabrique a pris la bonne décision de vendre le presbytère au plus bas soumissionnaire, dit calmement Marc Riopel. Les règles sont claires pour tout le monde. Ceux qui sont intéressés vont nous remettre une soumission dans une enveloppe cachetée avant le 15 novembre, à six heures. À la réunion du conseil de fabrique, ce soir-là, on ouvrira les enveloppes et on vendra le presbytère à celui qui nous aura fait l'offre la plus intéressante.

– J'espère pour toi que ça va marcher, dit Diane Bergeron.

– Pas pour moi, madame Bergeron, pour la paroisse. Ça prend déjà tout notre petit change pour payer le chauffage et l'entretien de l'église. On n'a vraiment pas les moyens de chauffer et d'entretenir le presbytère un hiver de plus. En tout cas, tout ce que je peux vous dire, c'est qu'Étienne Dubé chôme pas. Il s'est proposé pour faire visiter le presbytère à tous ceux qui sont intéressés. Il m'a dit hier qu'il est déjà allé le montrer à une dizaine de personnes. Jamais je croirai que ce sont juste des curieux qui sont venus écornifler, ajouta Marc Riopel en adressant un coup d'œil significatif à Richard Bergeron qui n'eut pas l'air de se sentir visé. On va ben trouver quelqu'un là-dedans qui va nous faire une bonne offre.

– On te le souhaite, conclut Diane.

Chapitre 5

Le barrage

Quelques jours plus tard, une nouvelle stupéfiante se répandit comme une traînée de poudre dans un petit cercle d'initiés: on allait construire un barrage hydro-électrique et même une minicentrale à Saint-Anselme.

Ce samedi après-midi-là, le grand Clément Leroux s'arrêta à l'épicerie Gagnon pour y prendre *La Presse*. En sortant du magasin, il se joignit à un petit groupe d'hommes âgés qui discutaient avec animation au pied de l'escalier en profitant des timides rayons de soleil de cette fin de septembre. Le curé Charles Lanctôt et son ami Étienne Dubé, tous les deux à la retraite depuis six ou sept ans, parlaient avec Gilles Gagné et Adrien Beaulieu. Les deux premiers expliquaient aux autres à quel point la vie était agréable dans leur maison du Carrefour des jeunes, maison soigneusement tenue par Laure Dubé, la femme d'Étienne.

– Surtout que ta femme doit te laisser faire à peu près tout ce que tu veux, avança Gilles Gagné pour taquiner Étienne.

Tout le monde connaissait le caractère dominateur de l'ancienne servante du curé Lanctôt. On savait fort bien qui faisait la loi dans la maison que le prêtre avait fait construire au Carrefour des jeunes.

– Ouais! à peu près, dit le curé avec un sourire entendu.

– En tout cas, moi, j'ai une nouvelle pour vous autres, dit Clément Leroux en se joignant à la conversation. Saint-Anselme va avoir un barrage sur la Nicolet et une petite centrale électrique.

– Arrête donc! s'exclama Adrien Beaulieu. Où est-ce qu'ils vont construire ça?

– Chez Savaria, dans le rang Saint-Édouard. Ça va être vis-à-vis le village.

Un éclat de rire général salua sa réponse.

– Pourquoi vous riez comme ça? demanda Clément, décontenancé par la réaction de ses auditeurs.

– Tu connais pas Edmond Savaria comme nous autres, répondit Gilles Gagné. C'est le plus beau «pelleteux de nuages» de la paroisse. Il tient ça de son père...

– J'ai connu son père, Rosaire Savaria, reprit Étienne Dubé. Il avait toujours la tête pleine de plans de nègre. C'était pas croyable. S'il y avait une nouvelle culture ou un nouvel engrais qui sortait sur le marché, tu pouvais être certain que le Rosaire allait l'essayer le premier et aussi être le premier à se casser la gueule.

64

– Maudit qu'il nous a fait rire souvent, ajouta Beaulieu, l'ex-maire de Saint-Anselme. Vous souvenez-vous de la tour qu'il s'était mis à construire sur son terrain… Ça avait pas d'allure. Il voulait attirer les touristes à Saint-Anselme avec une tour de cent pieds de haut, qu'il disait…

– Eh ben! mon Clément, son garçon, Edmond, lui ressemble. Toujours à essayer des affaires nouvelles pour attirer l'attention…

– Je me souviens de son idée d'élever des faisans, dit Gilles Gagné. Il était allé en chercher trois douzaines en Ontario. À l'entendre, c'était une merveille. Deux semaines plus tard, tous ses maudits oiseaux étaient morts.

– Après ça, il s'est lancé dans l'élevage du vison, dit le curé Lanctôt avec un petit rire de gorge. Si ma mémoire est bonne, l'expérience n'a pas été extraordinaire non plus.

– C'est le moins qu'on puisse dire, monsieur le curé, dit Étienne en ricanant. Pour ceux qui le savent pas, toutes ses petites «bibittes à poil» sont disparues le temps de le dire et jamais personne a su où elles étaient passées.

– En d'autres mots, ce pauvre Edmond a jamais arrêté d'essayer toutes sortes d'affaires qui marchaient jamais, conclut Gilles Gagné.

– Ben là, ça va vous surprendre, mais il paraît qu'il a vendu à un groupe d'hommes d'affaires de Montréal son grand terrain sur le bord de la rivière. J'ai entendu dire qu'il a eu un bon prix, à part ça.

– Qui t'a dit ça? demanda Adrien Beaulieu, méfiant.

– Un nommé Allan Cook. Il travaille pour la compagnie Beaver. Il m'a engagé pour m'occuper de l'installation électrique sur le nouveau chantier. Il m'a ben dit qu'il allait bâtir une centrale sur le terrain d'Edmond Savaria après avoir fait le barrage et installé des turbines. En tout cas, moi, j'ai de l'ouvrage pour à peu près un an.

– Qui c'est, ce gars-là? demanda Étienne Dubé, tout de même un peu ébranlé.

– Il m'a dit qu'il était ingénieur et entrepreneur. L'année passée, il a été chargé par un nommé Bernstein de préparer les plans d'un barrage et d'une minicentrale électrique. Il paraît que ça faisait longtemps que le groupe Beaver de Bernstein était en discussion avec Savaria pour acheter son terrain. Tout a été réglé au début du mois et les travaux sont supposés commencer la semaine prochaine.

– Voyons donc! s'exclama Beaulieu. Ça a pas d'allure cette affaire-là! Tout le monde sait ben que personne peut construire un barrage sur notre rivière sans un référendum.

– Oui, acquiesça Clément Leroux, c'est ben ce que j'ai dit à l'ingénieur. Mais il m'a répondu que tout était arrangé et que la Beaver avait en main tous les permis nécessaires pour commencer au début de la semaine prochaine.

– Il y a quelque chose de pas catholique là-dedans, déclara Beaulieu. Une chance que la réunion du conseil municipal a lieu lundi prochain. Tu peux être certain que je vais avoir une ou deux questions à poser à Luc Patenaude. Notre maire va avoir à nous expliquer ce qui se passe exactement.

***

Le lundi soir suivant, la petite salle de l'hôtel de ville où se tenaient les réunions du conseil municipal n'était pas plus fréquentée que d'habitude. Il y avait à peine une vingtaine de citoyens pour accueillir le maire Patenaude et ses quatre conseillers quand ils s'installèrent derrière la grande table placée à l'avant de la salle.

Après un court moment de recueillement, Luc Patenaude ouvrit les débats en demandant à Micheline Létourneau, la secrétaire municipale, de lire l'ordre du jour. Quand le maire demanda si quelqu'un avait un point à ajouter à l'ordre du jour, Adrien Beaulieu, assis au fond de la salle, demanda qu'on inscrive le barrage à l'item *varia*. En entendant l'ex-maire proposer ce sujet, plusieurs têtes se tournèrent vers lui et il y eut des chuchotements interrogateurs.

Luc Patenaude ne fut pas le dernier à être intrigué par la question apportée par le septuagénaire. S'il n'avait pas été aussi pondéré, il aurait commencé les débats par ce sujet de discussion inattendu. Il refréna pourtant son impatience et il fit signe à la secrétaire de relire le premier point : l'entretien des routes durant l'hiver.

À trente-cinq ans, Luc Patenaude, le gérant de la Caisse populaire, était probablement le plus jeune maire que Saint-Anselme ait jamais eu. Ce petit homme blond à l'air soigné faisait toujours montre d'une grande politesse. Il partageait son temps entre la Caisse populaire, la rénovation de sa maison, l'ancienne résidence du docteur Babin située devant l'église, et, évidemment, les affaires de la municipalité.

Cinq ans plus tôt, un cancer généralisé lui avait enlevé sa jeune femme, le laissant seul et sans enfant. Deux ans plus tard, un groupe de citoyens lui avait demandé de se présenter à la mairie contre Yves Camirand. Après plusieurs semaines d'hésitation, il avait cru de son devoir de devenir candidat, même s'il était persuadé qu'il n'avait aucune chance d'être élu tant à cause de son manque d'expérience et de son jeune âge qu'à cause de la grande influence de son adversaire. À sa grande surprise, il avait obtenu le poste avec une confortable majorité. Depuis ce temps, il faisait de son mieux pour bien administrer les affaires de Saint-Anselme tout en ménageant le plus possible les susceptibilités de chacun, ce qui n'était pas une mince affaire.

Sans susciter trop d'intérêt dans l'auditoire, Aurèle Lupien, l'inspecteur municipal, apporta quelques éclaircissements sur le premier point à l'ordre du jour.

– Bon, je pense qu'on est presque prêts pour l'hiver, dit le quadragénaire bedonnant à la moustache grise tombante. On s'est fait livrer autant de sable et de gravier que pour l'hiver passé et les deux camions de la municipalité ont de nouveaux pneus d'hiver.

– Est-ce que les factures sont entre les mains de madame Létourneau ? demanda le maire en se tournant vers la dame d'une cinquantaine d'années à la mise soignée qui assurait la bonne marche du secrétariat de Saint-Anselme.

Cette dernière se contenta de hocher la tête en signe d'assentiment.

– Comme ça, tout est en ordre ? demanda le maire.

– Presque, monsieur le maire. Il nous reste juste à trouver un chauffeur pour la deuxième charrue, cet hiver.

Luc Patenaude se pencha un instant vers le conseiller Paul Théberge assis à sa droite et il lui murmura quelques mots à l'oreille.

– Qu'est-ce qui est arrivé à André Monette ? demanda-t-il au contremaître. Si je ne me trompe pas, il nous a donné satisfaction l'hiver passé pour le déneigement.

– Je lui en ai parlé, affirma Lupien en se grattant le front, mais il s'est trouvé une meilleure job à Nicolet et il est pas intéressé à revenir travailler pour nous autres.

– Bon, je suppose qu'on a fait passer une annonce quelque part pour trouver un autre chauffeur ?

– Oui, monsieur le maire, répondit la secrétaire. L'offre d'emploi va paraître dans *L'Express* cette semaine.

Après cet échange, on passa au point suivant quand on constata que les explications fournies par l'inspecteur satisfaisaient l'assistance.

Une heure suffit pour discuter des six autres points inscrits à l'ordre du jour. Vers neuf heures, on en arriva enfin au sujet apporté par Adrien Beaulieu.

– À vous la parole, monsieur Beaulieu, l'invita le maire, réellement intéressé à connaître ce que l'un de ses prédécesseurs avait à dire.

– J'aimerais avoir des précisions au sujet du barrage et de la minicentrale électrique qui vont être construits dans le rang Saint-Édouard, à la hauteur du village, dit le vieillard en se levant.

Il y eut un flottement dans la salle, flottement suivi de quelques exclamations de surprise.

– C'est la première nouvelle que le conseil en a, affirma le maire en regardant successivement chacun de ses conseillers. Où est-ce que ce serait construit, dites-vous ?

– Sur le terrain qu'Edmond Savaria a vendu au début du mois à un groupe d'hommes d'affaires de Montréal.

– Je sais que monsieur Savaria a vendu son terrain sur le bord de la rivière, mais ça me surprendrait pas mal que l'acheteur... De qui s'agit-il déjà, madame Létourneau ?

– Arnold Bernstein, monsieur le maire, dit la secrétaire après avoir consulté quelques papiers disposés devant elle.

– Ça me surprendrait que monsieur Bernstein obtienne aussi facilement tous les permis nécessaires. Je pense que la population doit être consultée pour ce genre de construction. Ce n'est peut-être qu'une rumeur, supposa Luc Patenaude en regardant l'auditoire.

– En tout cas, l'affaire doit être vérifiée et ça presse, ajouta l'ex-maire. J'ai entendu dire que des contrats de travaux ont déjà été donnés à du monde de Saint-Anselme.

– Ne vous en faites pas, monsieur Beaulieu. Je vais me renseigner dès demain matin, promit le maire en se levant. Tant que nous n'aurons pas eu une confirmation de tout ça, je pense qu'il est inutile d'en discuter plus longtemps.

Sur ce, l'assemblée du conseil fut levée et les gens se retirèrent dans un brouhaha de conversation généralisée.

Chapitre 6

La ruse de Savaria

Le lendemain matin, Luc Patenaude était dans son bureau de la Caisse populaire depuis moins d'une heure quand il décida brusquement de tirer au clair l'affaire du barrage.

Il sortit de son bureau pour s'assurer que les deux caissières étaient bien à leur poste avant de dire à la comptable :

– Madame Auclair, je m'absente environ une heure. Je n'ai pas de rendez-vous prévus cet avant-midi. Si un client me demande, dites-lui que je serai là après le dîner.

– Très bien, monsieur Patenaude, dit la jeune femme en levant la tête du courrier qu'elle était en train de dépouiller.

Le maire sortit de la caisse et monta dans sa Chrysler blanche. Le ciel était gris et les feuilles des arbres bruissaient, agitées par un vent froid venu du nord. Luc Patenaude quitta lentement le stationnement à bord de son véhicule, descendit la côte et emprunta le pont qui enjambait la rivière Nicolet avant de remonter le rang Saint-Édouard.

Un demi-kilomètre plus loin, il tourna à sa droite dans l'allée étroite qui menait à la vieille maison centenaire recouverte de bardeaux rouges des Savaria. Lorsque le jeune homme vint frapper à la porte, un quinquagénaire à la panse rebondie vint lui répondre en rajustant sur son long nez ses lunettes.

– Entrez donc, monsieur Patenaude, l'invita l'homme en s'effaçant pour le laisser pénétrer dans la maison.

Le maire entra dans la cuisine au moment où une grosse femme s'extrayait péniblement du fauteuil dans lequel elle lisait le journal régional.

– Bonjour monsieur le maire, fit Claire Savaria. Assoyez-vous. Je vais vous préparer une tasse de café.

– Bonjour, madame Savaria. Vous donnez pas la peine de me préparer une tasse de café; j'en ai pas pour longtemps. Je viens seulement demander à votre mari quelques renseignements.

– Vous allez tout de même vous asseoir, j'espère, le coupa Edmond Savaria, en lui indiquant une chaise près de la table de cuisine.

Luc Patenaude s'assit sans faire plus de cérémonies.

– Puis, qu'est-ce que je peux faire pour vous? demanda l'homme en se laissant tomber à son tour sur une chaise, au bout de la table.

Pendant un moment, le maire demeura silencieux, choisissant soigneusement ses mots.

– Hier, à la réunion du conseil, finit-il par dire, il y en a qui m'ont dit que votre acheteur avait l'intention de construire un barrage sur la rivière et une petite centrale hydroélectrique. Êtes-vous au courant de ça, vous? demanda le maire.

– J'ai pas entendu parler de rien, affirma Edmond Savaria en lissant sa couronne de cheveux gris. Vous savez, moi, j'ai juste eu affaire à un nommé Bernstein. Il est venu voir mon terrain. Il faisait son affaire. Il l'a acheté. Il m'a pas raconté sa vie. Quant à savoir ce qu'il a l'intention de faire avec, ça, il m'a rien dit.

– Vous savez ce qu'il fait dans la vie, ce Bernstein?

– Il m'a dit qu'il était un homme d'affaires.

– Le terrain sur le bord de la rivière que vous avez vendu, c'est pas un terrain zoné agricole?

– Non. Mon père l'a fait dézoner en 79 ou 80.

Le maire resta un instant silencieux avant de reprendre la parole.

– C'est tout de même bizarre qu'un homme d'affaires de Montréal vienne acheter ce terrain-là, dit-il à mi-voix. Comme ça, vous êtes pas au courant de rien?

– De rien pantoute! affirma Edmond Savaria.

– Bon! Cette histoire de barrage, c'est probablement juste des racontars, conclut Luc Patenaude en se levant. Je vous encombrerai pas plus longtemps. Je m'étais dit que j'arrêterais vous en parler en passant. Je devais de toute façon aller chercher quelque chose au Rona.

Edmond Savaria et sa femme reconduisirent le maire jusqu'à la porte et ils le regardèrent quitter leur propriété à bord de sa grosse voiture sans échanger un mot avant de retourner à leurs occupations respectives.

***

Un kilomètre plus loin, Luc Patenaude arrêta sa Chrysler dans le stationnement du Rona géré par Geneviève Biron.

La fille unique de Suzanne Bergeron – la sœur de Pierre Bergeron du rang Sainte-Anne – et de Paul Biron était une femme d'affaires avertie et une excellente comptable. Lorsque ses parents s'étaient retirés en Floride en 1995, ils savaient qu'ils laissaient l'affaire familiale en de bonnes mains. Leur fille avait du jugement et savait se faire obéir du personnel.

Le vieux moulin à bois des années 30 du vieux Joseph Biron s'était transformé au fil des ans en une grande quincaillerie et en un clos de bois d'une taille impressionnante. Les constructions réalisées au club de l'île Ouellet et au Carrefour des jeunes n'avaient pas été étrangères à l'expansion du commerce des Biron. De plus, la jeune femme de trente-cinq ans lui avait donné un second souffle en se lançant, en 1997, dans le transport en vrac après avoir acheté trois énormes camions et deux pelles mécaniques. Ce volet de ses affaires était géré par Antoine Rivard, son plus vieil employé et son adjoint.

Lorsque Luc Patenaude entra dans sa quincaillerie, Geneviève Biron, debout dans son bureau vitré situé à gauche de l'entrée, était au téléphone avec l'un de ses fournisseurs. À la vue de ce client, elle s'empressa de clore la discussion et de quitter son bureau. Elle mit le cap sur le long comptoir du département de la peinture vers lequel le maire se dirigeait. Chemin faisant, elle s'examina sans s'arrêter dans un miroir de la section réservée à la rénovation des salles de bain pour vérifier si rien ne clochait dans sa toilette et sa coiffure.

Son bref coup d'œil la rassura. Pas une mèche de son épaisse chevelure noire n'était déplacée et son maquillage léger mettait en valeur sa figure mince et énergique. Son chemisier crème et sa jupe bleu marine soulignaient sa minceur.

La patronne arriva au comptoir presque en même temps que Luc Patenaude. Un simple regard autoritaire jeté au commis incita ce dernier à lui céder sa place.

Geneviève Biron avait décidé depuis le printemps précédent que le maire était l'homme qu'il lui fallait et elle était prête à prendre les moyens nécessaires pour arriver à ses fins.

Il ne faut surtout pas croire qu'elle avait pris cette décision parce qu'aucun homme ne lui prêtait attention.

76

Loin de là! Depuis l'âge de dix-huit ans, les prétendants n'avaient pas manqué. Certains avaient été attirés par son apparence physique et ses qualités; d'autres, par son argent. Après tout, les Biron représentaient probablement la seconde fortune de Saint-Anselme. Mais aucune de ses aventures passées ne l'avait comblée et les hommes qu'elle avait connus l'avaient passablement déçue.

Tout avait changé brusquement le printemps précédent quand elle avait été élue au conseil d'administration de la Caisse populaire. Elle avait soudainement découvert que le gérant n'était pas du tout l'homme froid et insensible avec lequel elle avait eu à négocier quelques prêts par le passé. La chaleur humaine et la gentillesse de l'homme l'avaient conquise. Depuis, elle n'avait cessé de chercher à retenir son attention. Par malheur, il semblait particulièrement réservé avec les femmes...

– Bonjour monsieur le maire, fit Geneviève en se glissant derrière le comptoir. Qu'est-ce que je peux faire pour vous?

– Bonjour mademoiselle Biron, la salua le maire en esquissant un sourire. Je voudrais un gallon d'émail intérieur blanc.

– À ce que je vois, vous êtes encore dans la rénovation de votre maison, avança la jeune femme en prenant un quatre litres de peinture sur une étagère derrière elle et en l'installant sur le mélangeur électrique qu'elle mit en marche.

– Je finis la cuisine.

– Ça doit vous faire toute une belle maison depuis le temps que vous l'améliorez. Il faudrait bien que vous m'invitiez à la visiter quand vous l'aurez terminée.

– Avec plaisir, mademoiselle, dit Patenaude, un peu embarrassé par ce sans-gêne. Mais vous savez, elle ne pourra jamais se comparer à la vôtre.

Luc Patenaude faisait allusion à la magnifique résidence des Biron située à une centaine de mètres de la quincaillerie. Blottie derrière une épaisse haie de cèdres, la grande maison en pierre des champs était dotée de larges fenêtres à la française et de deux tourelles du plus bel effet. Une longue salle vitrée s'ouvrait à l'arrière sur un patio qui entourait une piscine creusée.

Il y eut un court silence.

– Il paraît qu'on a parlé du barrage à la réunion du conseil? dit la jeune femme en changeant soudainement de sujet de conversation.

– Je vois que les nouvelles voyagent vite, constata le maire. Mais vous savez, c'est plutôt des rumeurs. Je viens de parler à Edmond Savaria et...

– J'en parle pas pour commérer, monsieur Patenaude, affirma Geneviève. Je suis intéressée à l'affaire. La semaine passée, j'ai signé un gros contrat de transport avec l'ingénieur responsable des travaux. Mes camions et mes pelles mécaniques sont retenus pour les trois prochains mois. Le chef du chantier m'a dit que l'ouvrage commencerait dans deux jours.

– Mais voyons donc! s'exclama le maire, estomaqué. Edmond Savaria m'a dit, il y a pas dix minutes, que…

– Attention à Edmond Savaria, monsieur le maire. Le bonhomme a vu neiger avant aujourd'hui. J'en ai justement parlé au téléphone à mon père la semaine passée, avant de signer le contrat. Il m'en a raconté une bien bonne qui pourrait tout expliquer.

– Ah oui? fit le maire, soudainement très intéressé par les propos de son interlocutrice.

– D'après mon père, Edmond Savaria pourrait avoir vendu plus que son terrain sur le bord de la rivière. Il avait aussi des permis laissés par son grand-père…

– Quels permis?

– Mon père m'a dit que le grand-père Savaria avait souvent eu de drôles d'idées. Il paraît qu'il avait voulu construire une sorte de petit barrage à la fin des années 40. Ce barrage-là aurait fait tourner une turbine qui aurait produit un peu d'électricité et fait fonctionner un moulin. Le grand-père d'Edmond Savaria voulait en faire aussi une sorte d'attraction pour les touristes. En tout cas, toujours selon mon père, comme il était organisateur pour l'Union nationale, le vieux aurait pas eu de misère à obtenir tous les permis nécessaires.

– Ah oui?

– Il paraît qu'il a eu juste à faire signer une dizaine de propriétaires de terrains des deux côtés de la rivière pour les avoir. Après ça, il est arrivé quelque chose qui l'a empêché de construire ce qu'il voulait. En tout cas, mon père m'a dit qu'il se pourrait bien qu'Edmond ait vendu son terrain avec ces papiers-là, ce qui aurait donné une chance au nouveau propriétaire de construire son barrage.

– Ce serait tout de même étonnant que Bernstein, le nouveau propriétaire, puisse se servir d'un permis vieux d'une cinquantaine d'années…

– D'après moi, monsieur le maire, ajouta la jeune femme, il y a quelque chose de sérieux dessous tout ça. Si Cook, l'ingénieur du projet, fait signer des contrats à gauche et à droite, c'est qu'il doit être bien certain de commencer ses travaux. Il ferait pas ça s'il avait pas déjà tous les permis. À votre place, je m'informerais.

– C'est ce que je vais faire; vous pouvez y compter, dit le maire d'un ton décidé.

La jeune femme prit le quatre litres de peinture sur le mélangeur qui s'était arrêté de lui-même depuis de longues minutes et elle le remit au maire.

– Si vous avez besoin de quelque chose, ne vous gênez pas, dit-elle en accompagnant son offre de son plus beau sourire.

– Merci beaucoup, mademoiselle, vous êtes vraiment très aimable.

Sur ces mots, le gérant se dirigea vers la caisse où il paya son achat. Au moment de quitter la quincaillerie, il se tourna vers le bureau vitré de la patronne et il aperçut cette dernière, debout devant la baie vitrée, lui adressant un léger signe de la main avant de retourner à ses occupations.

***

Luc Patenaude se remit au volant de sa voiture et retourna au village. Au moment où il franchissait le pont, une petite pluie fine se mit à tomber et il dut mettre en marche les essuie-glaces. Il escalada la côte et pénétra dans le village à vitesse réduite. Lorsqu'il passa devant le presbytère et l'église, il ne tourna même pas la tête pour jeter un coup d'œil à sa maison située de l'autre côté de la rue Principale. En dépassant la Caisse populaire, il eut, un court instant, la tentation de s'y arrêter avant d'aller dîner, mais il résista. Il poursuivit sa route sur quelques dizaines de mètres avant de s'arrêter dans le stationnement de l'hôtel de ville. Il voulait d'abord tirer au clair l'affaire du barrage. Il y avait là-dedans quelque chose de pas net qui le mettait mal à l'aise.

Il descendit de sa voiture et il se précipita à l'intérieur du petit édifice en brique pour ne pas trop se faire mouiller.

— Madame Létourneau, pourriez-vous m'appeler celui qui est responsable de l'environnement à la MRC, demanda-t-il à la secrétaire surprise par l'entrée précipitée du maire.

– Vous parlez de monsieur Boisvert, monsieur le maire?

– Oui, c'est ça, fit Luc Patenaude, se rappelant soudainement le nom de celui qui s'occupait de l'environnement. Je vais prendre l'appel dans mon bureau.

Le maire entra dans la pièce voisine et il referma la porte derrière lui. Il eut à peine le temps de s'asseoir à son bureau que sa secrétaire le prévenait que monsieur Boisvert était en ligne.

– Bonjour monsieur Boisvert, je suis le maire de Saint-Anselme. J'espère que je ne vous dérange pas trop? fit le jeune maire en regardant la pluie tomber par l'unique fenêtre de son bureau.

– Pas du tout, monsieur le maire, répondit une voix guillerette au bout du fil. Est-ce que vous avez encore un puits qui vous joue des tours?

– Non, disons que ce serait plutôt un barrage qui m'embête.

– Ah! Vous voulez parler du barrage de la Beaver?

– Vous êtes déjà au courant? demanda le maire, étonné.

– Bien sûr, j'ai eu entre les mains tous les papiers pas plus tard qu'il y a deux semaines.

– Bon. Comme ça, vous allez peut-être être capable de m'expliquer ce qui se passe exactement. Comme vous pouvez le constater, le maire de Saint-Anselme est le

82

dernier informé. J'ai appris, par pur hasard, qu'on allait construire un barrage dans ma municipalité, et ça, sans qu'on demande l'avis de la population.

– Je suis le premier étonné qu'on ne vous ait pas mis au courant, monsieur Patenaude. Tout ce que je peux vous dire, c'est que le ministère m'a prévenu de la construction d'un barrage et d'une minicentrale électrique dans le rang Saint-Édouard de votre municipalité, si je ne me trompe pas.

– Sans consultation?

– D'après ce que j'ai pu comprendre, l'avocat représentant la compagnie Beaver a soumis au ministère tous les papiers nécessaires. Je ne les ai pas vus, mais j'ai entendu dire par un confrère qu'il y avait parmi eux, une sorte de pétition signée par des propriétaires riverains de votre municipalité, si ma mémoire est bonne.

– C'est fort, ça! s'exclama Luc Patenaude. Il s'agit d'une pétition signée il y a plus de cinquante ans et si ça se trouve, les signataires sont tous morts aujourd'hui. En plus, c'était pour la construction d'un petit barrage pour un moulin à farine…

– Là, je ne peux vraiment pas vous dire comment il se fait que le ministère a accepté ces papiers-là, monsieur le maire. Tout ce que je sais, c'est que les dirigeants d'Hydro-Québec poussent dans le dos du gouvernement pour qu'il encourage fortement la construction de barrages privés depuis la tempête de verglas d'il y a deux ans. Il paraît qu'ils ont recommandé la construction de celui de Saint-Anselme.

– Toute cette histoire est invraisemblable… On dirait une farce. J'arrive pas à croire que le gouvernement va laisser faire une chose pareille. Ça saute aux yeux qu'on s'est servi d'un procédé malhonnête pour arriver à obtenir la permission de le construire, ce barrage. On ne sait même pas si la compagnie est compétente.

– En tout cas, si je me fie aux plans versés au dossier par l'ingénieur responsable de la construction de votre barrage, ce dernier va ressembler à celui de Warwick, et jamais personne ne s'est plaint de ce barrage-là.

– Donc si j'ai bien compris, monsieur Boisvert, il n'y a plus rien à faire. Tout s'est passé au-dessus de notre tête sans qu'on ait eu un mot à dire.

– C'est à peu près cela, monsieur le maire. Mais ne vous inquiétez pas; le ministère a nommé un inspecteur expérimenté qui va superviser le chantier. Il ne se construira rien qui ne sera pas conforme aux règlements; vous pouvez en être assuré. L'environnement va être protégé et on ne fera pas de cadeau à la Beaver, je vous le promets.

– J'ai hâte d'expliquer ça à mes administrés. Ils vont beaucoup apprécier, laissa tomber Luc Patenaude avec humeur.

– Je pense, monsieur Patenaude, que le premier à blâmer dans ce dossier, c'est le vendeur. J'ai entendu dire qu'il était au courant de tout et qu'il a travaillé son affaire pendant au moins un an. Je suis étonné qu'il ne vous ait pas prévenu de ses intentions.

– Vous avez raison, monsieur Boisvert, la tromperie vient surtout de lui. Vous pouvez être certain que je vais tirer l'affaire au clair avec lui, le moment venu.

Sur ces mots, le jeune maire raccrocha. Il était tellement en colère de s'être laissé tromper par Edmond Savaria qu'il avait du mal à réprimer une furieuse envie de traverser la rivière pour aller lui dire deux mots «entre quatre-z-yeux».

– Le vieux maudit menteur! dit-il entre ses dents. Il l'emportera pas au paradis. Je le coincerai bien un jour et il va me le payer.

Il se leva et sortit de son bureau en claquant la porte derrière lui.

Chapitre 7

Le «bogue de l'an 2000»

Les premiers jours de novembre apportèrent les premiers gels. Les gens avaient déjà oublié les couleurs éclatantes du feuillage des arbres des semaines précédentes. Ils avaient même gommé de leur mémoire les chaudes journées de l'été indien. La grisaille des jours plus courts, les feuilles ternes et racornies poussées par le vent et la pluie froide les déprimaient un peu plus chaque jour.

La nature avait déjà commencé à ralentir son rythme et tout annonçait l'arrivée prochaine de l'hiver. Il ne restait maintenant plus rien dans les champs qui n'étaient survolés que par les dernières nuées de canards en route vers le sud. Les silos étaient tellement remplis de grain et de maïs que la plupart des cultivateurs de Saint-Anselme avaient dû se résoudre à laisser à l'extérieur, devant leur étable, une véritable colline de maïs à ensiler. Les labours et le fumage des champs étaient complétés. Les vaches avaient déjà pris leurs quartiers d'hiver à l'intérieur des étables.

Ici et là, on mettait à profit les rares journées sans pluie. On rangeait les chaises de jardin et les balançoires. On installait les clôtures pare-neige pour protéger les haies et les arbustes. On réparait les instruments aratoires avant de les ranger pour la saison froide. On tentait tant bien que mal d'effectuer les travaux urgents qui avaient été remis d'une semaine à l'autre depuis le début de l'été.

Toute cette activité humaine saisonnière aurait pu sembler bien habituelle aux yeux d'un observateur s'il n'y avait pas eu, en cet automne 1999, deux événements extraordinaires qui n'avaient apparemment aucun lien entre eux: la construction du barrage et le «bogue de l'an 2000».

Depuis la fin de la première semaine d'octobre, les rives de la Nicolet, en aval du pont, étaient devenues l'objet de la curiosité de tous les habitants de Saint-Anselme et des environs parce que la compagnie Beaver avait entrepris des travaux de dynamitage et d'excavation dans la rivière qui dépassaient, et de loin, tout ce à quoi on s'attendait.

L'arrivée de pelles mécaniques et de toute une théorie de lourds camions sur l'ancien terrain d'Edmond Savaria avait suscité beaucoup de curiosité chez les gens. Dès le premier jour, les abords du chantier et le rang Saint-Édouard étaient encombrés par les voitures et les camionnettes des Anselmois désireux de voir de plus près ce qui se passait.

Cette affluence inquiéta à un tel point l'ingénieur Cook qu'il fut obligé, par mesure de sécurité, d'interdire l'accès au chantier. Il dut se résigner à faire installer un treillis métallique de trois mètres de hauteur, treillis sur lequel les curieux trop entreprenants venaient se casser le nez.

En réalité, le nouveau chantier offrait encore bien peu à voir. Une modeste cabane préfabriquée de cinq mètres carrés avait été déposée près de l'entrée et on avait tracé une route en lacets qui descendait sur le bord de la rivière. Deux pelles mécaniques travaillaient sur la rive du cours d'eau et une autre creusait en haut de la pente ce qui semblait être les futures fondations de la minicentrale. Tout se déroulait dans un décor de boue et de roches et au milieu d'un ballet incessant de gros camions.

Puis, dès le troisième jour, le voisinage fit connaissance avec le dynamitage intensif nécessaire pour creuser dans le roc, là où le barrage serait coulé et les turbines seraient installées. Comme si les coups de sifflet stridents annonçant les mises à feu et les explosions assourdissantes ne suffisaient pas, on fit vite venir un concasseur bruyant. Dans un vacarme infernal, l'énorme machine réduisait toute la roche excavée en gravier, du matin au soir. À l'extrémité est du chantier, la colline de gravier atteignait déjà une taille respectable, même si les camions en transportaient des quantités importantes dans plusieurs municipalités de la région qui en avaient acheté pour réparer les chemins.

Il n'était donc pas étonnant que la flotte de camions fournie par Geneviève Biron s'avère insuffisante très rapidement. Même si cette dernière en acheta deux nouveaux, la Beaver signa des ententes avec deux autres compagnies de transport du comté, ce qui ajouta une douzaine d'autres mastodontes sillonnant le rang Saint-Édouard et la rue Principale du village de six heures du matin à onze heures du soir.

Bref, en un rien de temps, la vie des habitants de Saint-Anselme fut bouleversée. C'était devenu un enfer six jours par semaine et il n'existait guère de foyers où on ne maudissait pas déjà la Beaver et Edmond Savaria.

***

Ce matin-là, il régnait un silence inhabituel au restaurant Cardin. Gilles Gagné, engoncé dans son épaisse chemise à carreaux rouges, affichait un air renfrogné et une mauvaise humeur évidente. Richard Miron, juché sur un tabouret voisin, consultait, sans dire un mot, les résultats des parties de hockey de la Ligue nationale qui avaient eu lieu la veille, dans *Le Journal de Montréal*. Céline Lacombe, assise à l'écart à une table, grignotait, sans trop de conviction, une demi-rôtie en jetant un coup d'œil à un journal ouvert devant elle.

Quand Adrien Beaulieu entra dans le restaurant, il fut frappé par l'atmosphère déprimante des lieux.

– Voulez-vous ben me dire ce qui se passe à matin? demanda-t-il. À vous voir, on se croirait en train de veiller au corps. Qui est-ce qui est mort?

– Personne, répondit le grand Gilles Gagné.

– Qu'est-ce que t'as à faire cette tête d'enterrement d'abord?

89

– Je vais te le dire ce que j'ai, explosa Gagné. Il y a que je suis écœuré de plus pouvoir dormir tranquille à cause de ce maudit barrage qu'on finit plus de construire. C'est plus vivable. Cent fois par jour, t'as l'impression que les vitres vont éclater et les meubles dansent dans la maison quand ces maudits trucks passent à toute vitesse devant la maison. Ça a pas d'allure, une affaire comme ça!

– Ouais! il a raison, ajouta son ami Miron en levant le nez de son journal. Je sais pas si quelqu'un regarde l'état du chemin, mais je peux vous dire qu'on est en train de toute faire démolir nos routes parce que les trucks sont surchargés.

– Et le pont? intervint la veuve Lacombe en refermant le journal devant elle.

– Il y a une limite de poids, fit observer l'ancien contre-maître municipal, mais je suis pas sûr que quelqu'un s'en occupe.

– Moi, sur la rue Desmeules, je les entends pas mal moins que vous autres, dit l'ex-maire, mais je les entends quand même. Le pire est qu'on en a peut-être encore pour six mois…

– C'est pas vrai! s'exclama Céline Lacombe, horrifiée par cette perspective.

– As-tu entendu parler de ce qui est arrivé aux frères Beaudoin? demanda Gilles Gagné à Beaulieu.

– Non.

Les deux frères Beaudoin exploitaient l'une des plus belles fermes de la paroisse, dans le rang Saint-Édouard.

– Imagine-toi donc que mercredi passé, ils se sont aperçus qu'ils n'avaient plus une goutte d'eau quand est venu le temps de faire leur train. Quand t'as soixante-dix vaches et vingt veaux à soigner, t'as besoin d'eau et ça presse. Aurèle s'est dépêché d'aller dans la maison pour vérifier s'il y avait de l'eau au moins là. Pas une goutte.

– C'était ses pompes dans les puits qui étaient brisées, je suppose? demanda Adrien Beaulieu. Ça arrive ces affaires-là.

– Voyons donc Adrien! Ça aurait été un maudit hasard. Les deux pompes qui lâchent en même temps! En tout cas, Georges a pas pris de chance et il a tout de suite fait venir Chayer de Sainte-Monique pour les vérifier. Les pompes marchaient. Le problème, c'est qu'il y avait plus une goutte d'eau dans ses deux puits. À sec tous les deux! Il paraît que Chayer avait jamais vu ça de sa vie et ça fait quarante ans qu'il creuse des puits.

– Qu'est-ce que les Beaudoin ont fait? demanda Adrien Beaulieu.

– Ben, ils avaient pas le choix. Ils ont d'abord fait venir une citerne d'eau pour parer au plus pressé et Chayer a commencé à creuser un autre puits le lendemain matin. Il a rien trouvé. Tu sais d'où vient le problème? Du maudit dynamitage! Chayer a consulté un spécialiste qui lui a dit que les explosions ont déplacé quelque chose dans le sous-sol.

– Est-ce que ça veut dire que les frères Beaudoin ont plus d'eau?

– Non, Chayer est parvenu à leur en trouver en creusant un puits pas mal plus loin sur leur terre et pas mal plus creux. Mais le creusage du nouveau puits et l'installation de la tuyauterie vont leur coûter vingt mille piastres.

– Et les deux frères vont tout payer? demanda l'ex-maire.

– Aïe! T'es pas fou! Ils ont envoyé une lettre d'avocat à la compagnie Beaver la tenant pour responsable. Aurèle Beaudoin m'a dit hier qu'il avait déjà reçu une lettre enregistrée de la compagnie. Il paraît qu'elle dit qu'elle a rien à voir avec leur problème d'eau.

– Qu'est-ce que les Beaudoin vont faire?

– Tu les connais! dit Gilles Gagné. Ils vont amener la Beaver en cour, ça traînera pas. Tu peux être certain qu'ils vont essayer de la faire cracher.

– Tout ça à cause de ce maudit Edmond! conclut Adrien Beaulieu.

– Gagnon m'a dit que si tu veux mettre notre maire en maudit, t'as juste à lui parler de Savaria, intervint Miron avec un demi-sourire.

– Et on peut rien faire? demanda Beaulieu.

– Ben, il paraît que Patenaude a commencé à bouger. Il aime pas plus la Beaver que nous autres, d'après ce que je peux voir.

– Comment ça ?

– Il a demandé à la Sûreté du Québec de faire respecter la limite de 50 km/h dans le village. Les chauffeurs de trucks sont mieux de faire attention et de lever le pied. En plus, il a demandé à l'avocat de la municipalité d'étudier tout le dossier de la construction du barrage. Il veut voir s'il y aurait pas quelque chose à faire pour arrêter tout ça.

– À cent vingt-cinq piastres de l'heure, ça va nous coûter toute une beurrée, cette histoire-là…

– En tout cas, l'avocat est mieux de se grouiller, conclut Richard Miron, sinon le barrage et la centrale risquent d'être construits avant qu'il trouve quelque chose.

***

Le second événement marquant de cet automne 1999 fut l'apparition soudaine d'une drôle de «bibitte» que les médias se mirent à appeler le «bogue de l'an 2000». En quelques jours, il fut impossible d'ouvrir un journal ou d'écouter les nouvelles sans qu'il en soit question.

On ne peut affirmer sans mentir que la chose était tout à fait nouvelle quand elle se mit à occuper le devant de la scène de l'actualité au début de l'automne 1999. Depuis près de deux ans, la télévision et la radio mentionnaient de temps à autre les efforts extraordinaires des banques et des grandes compagnies pour éviter que le passage au troisième millénaire ne s'accompagne d'une catastrophe économique sans précédent causée par une lacune de programmation des ordinateurs.

Des prophètes de tout poil prédisaient que l'automation à laquelle avait succombé pratiquement toute l'économie mondiale causerait la perte de milliards de dollars le 1er janvier de l'an 2000. Tout ça à cause d'un détail bête à pleurer: les concepteurs des ordinateurs avaient répété une grave erreur de programmation depuis les années 60. Ils n'avaient pas prévu qu'au changement de millénaire, les calendriers des appareils retomberaient à 0, faute d'être capables de passer de 1999 à 2000. Bien sûr, des spécialistes avaient trouvé le remède adéquat pour corriger cette faiblesse, mais il en coûtait, semble-t-il, des sommes astronomiques aux firmes aux abois qui s'arrachaient leurs services à prix d'or.

Bref, depuis le début de l'automne, il ne se passait guère de jours sans qu'un journaliste agite le spectre de la catastrophe économique majeure qui guettait les gens le matin du 1er janvier. À les entendre, cette panne des microcircuits entraînerait, par exemple, l'arrêt du service téléphonique, des tours de contrôle et des feux de circulation. Les déplacements en avion seraient plus que risqués. Les compagnies dont les ordinateurs n'avaient pu être corrigés seraient incapables de produire les factures pour leur clientèle. Les guichets bancaires ne fonctionneraient plus. Plus grave encore, les banques pouvaient perdre toute trace des dépôts et des comptes de leurs clients.

À la mi-septembre, quand un reporter irresponsable demanda à un cadre supérieur de la Banque Royale s'il ne serait pas plus prudent de retirer ses avoirs de la banque avant la date fatidique, la brève hésitation et les dénégations peu convaincantes de ce dernier semèrent le trouble dans l'esprit de beaucoup de téléspectateurs.

Ce soir-là, quand André Marcotte et son fils Pascal rentrèrent dans la maison après avoir soigné les animaux, Lucie cria à sa fille en train de faire ses devoirs dans sa chambre, à l'étage:

— Corinne, viens m'aider à mettre la table. On soupe!

Pendant que son beau-père allumait le téléviseur pour regarder les informations qui commençaient, la jeune femme débarrassa la table des revues qu'elle avait lues durant une partie de l'après-midi.

Quand sa fille arriva dans la cuisine, Lucie Veilleux ne put s'empêcher de la houspiller.

— Grouille donc, bâtard! Ça te prend ben du temps à descendre quand je t'appelle. T'es rendue presque aussi vite que ton père...

Pascal se laissa tomber sur une chaise et fit semblant de ne pas avoir entendu la remarque désobligeante.

— Ça sent ben la fumée de cigarette dans la maison, se plaignit André d'un air dégoûté en jetant un regard mauvais à sa bru.

— C'est normal, le beau-père, je fume. Je peux toujours aérer la maison si vous aimez pas la senteur, mais on va

95

chauffer le dehors et ça va vous coûter plus cher de chauffage.

André Marcotte ne répliqua pas.

– Je pourrais aussi aller fumer dehors, persifla la bru, mais les repas seraient jamais prêts à l'heure.

Pascal augmenta le son du téléviseur. Pendant que Lucie et sa fille de huit ans dressaient le couvert, le père et le fils se concentrèrent sur les nouvelles.

À l'antenne de TVA, Pierre Bruneau disait: «Les principales lignes aériennes déplorent que les ventes de billets aient baissé de plus de 60 % pour les 31 décembre et 1er janvier. Il semblerait que la crainte d'une catastrophe aérienne causée par le "bogue de l'an 2000" incite les gens à moins voyager ces deux jours-là.»

– C'est prêt, claironna la femme de Pascal sans s'adresser à personne en particulier.

Tout le monde prit place autour de la table et se mit à manger sa soupe, les yeux tournés vers le petit téléviseur posé sur le comptoir.

– Nous autres, on n'aura pas ce problème-là, dit Lucie Veilleux à son mari. On va prendre l'avion ben avant cette date-là. J'ai appelé aujourd'hui pour les réservations à Miami. C'est réglé. On va avoir le condo du 20 décembre au 5 janvier. On va revenir juste à temps pour que Corinne manque pas une journée d'école.

– Vous allez m'amener? demanda, Corinne, ravie à l'idée de prendre l'avion pour la première fois.

– Si t'es fine et si tu nous causes pas de trouble, répliqua sèchement sa mère. Si tu t'énerves trop, on va te faire garder.

En entendant la nouvelle, André Marcotte faillit s'étouffer. Il se tourna vers son fils.

– Est-ce que je peux savoir ce qui se passe?

– Ben, p'pa, on avait pensé…

– On a décidé, le coupa sa femme, d'aller passer quinze jours en Floride dans le temps des fêtes pour se reposer.

– Et l'ouvrage?

– On n'est pas des esclaves, monsieur Marcotte, déclara Lucie avec hargne. On a, nous autres aussi, le droit de prendre des vacances. Je pense que pour l'ouvrage, vous êtes capable de vous trouver quelqu'un qui viendra vous aider à faire le train pendant ces quinze jours-là. Ça fait plus que deux ans qu'on n'a pas pris de vacances…

– O.K., O.K., arrête donc de t'énerver! dit André Marcotte en élevant la voix. Quand on te pose une question, tu peux répondre comme du monde sans monter sur tes grands chevaux. Inquiète-toi pas, je suis encore capable de me débrouiller… Mais j'aurais ben aimé qu'on m'en parle avant que tout soit décidé, par exemple.

– J'allais le faire, p'pa, dit son fils, gêné par la sortie de son père. On s'attendait pas à avoir si vite le condo qu'on voulait louer.

– C'est pas grave; je comprends, fit André, peu désireux de gâcher la joie qui rayonnait dans la figure de sa petite-fille. Vous allez y aller dans le meilleur temps de l'année.

Le repas reprit dans un silence tout de même un peu contraint. Pendant que Lucie Veilleux savourait sa petite victoire, André Marcotte, la mine sombre, songeait sans enthousiasme à la période des fêtes qu'il passerait en solitaire. Son visage se renfrogna encore plus quand il entendit un économiste affirmer à la télévision que «les banques redoutaient une ruée de leurs clients à la fin décembre». Selon lui, il existait une petite possibilité que certaines banques connaissent des problèmes le 1er janvier 2000.

La dernière bouchée avalée, André se leva de table et se dirigea d'un pas pesant vers son bureau situé dans la pièce voisine du salon. Avant de refermer la porte derrière lui, il entendit Pascal murmurer quelque chose à sa femme sur un ton rageur. Cette dernière se contenta de claquer bruyamment l'une des portes de l'armoire en guise de réponse.

– Maudit caractère de cochon! dit le sexagénaire à mi-voix en allumant les deux lampes de son bureau.

Il sortit ensuite de sa poche de pantalon son trousseau de clés. Il choisit une clé qu'il introduisit dans la serrure du petit coffre encastré dans le mur et il ouvrit ce dernier. Il en retira trois livrets de banque. Il prit le temps de s'asseoir avant de les consulter avec une satisfaction évidente. Une minute plus tard, il se releva et il les remit dans le coffre avant d'en verrouiller la porte.

Il allait se rasseoir quand un pli barra soudainement son large front. Une pensée subite venait de le frapper. Il devait se décider rapidement. Il n'allait pas risquer bêtement de perdre son argent si le «bogue» dont on parlait se produisait...

André Marcotte se mit alors à faire les cent pas dans la pièce. Qu'allait-il faire? Allait-il laisser tout son argent à la banque? Fallait-il en retirer une partie pour la cacher quelque part ou fermer tous ses comptes? Où le mettrait-il s'il le retirait de la banque? Dans un coffre à la banque? Dans son coffre? Ailleurs?

Durant de longues minutes, il analysa la situation et soupesa les différentes possibilités qui s'offraient à lui. Il n'était pas question qu'il demeure sans réagir s'il existait le moindre danger de perdre de l'argent à cause du «bogue».

Finalement, il prit la décision de retirer la moitié de l'argent contenu dans chacun de ses comptes et de déposer ces sommes dans un coffret loué dans chacune des trois succursales avec lesquelles il faisait affaire. Ainsi, il évitait le danger de se déplacer avec des montants aussi importants et il n'aurait pas à s'inquiéter parce qu'il avait déposé trop d'argent dans le coffre de son bureau. Au fond, se dit-il en retrouvant le sourire, cette stratégie ne lui coûterait que la location de coffrets de sûreté. L'unique risque qu'il consentait à prendre était de cacher à la maison quelques milliers de dollars au cas où...

***

Fait étonnant, son voisin immédiat, Richard Bergeron, devait tenir compte, lui aussi, des conséquences imprévues du «bogue de l'an 2000». Comme les médias laissaient entrevoir la possibilité que le 1er janvier soit marqué par une panne électrique généralisée, la prudence la plus élémentaire commandait de s'assurer du bon fonctionnement de la génératrice.

En ce début de novembre, Richard Bergeron tenta durant deux jours de faire démarrer sa génératrice récalcitrante. Il eut beau blasphémer à en avoir mal à la gorge: rien à faire. À bout de patience, le cultivateur avait finalement demandé au jeune Martin Rousseau, le garagiste du village, de passer à la maison pour y jeter un coup d'œil.

Le lendemain après-midi, il avait suffi de quelques minutes au jeune mécanicien pour déclarer que l'appareil était définitivement hors d'usage.

– Je te l'avais dit, p'pa, qu'on perdait notre temps à essayer de réparer cette vieille affaire-là, fit son fils Sylvain, agacé par ce qu'il considérait comme de l'avarice de la part de son père.

– Bout de crisse! jura Richard en lançant un regard furieux à son fils. On n'était pas pour la scraper avant d'être sûrs qu'elle était finie.

Sur ces mots, le vieux cultivateur décocha un coup de pied rageur à la génératrice partiellement rouillée qu'il utilisait depuis plus de vingt-cinq ans. Il sortit du garage sans plus se préoccuper de son fils et il se dirigea vers la laiterie.

Sylvain Bergeron secoua la tête et se mit à ranger les outils utilisés pour tenter de réparer l'appareil. Le fils de Richard Bergeron n'avait de remarquable que sa patience devant les colères de son père. Le jeune homme releva une mèche brune qui lui tombait sur le front et il s'essuya les mains avec un vieux chiffon. Il avait une taille moyenne et sa figure aux traits réguliers était éclairée par des yeux noisette assez vifs. S'il ressemblait physiquement à son père, avec trente ans de moins, il s'en distinguait pourtant par sa conduite calme et réfléchie, une caractéristique de sa belle-mère Jocelyne.

Pourtant, à trente et un ans, le jeune homme commençait à manifester parfois des signes d'agacement quant aux méthodes dépassées de son père. Il rêvait de plus en plus souvent du jour où il entrerait en possession de la terre sur laquelle il avait toujours travaillé. Il avait hâte d'être son propre maître. Mais malgré tout, il connaissait assez le caractère explosif de son père pour mettre la pédale douce quand il avait un reproche à formuler. À soixante-deux ans, son père était loin d'être prêt à se retirer… Ah! s'il avait eu un peu d'argent, sa situation aurait été tout autre. Se retrouver propriétaire d'une ferme comme celle de Pierre Bergeron le printemps suivant, par exemple, l'aurait absolument comblé.

À dire vrai, sa situation lui semblait bien plus pénible depuis la mi-septembre, plus précisément depuis le soir où son père avait évoqué à table le prochain départ de son cousin et deuxième voisin. Cette nouvelle avait suscité chez lui les projets les plus fous… du moins durant quarante-huit heures. En plein le genre de terre et de troupeau qu'il rêvait d'avoir! En

101

plus, il connaissait tous les cultivateurs dans le rang…
S'établir sur cette ferme-là ne lui aurait pas fait quitter
son monde.

Ce soir-là, le jeune homme s'était retiré tôt dans sa
chambre pour mettre un plan au point. Même s'il savait
que Pierre Bergeron ne vendrait son bien que le
printemps suivant, il n'y avait pas de temps à perdre s'il
voulait trouver du financement pour être en mesure de
lui faire une offre décente. Le pire était de ne pouvoir
s'ouvrir de son projet à son père. Ce dernier avait décidé
une fois pour toutes que son fils reprendrait la terre
quand il se retirerait puisque Jean-Pierre, le fils de
Jocelyne, n'avait qu'un désir: continuer à demeurer à
Trois-Rivières pour exercer son métier de vendeur de
vêtements pour hommes.

Son rêve résista peu de temps à la réalité, le temps de
consulter Luc Patenaude sur ses possibilités d'emprunt à
la Caisse populaire et celui d'entendre son demi-frère,
Jean-Pierre, lui expliquer au téléphone qu'il ne pouvait
lui avancer que quelques centaines de dollars parce qu'il
dépensait tout ce qu'il gagnait. Bref, il n'y avait rien à
faire. Il devrait patienter et continuer à subir les sautes
d'humeur et les méthodes dépassées de son père aussi
longtemps que ce dernier garderait la main haute sur la
ferme familiale.

Le lendemain avant-midi, au moment de se lever de
table après le déjeuner, Richard dit à son fils:

– On peut pas rester sans génératrice; c'est trop
dangereux. Chaque hiver, on a au moins deux ou trois

pannes de courant. On en a besoin autant pour faire le train que pour chauffer la maison.

– C'est sûr, approuva le jeune homme.

– J'ai jeté un coup d'œil dans les annonces classées pour voir s'il y aurait pas une génératrice usagée à vendre dans le coin.

– Puis? demanda Jocelyne.

À cinquante-deux ans, la seconde épouse de Richard Bergeron faisait preuve d'une vitalité surprenante. Cette petite femme énergique à la chevelure noire striée de fils blancs attendait, l'air impassible, la réponse de son mari.

– Il y a rien. Tu sais ben qu'il y a juste les cultivateurs qui achètent des grosses génératrices comme on a besoin et ils les lâchent seulement quand elles sont finies. Ça fait qu'on a pas le choix et qu'on va être obligés d'aller à Drummondville pour en acheter une neuve... si elle est pas trop chère. Tu parles d'une maudite malchance, fit le cultivateur en repliant à la diable le journal régional qu'il venait de consulter.

Deux heures plus tard, une surprise attendait le père et le fils chez Génératrices Robert, le plus gros dépositaire de génératrices de la région. Le grand magasin du boulevard Lemire regorgeait d'appareils japonais et américains de toutes les grosseurs et de tous les prix. Les vendeurs laissèrent Richard et son fils faire lentement le tour de la salle de démonstration et se consulter à mi-voix avant d'intervenir.

L'un d'eux finit par s'approcher.

– On aimerait acheter cette Honda-là, dit Richard en désignant une machine d'un rouge rutilant… Évidemment, à la condition que le prix ait du bon sens, ajouta-t-il.

Le vendeur prit un air peiné.

– C'est dommage, monsieur, mais je n'ai aucune génératrice disponible avant la fin de la première semaine de janvier.

– Comment ça? s'insurgea Richard. Votre magasin en est plein.

– Oui, je sais. Le gouvernement a loué toutes nos génératrices d'une puissance de plus de cinq mille ampères au cas où il y aurait un «bogue» le 1er janvier.

– Bon, si c'est comme ça, on va aller voir ailleurs, décida Richard.

– Vous allez perdre votre temps, monsieur, lui affirma le vendeur. C'est partout pareil chez tous les dépositaires…

– Ben voyons donc, sacrement! Ceux qui ont besoin d'une génératrice vont faire quoi, eux autres?

– Je peux vous faire une suggestion, dit le vendeur en baissant la voix.

– Laquelle? demanda Sylvain qui n'avait pas encore dit un mot.

– Achetez votre génératrice tout de suite et je vous vends l'une de celles louées par le gouvernement en réduisant son prix de 20 % et en déduisant, en plus, les montants payés par lui pour la location.

– Ce qui veut dire? demanda Richard, incertain de l'ampleur de la générosité de l'offre.

– Ça veut dire que la Honda qui vous intéresse vaut dix mille dollars. Je peux vous la vendre sept mille dollars. Le plus beau est qu'il y a de bonnes chances que vous étrenniez tout de même la génératrice parce que le gouvernement ne les loue qu'au cas où il se produirait quelque chose le 1er janvier. S'il ne se produit rien, vous aurez un appareil neuf pour le prix d'un usagé. Et même s'il se passe quelque chose, il sera tout de même presque neuf.

– Oui, c'est ben beau votre affaire, protesta Richard Bergeron, mais qu'est-ce qui se passe si on perd l'électricité d'ici le début janvier? Mon puits et mon chauffage marchent pas avec l'air du temps.

– Chez vous, ça doit être comme à Saint-Germain où je reste, fit le vendeur d'un ton apaisant. Quand quelqu'un a pas de génératrice pendant une panne, les voisins s'organisent pour lui prêter la leur à tour de rôle. Tout ce que ça va déranger, c'est que vous allez faire votre train un peu plus tôt ou un peu plus tard pendant la panne, non?

– C'est vrai, consentit Richard en regardant son fils.

Finalement, l'argumentation du vendeur décida Richard qui signa un contrat pour l'achat d'une génératrice qu'il ne verrait qu'à la fin de la première semaine de janvier.

— J'espère qu'on regrettera pas notre geste, dit le sexagénaire à Sylvain, au moment où son fils mettait leur camionnette en marche.

— De toute façon, p'pa, on n'avait pas le choix. Il y en avait pas qu'on pouvait acheter. En attendant, on peut toujours continuer à regarder les petites annonces. Si jamais on en voit une usagée à un bon prix, on pourra l'acheter et elle servira plus tard pour fournir de l'électricité à la maison.

— Ouais! c'est une idée, dit Richard d'un ton pas tellement convaincu. Il faudrait pas qu'elle soit trop chère, par exemple.

Chapitre 8

Le conseil de la fabrique

La seconde semaine de novembre passa sans qu'un seul flocon de neige tombe, pour le plus grand dépit des enfants. Le froid s'installait tout de même progressivement, mais le paysage demeurait gris et triste. Un vent glacial soufflait, plaquant les feuilles racornies et les papiers contre le moindre obstacle. Le froid travaillait à rendre la terre aussi dure qu'un ciment grossier.

En cette fin de lundi après-midi, au village, l'inspecteur municipal et son employé s'affairaient à installer les bandes de la patinoire extérieure sur l'asphalte de la cour de l'école, sous l'œil attentif d'une poignée de jeunes qui attendaient, avec une impatience mal déguisée, leur départ pour jouer au hockey avec une balle.

À quelques pas de là, une demi-douzaine de membres de l'AFEAS s'activaient dans la petite salle sans fenêtre située dans le sous-sol de l'hôtel de ville. Comme tous les lundis après-midi depuis le début du mois d'octobre, ces femmes travaillaient à leur grand projet de l'année, soit l'assemblage d'une magnifique courtepointe rouge et bleu. Cet ouvrage artisanal ferait l'objet d'un tirage en mai 2000 et le produit de la vente des billets servirait à l'achat des premiers jouets éducatifs de la future ludothèque que l'AFEAS parrainait.

Cette idée de confection de courtepointe avait été apportée et défendue par Micheline Létourneau, la secrétaire municipale, au lendemain de son élection. Encore une fois, la quinquagénaire avait dû accepter – mais cette fois, à contrecœur – la présidence du groupe lors de la première réunion, au début du mois de septembre.

C'était toujours le même problème chaque année : l'AFEAS n'intéressait plus que quelques femmes d'un certain âge à Saint-Anselme. De plus, ces dernières étaient attirées davantage par les rencontres sociales que par les nobles objectifs poursuivis par l'organisme. À tout prendre, cela valait tout de même mieux que la réaction des jeunes femmes de la municipalité qui, elles, boudaient carrément le mouvement parce qu'elles ne voyaient aucune raison de maintenir vivant un organisme qu'elles jugeaient dépassé.

Malgré tout, chaque automne, à la surprise générale, le mouvement moribond reprenait vie et il se trouvait toujours une personne pour accepter d'en assumer la présidence. Mieux, la plupart des membres revenaient, les uns après les autres, participer aux activités hebdomadaires.

Quand Micheline Létourneau avait suggéré de tailler et de piquer une courtepointe, l'idée n'avait suscité aucun enthousiasme particulier. Mais comme personne n'avait de projet plus emballant à proposer, on avait fini par adopter la proposition.

En cette fin d'après-midi de la mi-novembre, à moins de six semaines du nouveau millénaire, il y avait quelque chose d'incongru à voir toutes ces femmes assises autour d'une grande table couverte de tissus et occupées à tailler et à tirer l'aiguille, des activités pratiquées par les mères québécoises depuis plusieurs siècles.

– Ça irait pas mal plus vite si nous étions toutes là, laissa tomber la doyenne, Aurore Lequerré, en ne s'adressant à personne en particulier.

– Vous savez ben, m'man, que c'est pas possible, répliqua sa fille Carole. Micheline est en haut, au bureau. Marthe Gagnon peut pas quitter l'épicerie.

– Oui, puis Céline Lacombe doit préparer tous les papiers pour la réunion de la fabrique de ce soir, dit Mance Lagacé, sa meilleure amie.

– Et Jocelyne, la femme de Richard, est partie avec ma bru, Nicole, à Montréal, poursuivit la belle-sœur d'Aurore, Brigitte Riopel. Il paraît que son Jean-Pierre a attrapé une sorte de pneumonie. Ça a l'air pas mal grave parce que l'Hôtel-Dieu de Trois-Rivières l'a fait transférer à l'hôpital Notre-Dame de Montréal hier soir.

– Son garçon a quoi, vingt-sept, vingt-huit ans ? À cet âge-là, on est solide, conclut Mance Lagacé qui tentait depuis au moins une minute d'enfiler son aiguille.

– T'as ben l'air d'avoir de la misère, veux-tu que je t'arrange ça ? demanda Marielle Miron, l'épouse de Richard Miron, l'inspecteur municipal à la retraite.

– Merci Marielle, je vais y arriver toute seule, fit Mance Lagacé à sa grosse voisine. Ma vue baisse. Qu'est-ce que tu veux? Je vieillis.

– T'as même pas encore soixante ans, fit Aurore Lequerré, en levant le nez de son ouvrage. Attends d'en avoir soixante-huit comme moi; tu vas t'apercevoir de ce que c'est que vieillir.

– Voyons, m'man, vous êtes pas si vieille que ça! s'exclama Carole.

– En tout cas, je suis assez vieille pour regretter le passé. Je m'ennuie du temps où on jouait aux cartes le soir, où on prenait le temps de se parler après le souper, dit Aurore avec nostalgie. Pour moi, ça, c'était le bon temps. Aujourd'hui, tout le monde court comme des fous. On a plus le temps de rien faire. Avec la télévision et les ordinateurs, plus personne se parle. Tu manges en écoutant les nouvelles et après le repas, on reste assis devant la télévision pour regarder des annonces et des programmes qui parlent juste de sexe. Pendant ce temps-là, les jeunes se dépêchent à aller s'enfermer dans leur chambre pour jouer avec leur ordinateur.

– C'est vrai que ça a plus d'allure, ajouta Marielle Miron. Moi, ça me scandalise et pourtant je suis plus une enfant. Il y a pas un soir où tu vois pas un couple dans son lit ou, encore pire, des homosexuels qui s'embrassent… Je veux ben croire que ces gens-là ont des droits comme tout le monde, mais je trouve qu'on en parle trop et qu'on nous en montre trop. Je me demande où ça va s'arrêter tout ça.

110

– Il paraît, dit Brigitte Riopel, un rien sentencieuse, que c'est de l'hypocrisie quand on refuse de voir ça, que c'est la réalité d'aujourd'hui, qu'il faut être franc.

– Oui, c'est ça, Brigitte, la coupa sa belle-sœur Aurore, sarcastique et amère. Il y a pas si longtemps, je me rappelle qu'il fallait absolument donner des cours sur la sexualité dans les écoles pour que les jeunes soient moins niaiseux que nous autres. Les résultats sont beaux!

– Julien enseigne depuis presque vingt ans à la polyvalente, ajouta Carole en reprenant l'idée de sa mère. Il paraît que l'année passée, il y a eu trente-quatre filles de quinze ans et moins qui sont tombées enceintes dans son école. C'est vrai que les résultats sont beaux!

– En plus, on peut pas dire que les mariages d'aujourd'hui sont ben plus solides que dans notre temps, fit Laure Camirand qui s'était tue jusqu'à ce moment-là. Maintenant, il paraît que les jeunes qui se marient pensent d'abord à un contrat de mariage qui prévoit ce qui va arriver quand ils vont divorcer. Voyons donc! Quand tu te maries, c'est pas supposé être pour la vie? Avec des idées pareilles, on comprend que la plupart ont peur du mariage et aiment mieux s'accoter.

– Pis ça fait des belles familles, renchérit Mance Lagacé. Le père vit d'un bord avec une autre femme et la mère vit de l'autre avec un autre homme. Les enfants sont pris au milieu de tout ça.

– C'est ça qu'ils appellent des familles reconstituées, dit Brigitte.

— Oui, ben, une chance que ces familles-là ont pas neuf ou dix enfants comme celles de notre temps, fit Laure Camirand, moqueuse, parce qu'une chatte y retrouverait pas ses petits, je vous le garantis.

— En tout cas, reprit Aurore en levant à nouveau les yeux de son travail, tout ça me déprime.

— M'man, fit Carole en souriant, je devrais vous dire ce que disait si souvent grand-mère Isabelle quand elle vivait: «Arrêtez donc de vous en faire pour rien avec ce que vous pouvez pas changer et suivez le mouvement.»

Un nuage de tristesse passa dans le regard d'Aurore Lequerré au rappel de sa mère adoptive disparue près de vingt ans auparavant. La gaieté et l'humour de celle qui l'avait éduquée et aimée lui manquaient encore chaque jour qui passait.

— T'as raison, ma fille, fit Aurore en esquissant un pauvre sourire. C'est probablement le temps gris dehors qui me donne des idées noires.

— C'est pour ça qu'on est installées dans la cave, madame Lequerré, fit Marielle Miron avec un bon gros rire. C'est pour nous empêcher de nous laisser influencer par la température.

— De toute façon, ajouta Carole, on va ben finir par avoir de la neige. Avant-hier, ma belle-sœur Karine, la femme de Julien, m'a amenée aux Galeries d'Anjou, à Montréal. Tous les magasins sont déjà décorés pour Noël et il y a du monde partout. Ça ressemble déjà au temps des fêtes. Il y a une vendeuse qui nous a dit que les ventes vont pas encore ben fort, mais que ça va changer aussitôt que la neige sera tombée. Il paraît que les gens en ont besoin pour être dans l'esprit des fêtes.

Ces paroles de Carole Leroux eurent le don de chasser les dernières pensées tristes de son auditoire. Autour de la grande table, la conversation devint générale et porta sur des sujets plus légers, tels que les célébrations spéciales prévues pour fêter, comme il se devait, le changement de millénaire ainsi que les cadeaux en préparation ou à acheter.

***

Quand Marc Riopel sortit de la maison à sept heures ce soir-là pour aller présider la réunion du conseil de la fabrique, il constata avec surprise qu'une petite neige folle s'était mise à tomber durant le souper. Elle saupoudrait déjà de blanc les toits des bâtiments. Les flocons semblaient danser sous l'éclairage de la sentinelle. Le jeune cultivateur de trente-cinq ans mit le moteur de sa camionnette Ford en marche, et il actionna les essuie-glaces avant de s'engager dans le rang Sainte-Anne.

Il était un peu inquiet. Nicole n'était pas encore revenue de Montréal avec leur voisine. Il savait à quel point la pluie ou la neige rendait sa femme nerveuse au volant. Il espérait seulement qu'elle ne s'était pas arrêtée chez sa sœur Sylvie, à Drummondville. Les conditions de la route risquaient de se détériorer rapidement si la neige continuait à tomber. En plus, les pneus à neige n'avaient pas encore été posés sous la Cavalier… Il avait bien prévu de se débarrasser de cette corvée la semaine précédente, mais au moment de partir vers le garage Rousseau, son frère Éric et sa femme s'étaient arrêtés à la maison.

À les entendre, tous les deux étaient débordés de travail. À titre d'acheteur pour les épiceries Métro, Éric était revenu la veille d'une longue tournée en Gaspésie. Il disait passer sa vie sur la route. Pour sa part, sa femme Johanne était très occupée par sa carrière de publiciste. Tout ça était supposé expliquer pourquoi ils n'avaient pas trouvé le temps de téléphoner ou de venir les voir depuis six mois… Bref, cette visite éclair avait au moins permis d'avoir de leurs nouvelles et elle avait surtout causé un grand plaisir à Brigitte Riopel, en lui donnant l'occasion de constater que son bébé de trente-trois ans était en bonne santé.

Marc Riopel voyait tomber les flocons dans la lumière de ses phares et il se rendit compte que la température s'était refroidie depuis la fin de l'après-midi. La neige ne fondait pas en touchant la route. Le jeune homme franchit le pont, monta la côte et s'engagea lentement sur la rue Principale.

Pendant un instant, il envia les habitants bien au chaud dans les maisons construites en face de l'église. Il voyait leur ombre se déplacer derrière les rideaux.

Au moment de descendre de sa camionnette dans le stationnement de l'église, le président de la fabrique aperçut du coin de l'œil Céline Lacombe qui s'apprêtait à traverser la rue pour venir le rejoindre. Comme elle habitait l'ancienne maison du notaire Deschamps située en face de l'église, Marc la soupçonnait d'avoir surveillé son arrivée pour ne pas avoir à pénétrer seule dans le presbytère désert. En effet, l'imposant édifice aux fenêtres aveugles n'était guère rassurant dans le noir.

Il prit le cahier des minutes des réunions posé sur le siège voisin de celui du conducteur et il se dirigea vers l'escalier. Au pied de l'escalier, il attendit un instant l'arrivée de la marguillière avant de gravir les marches en sa compagnie.

— On est chanceux, lui dit Céline Lacombe en guise de salutation. J'ai vu Étienne Dubé venir au presbytère au milieu de l'après-midi. Si ça se trouve, il a dû augmenter le chauffage. Ça va faire changement de ne pas claquer des dents pendant la réunion.

— On achève, madame Lacombe, fit Marc en lui adressant un demi-sourire. Ce soir, on va voir qui est intéressé par notre presbytère. Avec un peu de chance, on va s'en débarrasser une fois pour toutes.

Arrivé sur le large balcon, Marc Riopel se dirigea sans hésiter vers la première fenêtre, à la gauche de l'entrée. Il passa la main sous le cadrage et en retira une clé, clé qu'Étienne Dubé, le curé Gingras et lui-même remettaient toujours à la même place en quittant les lieux.

En ouvrant la porte, les deux marguilliers furent accueillis par une vague odeur de moisissure venant de la moquette et des tentures. Le président de la fabrique pénétra dans le vestibule, suivi de près par Céline Lacombe. Il alluma le plafonnier. Sans accorder un regard au papier peint rougeâtre décollé à certains endroits et à la peinture écaillée des lambris, l'homme et la femme se dirigèrent immédiatement vers la cuisine qui servait de salle de réunion du conseil, une fois par mois.

La pièce était tout de même confortable et propre. Une table massive en noyer et six chaises en occupaient le centre. On avait placé un petit bureau et deux classeurs qui contenaient les registres paroissiaux près du réfrigérateur démodé. Un téléphone et un petit télécopieur étaient posés sur le comptoir, près de l'évier.

Marc Riopel déposa son cahier à un bout de la table avant de retirer son manteau qu'il suspendit au dossier de sa chaise.

— Celui qui va l'acheter, dit-il à haute voix comme s'il poursuivait une conversation intérieure, ne fera pas une si mauvaise affaire que ça.

— Qu'est-ce qui te fait dire ça? demanda Céline Lacombe en s'assoyant sur l'une des chaises après avoir distribué des feuilles sur la table devant chaque chaise vide et en avoir tendu quelques-unes à Marc.

— Ben, je pense que la bâtisse est pas mal d'aplomb. La plomberie est peut-être pas ben bonne, mais la couverture coule pas et la vieille fournaise peut encore durer un an ou deux, d'après Étienne Dubé.

— Oui, mais cette odeur qui vous prend à la gorge, protesta la veuve.

116

– C'est rien, ça. Il suffit qu'on aère comme il faut et qu'on jette les vieux tapis et les rideaux à moitié pourris et vous allez voir que ça va sentir pas mal meilleur. En plus...

Il y eut des bruits de pas. La porte d'entrée claqua. Des voix se firent entendre.

– Tiens, voilà notre curé avec les autres, fit Marc Riopel en s'interrompant brusquement.

– Bonsoir madame Lacombe, bonsoir Marc, fit le jeune curé Gingras en pénétrant en coup de vent dans la cuisine. Il est sept heures et demie pile. Vous direz pas que votre curé n'est pas ponctuel, non?

Le prêtre retira son manteau et, durant un instant, il chercha des yeux un endroit où le suspendre. Finalement, il se résigna à le poser sur le dossier d'une chaise.

– On le savait, monsieur le curé, répondit le président avec un sourire.

– Je trouve que j'ai pas mal de mérite à l'être parce que j'ai été retardé au pied de l'escalier par de vieux paroissiens qui avançaient pas. Ils avaient l'air de vouloir faire un bonhomme de neige.

– Aïe! monsieur le curé, ambitionnez pas, protesta Aurèle Lupien, l'inspecteur municipal, qui venait de pénétrer derrière lui dans la pièce, suivi de près par l'épicier Louis Gagnon et Lucien Proulx du rang Sainte-Marie. Nous, on est trois vieux paroissiens respectables. On court pas parce qu'on prend le temps de penser...

117

– Je m'excuse, monsieur Lupien, fit le curé d'un air faussement repentant, ça m'est pas venu à l'idée une seconde que vous réfléchissiez quand je vous ai vu en train de mettre de la neige dans le collet de ce pauvre monsieur Gagnon.

Tout en se taquinant, les hommes prirent place autour de la table. Le curé Gingras s'assit face au président de la fabrique, à l'autre extrémité de la table, pendant que Lupien et Proulx s'assoyaient côte à côte, en face de Céline Lacombe et de Louis Gagnon.

– Bon, si on commençait, proposa Marc Riopel, une fois le silence rétabli.

Tous se levèrent et récitèrent une brève prière avec le prêtre avant de reprendre leur place.

– Si ça vous fait rien, on va prendre cinq minutes pour prendre connaissance du rapport de la dernière réunion que madame Lacombe a laissé à votre place.

Alors que chacun consultait le rapport, Yves Gingras étalait vers l'avant les quelques cheveux qui lui restaient pendant qu'il regardait ses cinq marguilliers. Une ombre passa dans son regard. Il regrettait de n'avoir jamais eu la chance de connaître la vie calme et confortable de ses prédécesseurs. Il aurait donné cher pour ne desservir qu'une paroisse. Mais en 1999, le monde avait changé. Il ne servait à rien de rêver. Les prêtres étaient une denrée rare qu'on se partageait...

À trente-sept ans, il était le curé de Saint-Anselme, de Sainte-Monique et de Saint-Cyrille depuis deux ans.

Trois paroisses à gérer. Comment développer des liens solides avec des paroissiens dont on a toutes les peines du monde à retenir le nom? Il ne se sentait chez lui nulle part. Aucune racine ne le retenait. Il lui était même interdit de manifester une préférence pour l'une ou l'autre de ses paroisses, même si c'était humain. Il demeurait à Sainte-Monique parce que le presbytère de cette paroisse était moins vieux et coûtait moins cher à entretenir que ceux de Saint-Cyrille et de Saint-Anselme. Sa vie pastorale était régie par les gros sous et par les horaires.

Les dimanches et les jours de fête, les célébrations devenaient un véritable casse-tête où l'horloge tenait un rôle qu'elle n'aurait jamais dû tenir. Le prêtre devait calculer à la minute près la durée de la cérémonie dans une paroisse en fonction de l'horaire des cérémonies qu'il devait présider dans les autres. Pas question de dépasser l'heure ne serait-ce que de cinq minutes! Ces jours-là, il courait d'une église à l'autre, soucieux de ne pas faire attendre les fidèles… Certains jours de la semaine, le même scénario se reproduisait quand il officiait dans des enterrements ou jouait le rôle d'animateur de pastorale dans les écoles primaires de ses trois paroisses.

En somme, il avait beau tenter de paraître un prêtre dynamique au caractère enjoué, il y avait des jours où il ne trompait personne, surtout pas lui. Il se sentait vidé, épuisé… Une chance que monseigneur Éthier était compréhensif et acceptait qu'il prenne, de temps à autre, des vacances bien méritées. Ces dernières, le prêtre s'en rendait compte, n'étaient possibles que parce que le brave curé Lanctôt, retiré au Carrefour des jeunes, acceptait toujours volontiers de le remplacer durant quelques jours.

– Bon, nous avons deux sujets à discuter, annonça Marc Riopel quand il se rendit compte que tout le monde avait complété sa lecture. Si ça vous dérange pas, on va commencer par le plus facile: le remplacement de monsieur Gagnon dont le mandat de marguillier vient à terme la semaine prochaine. Est-ce que quelqu'un aurait le nom d'un remplaçant ou d'une remplaçante à nous suggérer?

Il y eut dans la cuisine un long silence.

– Peut-être que l'un ou l'autre des frères Camirand accepterait de..., commença le curé.

– Il faudrait pas exagérer, dit Aurèle Lupien, sans ménagement. Jean et Yves ont déjà fait deux mandats chacun et si vous pensez à leurs femmes, j'ai entendu dire qu'elles avaient pas le goût de s'occuper de la paroisse.

– Qu'est-ce que vous pensez de Maurice Allard du rang Saint-Joseph? avança Lucien Proulx.

– Je veux pas être une langue sale, fit en hésitant Marc Riopel, mais je pense pas qu'il pratique ben fort. Ça ferait drôle d'avoir un marguillier qu'on voit jamais à l'église, non?

Le silence se rétablit durant un long moment avant d'être brisé à nouveau par le curé Gingras.

– J'y pense. Je me souviens d'avoir parlé à un jeune cultivateur du rang Sainte-Anne au mois d'août, un nommé Massicotte, il me semble. Il avait l'air d'un homme posé et sérieux. Ça nous ferait peut-être un bon candidat…

Le front de Marc Riopel se creusa de rides sous l'effort qu'il fit pour essayer d'imaginer de qui parlait le prêtre.

– De quoi il avait l'air votre Massicotte, monsieur le curé? finit-il par demander à l'ecclésiastique.

– Un petit homme blond…

– Ah! Vous voulez parler de Pascal Marcotte, le garçon d'André. Il a les cheveux châtain clair. Il a une petite moustache?

– Oui, c'est ça.

– L'idée est peut-être pas mauvaise, monsieur le curé, mais ce serait assez insultant pour son père. Je pense qu'on lui a jamais offert d'être marguillier, même s'il a toujours vécu dans la paroisse.

– On a juste à le lui offrir avant de demander à son garçon, suggéra Proulx. Mais je vous avertis, c'est pas moi qui vais aller le voir.

– Moi non plus, fit Aurèle Lupien. On s'entend pas tellement ben tous les deux.

– Écoutez, fit le curé, un peu gêné d'avoir mis les membres de son conseil de fabrique mal à l'aise, je veux

121

pas vous imposer monsieur Marcotte. Si vous croyez que vous pourrez pas travailler avec lui, laissez faire et cherchons-en un autre.

– Non, c'est pas ça, monsieur le curé, s'empressa de dire le président de la fabrique en regardant tour à tour les autres membres du conseil. Monsieur Marcotte a un caractère un peu spécial. C'est juste que c'est gênant d'aller le voir pour lui proposer d'être marguillier parce qu'on le voit pratiquement jamais au village et il est pas ben jasant, si vous voyez ce que je veux dire.

Céline Lacombe, qui avait assisté à l'échange sans dire un mot, se décida alors à intervenir.

– Écoutez, dit-elle d'un ton résolu, on a deux noms. D'après ce que j'entends, le père ou le fils ferait l'affaire. Dans la paroisse, il y a pas tellement de gens qui sont prêts à faire le travail. Je me propose pour aller voir le père, puis le fils, si c'est nécessaire. Comme ça, on en aura le cœur net et monsieur Gagnon n'aura plus à manquer ses parties du Canadien à la télévision. On lui aura trouvé un remplaçant.

– Ma pauvre madame Lacombe, si vous saviez à quel point les Canadiens sont pourris, fit Louis Gagnon. Ils perdent tout le temps. Il n'y a plus de grands joueurs dans cette équipe-là depuis que Lafleur a pris sa retraite. Me faire manquer une partie, c'est presque me rendre service. La plupart du temps, les parties sont tellement plates que je m'endors dans mon fauteuil avant la fin de la deuxième période. Marthe est obligée de me réveiller pour que j'aille me coucher dans mon lit.

– Maudit que j'ai pas hâte d'avoir ton âge, mon Louis! s'exclama Lucien Proulx pour le taquiner. Ta femme doit trouver les soirées longues à côté d'un vieux qui passe ses soirées à lui ronfler dans les oreilles.

– Inquiète-toi pas pour ma femme, Lucien. Elle est pas à plaindre pantoute, répliqua l'épicier d'un air avantageux. Elle sait ben qu'elle a mis la main sur le vrai trésor de Saint-Anselme il y a presque quarante ans.

– Ça devait être une paroisse pas mal pauvre à cette époque-là, laissa tomber négligemment la veuve Lacombe.

Sa réplique fut accueillie par un éclat de rire général. Marc Riopel finit par taper légèrement sur la table pour ramener un peu de sérieux dans le groupe.

– Bon, je pense qu'on va accepter la proposition de madame Lacombe. Si nous passions au point suivant? J'ai pas besoin de vous rappeler que nous sommes le 15 novembre et que c'était ce soir, à six heures, que finissait la période où on pouvait nous remettre une soumission cachetée pour acheter le presbytère. J'ai reçu une enveloppe au commencement de la troisième semaine d'octobre et madame Lacombe m'a dit en avoir reçu une la semaine passée. Est-ce que quelqu'un parmi vous autres en a reçu une autre? demanda le président en regardant tour à tour les autres membres du conseil.

Seuls des signes de dénégation lui répondirent.

– Bon, je vais ouvrir la première enveloppe, dit Marc Riopel en découpant une extrémité d'une enveloppe blanche tirée de son cahier.

Il sortit de l'enveloppe une feuille blanche qu'il déplia avec soin avant d'en faire la lecture aux personnes réunies dans la pièce.

– «J'offre la somme de trente mille dollars pour le presbytère de Saint-Anselme et le terrain sur lequel il a été bâti», lut le président. C'est daté du 18 octobre 1999 et c'est signé par un nommé Gaétan Dupuis de Drummondville. Il donne son adresse et son numéro de téléphone. Est-ce que quelqu'un le connaît?

Seul le silence répondit à cette question.

– Je ne m'y connais pas beaucoup en bâtiment, dit le curé d'une voix hésitante, mais il me semble que ce monsieur Dupuis n'offre pas beaucoup. Seulement le terrain qui mesure... euh...

– Deux cent cinquante pieds par deux cents pieds, à peu près, compléta Marc Riopel.

– Seulement un terrain de cette grandeur-là, face à la rivière, sur la rue Principale, ça doit valoir pas loin d'un tiers de cette somme-là.

– Au moins, fit Proulx d'un ton convaincu.

– Bon, voyons l'offre reçue par madame Lacombe, reprit le président de la fabrique, déçu par cette première soumission. On n'aura pas le choix; on va prendre la meilleure offre.

Des murmures accueillirent la remarque.

Céline Lacombe ouvrit l'enveloppe qu'elle avait déposée devant elle et elle attendit que le silence soit rétabli autour de la table avant d'en faire la lecture à haute voix.

– «J'aimerais acheter le presbytère de la paroisse de Saint-Anselme, mais je ne peux proposer que quarante-quatre mille dollars pour en devenir la propriétaire.» La soumission vient de madame Johanne Therrien de Victoriaville et elle est datée du 6 novembre 1999, ajouta la veuve. Elle aussi donne son adresse et son numéro de téléphone.

– Bon, le choix est facile à faire, conclut Marc Riopel. On va vendre à cette Johanne Therrien, si elle a l'argent pour payer. Demain, je vais l'appeler et on va lui donner le temps de voir si sa banque lui prête le montant dont elle a besoin. J'appellerai aussi Gaétan Dupuis pour lui expliquer que sa soumission a été battue, mais qu'il pourra peut-être encore acheter le presbytère si l'acheteuse qui a fait la meilleure soumission obtient pas son prêt. Pensez-vous que tout soit conforme à la loi, monsieur le curé?

– Ça m'a l'air correct, Marc. Tu pourrais peut-être aussi avertir l'évêché que tu as eu deux offres.

– C'est une bonne idée.

– Veux-tu que je m'en occupe? proposa Céline Lacombe.

– Vous seriez ben fine, la remercia Marc. Bon, je pense qu'on peut dire que la réunion est finie, si vous avez plus rien à ajouter.

Quelques minutes plus tard, les six personnes, chaudement emmitouflées, quittèrent en même temps le presbytère après avoir éteint les lumières. Dans l'obscurité, l'imposant édifice entouré de lilas et d'érables centenaires aux branches dénudées avait un aspect menaçant. Pendant que Céline Lacombe se hâtait de traverser la rue Principale pour rentrer chez elle, les autres membres du conseil montaient à bord de leurs véhicules garés les uns à côté des autres dans le stationnement de l'église.

Un peu après dix heures, Marc Riopel descendit de sa camionnette qu'il laissa devant son garage, près de la Cavalier bleue de la famille. Il se dépêcha d'entrer dans la maison. Au milieu de la soirée, le vent était tombé et la température s'était adoucie au point que les flocons de neige s'étaient transformés en une petite pluie froide. D'ailleurs, le brouillard commençait à se lever.

En pénétrant dans la maison, Marc trouva sa femme pelotonnée sur le divan du salon, en train de siroter ce qui semblait être une tasse de chocolat chaud.

– Tu es toute seule? demanda-t-il en enlevant son manteau.

– Oui. Ton père et ta mère sont montés se coucher il y a une dizaine de minutes, lui répondit Nicole à voix basse. Tu veux une tasse de chocolat chaud?

– Pourquoi pas, accepta Marc en suivant sa femme qui venait de quitter le divan et se dirigeait déjà vers la cuisine. T'as pas eu de misère pour revenir de Montréal?

– Non. La neige restait pas. Elle fondait sur la 20 au fur et à mesure.

– À quelle heure t'es revenue avec Jocelyne? demanda son mari en se laissant tomber sur une chaise, au bout de la table.

– D'après ta mère, tu venais juste de partir pour ta réunion.

– Bon, puis le gars de Jocelyne, comment il va?

– Il a pas l'air ben brillant. Il est maigre à faire peur. En tout cas, l'hôpital veut pas le laisser sortir avant au moins quinze jours.

– Maudit! Ça doit être grave! s'exclama Marc en prenant la tasse que lui tendait sa femme. Aujourd'hui, ils ont l'habitude de te mettre dehors de l'hôpital quand t'es encore à moitié mort.

– Remarque, s'il était marié et s'il avait une femme capable de prendre soin de lui à la maison, les docteurs le laisseraient peut-être partir plus vite.

– Peut-être, dit Marc d'un ton peu convaincu.

– En tout cas, j'ai l'impression que Jocelyne est rentrée avec l'intention de demander à Richard d'installer son Jean-Pierre à la maison pour le remettre d'aplomb.

– Richard va accepter; il l'a toujours considéré comme son propre garçon.

– Pas si sûr que ça, l'interrompit Nicole. Il paraît qu'il a arrêté de fumer depuis une semaine et qu'il est pas parlable.

– Aïe! ça doit être l'enfer, dit Marc en souriant. Lui qui a déjà pas le caractère facile en temps normal. Jocelyne et Sylvain doivent l'entendre sacrer du matin au soir.

– Tu connais Jocelyne? C'est pas elle qui va parler contre son mari. À part ça, si tu me racontais ce qui s'est passé durant ta réunion. Les offres?

Marc lui raconta en détail la réunion du conseil et il était près de minuit quand ils décidèrent d'un commun accord d'aller se coucher.

Pendant que Nicole se dirigeait vers la chambre, Marc éteignit les lampes demeurées allumées dans le salon, jeta un coup d'œil par la fenêtre pour s'assurer que la sentinelle éclairait bien les bâtiments et il pénétra à son tour dans leur chambre à coucher.

Chapitre 9

Un nouveau marguillier

Le jeudi suivant, après le souper, Céline Lacombe téléphona à Marc Riopel pour l'informer que, comme convenu, elle avait prévenu l'évêché des offres faites pour l'achat du presbytère et qu'on l'avait avisée que tout était conforme à la loi. Le président de la fabrique la remercia de s'être chargée de cette corvée et il raccrocha.

Cet appel fait à Marc Riopel rappela soudainement à la veuve sa promesse de contacter les Marcotte pour persuader le père ou le fils de devenir, l'espace d'un mandat, marguillier de la paroisse. Durant une minute, elle fut tentée de demeurer bien au chaud devant son téléviseur pour regarder le film que TVA présentait à huit heures. À l'idée d'aller grelotter dans sa Pontiac stationnée dans l'allée près de sa maison, elle fut saisie d'un frisson désagréable qui la fit grimacer. Mais elle se réprimanda à voix basse.

– Ma fille, tu vas te secouer! T'as voulu t'en mêler? Tant pis pour toi. La prochaine fois, tu te mêleras de tes affaires. Aller quémander est jamais agréable. Plus vite tu le feras, plus vite tu seras débarrassée.

129

Après être passée par la salle de bain où elle s'était légèrement maquillée et recoiffée, Céline Lacombe mit son manteau et sortit de chez elle.

Un froid vif l'accueillit et elle se dépêcha de déverrouiller la portière de sa voiture avant de s'y engouffrer. Le moteur de la vieille Pontiac verte 1989 émit d'abord une plainte aiguë avant de se mettre à tourner d'une manière assez inquiétante. Céline Lacombe ne tint aucun compte des protestations de la voiture héritée de son défunt mari. Pour elle, une auto était construite pour rouler et les mystères de l'entretien de cette mécanique capricieuse ne l'intéressaient pas le moins du monde. Durant quelques secondes, elle attendit avec une certaine impatience que le régime du moteur ait un rythme plus régulier, puis elle embraya. La conductrice s'engagea sur la rue Principale et descendit la côte en direction du pont dont l'unique lampadaire était visible de loin.

Le ciel était tout étoilé et la température, glaciale. Le chauffage de la Pontiac commençait à peine à souffler un peu d'air chaud dans l'habitacle quand le véhicule tourna dans le rang Sainte-Anne. La conductrice parcourut un bon tiers du rang avant d'apercevoir, à sa gauche, les fenêtres éclairées de la maison des Lequerré. Un peu plus loin, sur sa droite, elle dépassa lentement les fermes de Pierre Bergeron, de Marc Riopel et de Richard Bergeron. La veuve savait que la maison d'André Marcotte était une grosse maison aux auvents bleus, recouverte de vinyle bleu-gris, juste avant la petite maison blanche de Lyne Paquette, un membre de la chorale paroissiale.

Céline Lacombe engagea sa Pontiac dans la longue allée qui menait à la grande maison dont seules quelques fenêtres du rez-de-chaussée étaient éclairées. Elle fit faire demi-tour à son véhicule dans la grande cour asphaltée et elle l'immobilisa près de l'escalier dont la volée de cinq marches menait à la porte de la cuisine.

Elle sortit de l'auto, monta l'escalier et alla sonner. Après un moment d'attente, une lumière s'alluma près de la porte qui s'ouvrit sur un jeune homme mince à la calvitie prononcée.

— Oui, madame? fit poliment Pascal Marcotte, étonné de la découvrir sur le pas de sa porte.

— Bonsoir monsieur Marcotte. Est-ce que je pourrais parler à votre père, s'il vous plaît?

— Bien sûr, madame. Entrez donc, l'invita Pascal en s'effaçant pour la laisser entrer dans la cuisine.

Le jeune cultivateur avait croisé la visiteuse au village à plusieurs reprises, mais il ne lui avait jamais parlé.

En pénétrant dans la pièce, les yeux de Céline Lacombe enregistrèrent plusieurs choses en même temps. Elle aperçut d'abord le profil du visage renfrogné d'une jeune femme assise dans le salon. Cette dernière ne daigna même pas quitter des yeux l'émission télévisée qu'elle regardait à son arrivée. Au même moment, elle vit la silhouette impressionnante d'un homme apparaître dans l'encadrement d'une porte située à la gauche du salon et elle entendit le salut un peu timide d'une fillette assise à la table de cuisine, devant ses livres de classe.

– P'pa, c'est pour vous, annonça Pascal Marcotte à l'homme à l'épaisse chevelure poivre et sel qui s'avançait déjà dans leur direction.

André Marcotte eut un bref regard interrogateur en direction de la visiteuse.

– C'est moi que vous voulez voir, madame? demanda-t-il d'une voix profonde, apparemment intrigué par cette visite inattendue.

Le sexagénaire se rappelait avoir parfois vu cette femme à l'église, mais il était incapable de la situer. Il fallait tout de même reconnaître qu'il n'était pas le paroissien le plus assidu à la messe du dimanche et il faisait la plupart de ses achats à Drummondville plutôt qu'au village.

– Oui, monsieur Marcotte. J'aurais aimé vous parler pendant quelques minutes si cela vous dérange pas trop, dit la veuve, un peu impressionnée par la haute stature de l'homme.

Pascal salua de la tête la visiteuse avant de retourner au salon dont il referma les portes françaises derrière lui.

– Vous me dérangez pas, madame, fit André Marcotte en esquissant un sourire sans joie. Ça arrive pas souvent que j'aie de la visite. Donnez-moi votre manteau. Ma puce, tu vas aller finir tes devoirs dans ta chambre, si ça te fait rien, dit-il à sa petite-fille en se tournant vers elle. Grand-papa doit parler avec madame... ?

– Céline Lacombe, dit la veuve en lui tendant son manteau de suède gris.

– Avec madame Lacombe.

Son hôte lui désigna la chaise que venait de quitter sa petite-fille Corinne.

– Assoyez-vous. Que diriez-vous d'une tasse de café, madame Lacombe ? J'allais justement m'en faire une.

Céline n'hésita qu'une fraction de seconde avant d'accepter.

– Vous excuserez le manque d'éducation de ma bru, fit André en jetant un regard mauvais vers la pièce voisine. Normalement, ce serait à elle de vous offrir ça, mais je pense que de là où elle vient, on a oublié de l'élever.

– C'est pas grave, monsieur Marcotte. Les jeunes d'aujourd'hui ont pas été éduqués comme nous.

– À qui le dites-vous !

André Marcotte déposa sur un napperon la cafetière, le sucrier, deux tasses, des cuillères et un pot de crème qu'il prit dans le réfrigérateur.

– Je suis désolée de vous donner tant de mal. J'aurais pas voulu vous déranger, s'excusa Céline Lacombe en se levant pour verser le café dans les deux tasses.

André Marcotte s'assit lourdement devant elle et la scruta sans aucune retenue pendant qu'elle versait le café. À cet instant précis, il réalisa brusquement que cette femme ressemblait physiquement beaucoup à son ex-femme. Cette constatation lui causa un pincement au cœur. Louise s'habillait, se coiffait et se maquillait avec le même bon goût discret. Les deux femmes semblaient même partager cette espèce de délicatesse instinctive qu'il appréciait tant.

– Vous allez bien, monsieur Marcotte? demanda Céline, un peu inquiète par la fixité de son regard.

– Excusez-moi, fit André en reprenant contact avec la réalité. Vous me rappelez beaucoup quelqu'un. Bon, si vous me disiez pourquoi vous êtes venue me voir? dit-il en s'efforçant de mettre un peu d'animation dans sa voix.

– Oui, vous avez raison, approuva-t-elle en souriant. Il ne faudrait pas oublier ce que je suis venue vous demander.

Immédiatement, André Marcotte fut sur ses gardes. Encore une quêteuse! Pour quel organisme amassait-elle des fonds? Centraide? Le comptoir alimentaire? La recherche contre le cancer? La lutte contre les maladies du cœur? Le choix était grand. Il ne se passait pas un mois sans qu'on vienne frapper à sa porte pour lui soutirer de l'argent.

Il allait se lever pour lui signifier clairement qu'il jugeait avoir assez donné à toutes sortes d'organismes durant l'année quand Céline Lacombe prit la parole.

– Monsieur Marcotte, je suis venue vous voir au nom du conseil de la fabrique pour vous offrir le poste de marguillier de Louis Gagnon. Son mandat finit cette semaine.

L'offre était si inattendue que le cultivateur demeura silencieux durant quelques secondes.

– Oh! vous savez, commença-t-il…

– On n'est pas nombreux, plaida la veuve. Il y a Marc Riopel, Lucien Proulx, Aurèle Lupien et moi. Ça prend pas beaucoup de notre temps, un soir par mois, et la paroisse a besoin de nous autres. Déjà qu'on est en train de vendre le presbytère.

– Oui, je sais ben, concéda André, un peu tenté de participer à des réunions où elle serait présente. Mais vous savez, madame, je suis un catholique «à gros grains», comme on dit. Je pratique pas tous les dimanches.

– C'est pas si grave que ça, dit Céline en esquissant un sourire. Vous ferez comme nous; vous ferez un effort. Ça nous ferait vraiment plaisir que vous fassiez partie du conseil, vous savez.

André Marcotte était à court d'arguments.

– O.K., vous avez gagné. Qui va me dire ce que j'aurai à faire? demanda André.

– Si ça vous dérange pas trop, ce sera moi, affirma Céline Lacombe, soupçonnant que c'était la réponse que son interlocuteur voulait entendre.

André esquissa le mouvement de lui servir une autre tasse de café. Céline Lacombe l'arrêta.

– Non, merci, monsieur Marcotte. Si j'en bois une autre tasse, je vais passer la nuit à faire des mots croisés. Je pourrai pas dormir.

– Votre mari dit rien dans ce temps-là?

– Je suis veuve depuis huit ans.

– Excusez-moi, je pouvais pas savoir.

– Il y a pas de mal, dit la veuve en se levant.

Ses yeux parcoururent la pièce et s'attardèrent un instant sur le salon visible par les petits carreaux des portes françaises.

– La décoration de votre maison est vraiment belle, dit Céline en laissant percer son admiration dans sa voix.

– C'est ma femme qui avait un aussi bon goût. Elle avait pas mal de talent pour ça, reconnut-il, l'air soudainement assombri.

– Bon, il serait temps que j'y aille, déclara avec animation Céline, consciente d'avoir réveillé des souvenirs pénibles avec sa remarque.

André Marcotte s'empara de son manteau en suède et l'aida à l'endosser. Il accompagna la visiteuse jusqu'à la porte, regrettant vaguement qu'elle doive partir si tôt.

L'homme se planta devant l'une des fenêtres de la cuisine qui donnaient sur la cour et il regarda Céline Lacombe descendre l'escalier et monter dans sa voiture. Il attendit un long moment de voir les phares du véhicule s'allumer, mais rien ne se produisit. Il ouvrit la porte de la maison et il entendit le bruit caractéristique d'un démarreur qui, malgré de nombreuses sollicitations, ne parvenait pas à faire tourner le moteur.

Le sexagénaire s'empressa de mettre son manteau et il descendit rapidement l'escalier. Il frappa doucement à la glace de la portière avant de la Pontiac, faisant sursauter la conductrice qui ne l'avait pas vu arriver. Cette dernière abaissa la vitre.

– Votre batterie m'a l'air pas mal finie, déclara André.

– Pourquoi? Ça marchait il y a une heure, déclara Céline, énervée et affichant la plus parfaite incompréhension.

– C'est ça, la mécanique, madame. Est-ce que ça fait longtemps que vous l'avez fait vérifier?

– J'ai jamais touché à cette affaire-là. Je sais même pas ce que c'est une batterie ni où c'est placé.

– Bon! O.K. Je vais aller chercher mon tracteur et des câbles et on va booster votre batterie.

Sans attendre la réponse de la veuve, André s'éloigna de la Pontiac et se dirigea vers la remise où étaient garés ses deux tracteurs. À ce moment-là, la porte de la maison s'ouvrit sur Pascal qui avait aperçu son père à l'extérieur par la fenêtre du salon.

– P'pa, as-tu besoin d'un coup de main ? lui cria-t-il à travers la cour.

– Non, laisse faire. Je vais juste booster son char, répondit André, pas du tout intéressé à partager avec quelqu'un d'autre la gloire de dépanner Céline Lacombe.

La porte de la cuisine se referma.

Cinq minutes plus tard, André Marcotte refermait bruyamment le capot de la Pontiac verte et soufflait sur ses doigts gourds avant d'entreprendre d'enrouler les câbles qu'il avait utilisés pour faire démarrer la voiture de la veuve.

– Laissez chauffer un peu le moteur ; ça va permettre à la batterie de se recharger. Pendant ce temps-là, je vais rentrer le tracteur.

André se remit au volant de son tracteur et alla le garer dans la remise dont il ferma soigneusement les portes avant de revenir vers sa visiteuse.

– Merci beaucoup, monsieur Marcotte. Je sais pas ce que j'aurais fait si j'avais été prise sur la route.

– Il y a pas de quoi, madame. Mais à votre place, je me dépêcherais à faire préparer mon char pour l'hiver… surtout que vous avez pas encore vos pneus à neige. Si vous attendez trop, vous allez avoir une mauvaise surprise un de ces quatre matins.

– Vous avez raison. Je vais m'en occuper dès demain.

Sur ces mots, elle le salua de la main et remonta la glace de la portière avant d'accélérer doucement.

André attendit de ne plus voir les feux arrière de la voiture avant de rentrer lentement chez lui.

– Une ben belle femme, se dit-il à mi-voix en ouvrant la porte de la maison.

En passant devant les portes du salon que Pascal venait d'ouvrir, André jeta un regard furieux à sa bru qui regardait d'un air imperturbable l'écran du téléviseur. Son beau-père ressentait une furieuse envie de lui donner une leçon de savoir-vivre, mais il se retint au dernier moment, peu désireux de déclencher une dispute qui gâcherait le reste de sa soirée.

– Maudite épaisse! jura-t-il entre ses dents en faisant claquer la porte de son bureau. Même pas capable de lever son derrière de son fauteuil pour dire bonsoir au monde! On l'a pas élevée; on l'a garrochée!

***

Un peu plus tard, ce même soir, la tension était palpable dans la maison voisine, chez Richard Bergeron. Jocelyne, occupée à crocheter une veste en laine brune, levait de temps à autre son visage de son ouvrage pour regarder son mari qui fixait obstinément, les mâchoires serrées, le visage de Bernard Derome en train de lire les informations de la journée dans un studio de Radio-Canada.

Comme si elle n'avait pas assez de s'inquiéter de l'état de Jean-Pierre toujours hospitalisé à Notre-Dame! Elle devait en plus endurer l'humeur massacrante de son mari aux prises avec les affres du sevrage de nicotine. Il fumait depuis plus de quarante ans… Pourquoi avait-il fallu qu'il décide d'arrêter de fumer la semaine précédente?

Lui, qui avait toujours claironné que rien ni personne ne l'empêcherait jamais de fumer, avait brusquement changé d'avis. Il avait soudainement disparu le lundi après-midi précédent pour ne rentrer à la maison qu'à l'heure de la traite des vaches. À son retour, il avait déposé sur la table de cuisine une boîte de Nicoderm.

– C'est fini, avait-il dit à sa femme et à Sylvain d'un ton dramatique, en jetant dans la poubelle son paquet de cigarettes Player's encore à demi plein après l'avoir tordu.

– Qu'est-ce qui te prend? lui avait demandé Jocelyne.

– J'arrête, c'est toute! avait-il déclaré avec mauvaise humeur.

Jocelyne n'avait d'abord rien trouvé à dire en entendant le ton résolu de son mari. Elle s'était contentée de le regarder ouvrir sa boîte de timbres à la nicotine. Richard Bergeron en avait pris un, avait enlevé la mince feuille de plastique transparent qui le protégeait et il l'avait collé sur son épaule droite après avoir dénudé cette dernière.

– J'espère que ça te fera pas mal quand tu vas le décoller, s'était inquiétée Jocelyne.

– Pas grave, avait dit son mari. Ça va faire moins mal que de payer les prix de fou qu'ils demandent à cette heure pour un paquet de cigarettes. Les prix ont encore augmenté. Je suis écœuré de me faire voler par le gouvernement chaque fois que j'achète un carton. C'est rendu de l'or en barre, crisse! En plus, on peut même plus fumer quand on veut. Tu vas au restaurant, ils t'installent presque dans les toilettes si t'es un fumeur. Tu vas au centre commercial, à Drummondville, tu peux pas fumer. Partout, ils t'envoient fumer dehors, même si on gèle comme des rats. Quand tu fumes, t'es pire qu'un chien galeux. C'est rendu de la folie furieuse. Je pense que ce serait moins grave de prendre de la vraie drogue. Les seules places qui te restent pour fumer, c'est dehors et chez vous… Tant qu'à me faire écœurer par tout le monde, j'aime autant arrêter tout de suite…

– Ça va être bien meilleur pour ta santé, avait tenté de l'encourager sa femme…

– Fais-moi pas rire, toi, avait explosé Richard, déjà énervé par ses deux premières heures de sevrage. Mon père a fumé toute sa vie et il est mort à soixante-quinze ans, sacrement! Le monde est en train de virer fou, torrieu! Quand j'étais jeune, on te prenait pour une tapette si tu fumais pas. Tout le monde fumait. On s'inquiétait même pas de savoir s'il y avait un filtre ou pas. À cette heure, avec toutes leurs maudites histoires de cancer du poumon et de fumée secondaire qui nuit aux enfants, ils sont parvenus à faire peur à tout le monde… Ben sûr, les gouvernements en profitent pour augmenter leurs taxes deux fois par année sous prétexte qu'il faut empêcher les fumeurs de fumer… Maudits hypocrites! S'ils voulaient vraiment empêcher le monde de fumer, ils auraient juste à défendre qu'on vende des

cigarettes… Mais les taxes sont ben trop payantes…
C'est rendu que si t'as le malheur de t'allumer une
cigarette là où c'est pas permis, ils te donnent une
amende. C'est pas fou à peu près! Bon! Arrive, Sylvain,
avait-il finalement lancé à son fils de trente et un ans.
On va être en retard pour le train.

Le matin qui avait suivi sa décision d'arrêter de
fumer, sa femme l'avait entendu fouiller fébrilement
dans la poubelle de la cuisine. En proie à une envie
irrépressible de fumer, il était à la recherche des restes du
paquet de cigarettes sacrifié un peu légèrement la veille.
Malheureusement pour lui, Jocelyne avait vidé la
poubelle dans le bac à ordures après le souper. Cette
découverte fut suivie par un chapelet de blasphèmes à
faire dresser les cheveux sur la tête.

C'était dix jours auparavant. Depuis, le sexagénaire
était devenu tout simplement insupportable, malgré les
timbres à la nicotine qu'il ne cessait de frotter, comme
pour forcer le produit dont ils étaient enduits à pénétrer
plus rapidement dans sa peau.

Richard Bergeron ne buvait plus ni café ni bière
parce que cela lui donnait envie de fumer. Après chaque
repas, il se précipitait sur son manteau pour aller
marcher à l'extérieur durant quelques minutes pour
oublier son besoin de nicotine. S'il ne l'avait pas tant
énervée, Jocelyne en aurait eu pitié.

Pour sa part, Sylvain était à la veille d'éclater tant la
fébrilité et les sautes d'humeur de son père lui portaient
sur les nerfs.

Depuis son retour de Montréal, le lundi soir précédent, Jocelyne cherchait la meilleure façon de demander à son mari d'accepter que Jean-Pierre vienne passer sa convalescence à la maison.

Il ne faut surtout pas croire que Richard Bergeron n'acceptait pas le fils de Jocelyne. Quand il s'était mis en ménage avec la jeune femme, vingt-sept ans plus tôt, Jean-Pierre n'avait qu'un an. Depuis lors, il n'avait jamais fait de différence entre son propre fils, qui avait quatre ans à l'époque, Sylvain, et l'enfant de celle qu'il avait épousée en 1981. Ils avaient vraiment formé une véritable famille, du moins jusqu'au moment où Jean-Pierre avait décidé de quitter leur toit à dix-huit ans pour s'installer à Trois-Rivières où il avait suivi des cours d'art à temps partiel.

Richard avait perçu ce départ comme une sorte de rejet, rejet d'autant plus évident que l'adolescent ne venait à Saint-Anselme que lorsqu'il avait besoin de ses parents. Aux yeux du vieux cultivateur, l'absence totale d'intérêt de Jean-Pierre pour tout ce qui concernait la terre prouvait qu'il n'était pas de son sang, qu'il était un étranger élevé sous son toit. Il s'était dès lors mis à manifester une sorte d'indifférence glaciale très apparente à son endroit chaque fois qu'il était question du jeune vendeur de vêtements.

Mais l'heure n'était plus aux tergiversations… Dans trois jours, Jean-Pierre allait recevoir son congé de l'hôpital. C'était du moins la nouvelle que Sylvain avait rapportée à Jocelyne après avoir rendu visite à son demi-frère à l'hôpital Notre-Dame, l'après-midi même.

Jocelyne déposa son ouvrage sur la table basse placée à sa droite et elle attendit patiemment la présentation de messages publicitaires.

– Richard, il faut que je te parle, dit-elle alors à son mari.

Richard Bergeron leva la tête et baissa le son du téléviseur à l'aide de la télécommande placée près de lui.

– Qu'est-ce qu'il y a? demanda-t-il d'un ton rogue.

– Il y a que Jean-Pierre reçoit son congé de l'hôpital lundi matin et…

– Il est temps, l'interrompit son mari. Ça fait au moins quinze jours qu'il traîne là.

– Il était là parce qu'il était malade, protesta Jocelyne.

– Bon! Mais là, tu dois être contente, il l'est plus puisqu'ils le laissent sortir.

– Tu devrais le voir, Richard; je l'ai jamais vu aussi maigre ni aussi faible. Il a de la misère à tenir sur ses jambes.

– Mais qu'est-ce que tu veux que j'y fasse? demanda Richard avec un agacement croissant. C'est pas moi qui l'a rendu malade.

– J'aimerais ça qu'on le garde ici une semaine ou deux pour lui permettre de prendre le dessus.

En entendant cette demande, Richard ne dit pas un mot, mais son visage rougit violemment. Il se leva de son fauteuil et se mit à faire les cent pas dans le salon, au comble de l'énervement.

Inquiète au plus haut point de le voir en proie à une telle agitation, Jocelyne se leva à son tour et disparut dans la cuisine durant quelques secondes. Il y eut un claquement de porte d'armoire et elle revint dans le salon.

Richard était debout devant la fenêtre et regardait dehors. Il se retourna quand il l'entendit venir vers lui.

– Tiens, prends ça, lui dit Jocelyne en lui tendant un paquet de cigarettes Player's qu'elle avait acheté quelques jours plus tôt chez Gagnon.

– T'es pas folle? lui demanda-t-il en se gardant bien de toucher au paquet.

– Je trouve que ça va faire, les folies, dit Jocelyne en élevant la voix. T'es en train de tous nous rendre fous dans cette maison. Fume, je te dis! Ça va te calmer! T'arrêteras plus tard. Demain si tu veux. Inquiète-toi pas, tu seras pas le premier à avoir recommencé à fumer après avoir essayé d'arrêter.

Elle se mit à enlever le cellophane qui scellait le paquet. Ce fut trop pour Richard qui ne demandait qu'à succomber. Il lui arracha le paquet bleu de Player's des mains et il l'ouvrit fébrilement. Il en sortit une cigarette et chercha des yeux son briquet. Soudainement, il se souvint de l'avoir déposé dans le tiroir du secrétaire placé dans un coin de la pièce.

– Prépare-moi un café, dit-il à sa femme en se précipitant vers le meuble.

Il alluma sa cigarette et il prit une longue bouffée qu'il inhala profondément. Il ferma les yeux tant le plaisir ressenti était grand. Quelle jouissance de fumer cette cigarette malgré le léger étourdissement qu'elle provoquait ! Avant même que Jocelyne soit revenue dans la pièce avec sa tasse de café, il avait fini de fumer sa première cigarette. Il s'empressa d'en allumer une seconde avant d'arracher, avec une grimace de douleur, le timbre à la nicotine qu'il portait sur l'épaule. Il le froissa et le déposa dans le cendrier près du mégot de sa première cigarette.

Sa femme revint et lui tendit sa tasse de café.

– J'espère que le café t'empêchera pas de dormir.

– Énerve-toi pas avec ça, la rassura-t-il, ça va me faire autant de bien que fumer. Maudit que c'est bon du café, fit-il en dégustant une première gorgée avant de se rasseoir dans son fauteuil.

Il prit la télécommande et éteignit le téléviseur quand il constata que les informations étaient terminées.

– Bon ! Est-ce que tu vas finir par me répondre ? demanda Jocelyne.

– Répondre à quoi ?

– Pour Jean-Pierre ! On n'est pas pour le laisser retourner tout seul dans son petit logement du boulevard des Forges.

– Il vit pas tout seul, avança Richard avec une mauvaise foi assez évidente. Il vit avec un colocataire, non?

– Voyons donc! Tu sais ben que Guy Rondeau s'occupera pas de lui. C'est pas sa job. Il paye la moitié du loyer, c'est toute.

Richard eut un soupir exaspéré.

– O.K., sacrement! installe-le dans une des chambres du haut et soigne-le, si c'est ça que tu veux. Mais je t'avertis, moi, j'irai pas le chercher à Montréal.

– T'auras pas besoin de te déranger. Sylvain m'a dit qu'il irait le chercher lundi avant-midi.

Richard se leva, prit sa tasse vide et alla la déposer dans le lave-vaisselle pendant que Jocelyne se dirigeait vers leur chambre à coucher.

– Je te rejoins dans cinq minutes, lui dit-il au moment où elle refermait la porte de la chambre.

Le sexagénaire s'empressa d'allumer une troisième cigarette qu'il se mit à fumer en regardant par la fenêtre de la porte arrière pour vérifier si tout était en ordre. À la troisième bouffée, il écrasa rageusement sa cigarette dans un cendrier.

– Maudit sans-dessein! dit-il à haute voix, même pas assez de volonté pour t'arrêter de fumer.

Chapitre 10

La disparition de Bruno

Lorsque Aurore Lequerré se leva en ce premier jour de décembre, elle s'aperçut que la nature avait profité de la nuit pour ajouter une autre couche de neige à toute la neige déjà tombée depuis la mi-novembre. Encore un hiver à supporter. Elle ressentit une certaine lassitude en songeant que c'était son soixante-neuvième hiver.

La vieille femme aida sa fille à préparer le déjeuner pendant que Bruno, son gendre et ses deux petits-fils étaient occupés à faire le train.

– Je pense que cette neige-là va rester, dit Clément Leroux, après le déjeuner, avant de quitter la maison pour aller effectuer des réparations dans une maison de Drummondville.

– Sois prudent avec ton camion; la route a l'air glissante, lui conseilla Carole au moment où son mari ouvrait la porte de la maison pour sortir.

Quelques minutes plus tard, Carole se rendit au pied de l'escalier qui permettait d'accéder à l'étage et elle cria à Marco et Mathieu:

– Grouillez-vous, les garçons. Vous allez manquer votre autobus.

Il y eut une cavalcade et les deux adolescents arrivèrent en se bousculant au pied de l'escalier.

– Whow! dit Carole à l'adresse de ses fils. Elle attrapa son Mathieu par un bras pendant que Marco allait ramasser certains de ses articles scolaires éparpillés dans le salon.

– Qu'est-ce qu'il y a? demanda Mathieu en replaçant une mèche rousse qui masquait son œil gauche.

– Où est-ce que tu penses aller, habillé comme ça? lui demanda sa mère, la mine sévère, en lui montrant le jean déchiré aux genoux qu'il portait.

– Ben, à la polyvalente, «c't'affaire»!

– Mais c'est les jeans que je t'ai achetés à la fin d'octobre, ça!

– Ben oui.

– Tu parles d'un niaiseux! fit Carole en montrant son cadet à ses parents. Des jeans neufs. Il a coupé les genoux. Ah ben! J'aurai tout vu!

– C'est la mode, m'man. Tous les gars s'habillent comme ça.

– Je me fiche pas mal de la mode, affirma la quadra-génaire d'un ton autoritaire. T'iras pas à l'école habillé comme ça. Monte te changer. Ces jeans-là serviront à faire le train et tu paieras avec ton propre argent la prochaine paire, tu m'entends?

Aurore et Bruno se regardèrent. Aucun n'osa émettre le moindre commentaire quand Mathieu remonta l'escalier en se plaignant de vivre dans un monde où on ne lui laissait aucune liberté.

— Je vais t'en faire de la liberté, moi, le menaça sa mère. Si ça fait pas ton affaire, on peut en discuter ce soir avec ton père quand il reviendra de l'ouvrage.

Marco rentra dans la cuisine en se traînant les pieds.

— Je te dis que t'as l'air vaillant, toi! s'exclama-t-elle en regardant son aîné.

— L'école, c'est plate. Les profs passent leur temps à nous niaiser. J'ai hâte à l'année prochaine. Quand je suivrai mes cours d'informatique, là, ça va être intéressant.

— T'es pas encore rendu là, décréta sa mère. Avant de suivre ces cours-là, il faut d'abord que tu réussisses ton année.

— Je le sais, m'man, conclut Marco, excédé.

Le garçon de dix-sept ans s'étira le cou pour mieux voir par la fenêtre.

— Grouille, Mat, cria-t-il à l'adresse de son frère encore à l'étage. L'autobus arrive.

Marco embrassa rapidement sa grand-mère et sa mère avant de se précipiter à l'extérieur. Quelques secondes après, il fut imité par Mathieu.

– Une chance qu'il est pas rancunier, celui-là, fit Carole à l'adresse de ses parents. On passe notre temps à le chicaner et il nous en veut jamais.

– C'est le rôle des parents d'élever leurs enfants, laissa tomber sentencieusement Aurore qui s'était mise à laver la vaisselle du déjeuner.

– Attendez, m'man, je vais vous donner un coup de main, fit Carole en s'emparant d'un linge à vaisselle.

En passant devant son père, elle se rendit compte que le vieil homme s'était endormi dans sa chaise berçante placée près de la fenêtre.

– P'pa dort dans sa chaise. Pourquoi il s'entête à vouloir aller aider à faire le train le matin? Il pourrait dormir une heure ou deux de plus. Clément et les deux garçons sont bien assez pour faire l'ouvrage.

– Tu connais ton père, fit Aurore à voix basse. Il est pas question qu'il reste à rien faire quand les autres travaillent. Mais depuis quelques jours, je le trouve un peu bizarre. On dirait qu'il couve quelque chose.

– S'il est malade, pourquoi vous allez pas voir un docteur avec lui?

– Il voudra jamais.

— Qu'est-ce qu'il a? demanda Carole, soudain inquiète.

— Rien en particulier, lui répondit sa mère. C'est une impression que j'ai. C'est bête, hein?

Aurore déposa son chiffon sur le comptoir et elle alla secouer doucement son mari qui s'éveilla en sursaut, l'air un peu perdu.

— Bruno, pourquoi tu vas pas t'étendre une heure ou deux sur le lit? Il me semble que ça te ferait du bien et tu serais ben plus confortable que sur ta chaise. De toute façon, t'as rien de spécial à faire cet avant-midi.

Le vieil homme se leva péniblement et se dirigea sans dire un mot vers l'escalier.

— Quand je vous vois monter l'escalier, dit Carole, je me dis que vous devriez accepter notre offre de prendre la chambre d'en bas. Il me semble que vous seriez ben mieux installés et vous auriez pas l'escalier à grimper chaque fois que vous voulez aller dans votre chambre.

— T'en fais pas avec ça, lui dit sa mère. On est encore capables de monter un escalier, même si on arrive à l'année 2000 et qu'on n'est plus des jeunesses.

— Ah! Parlant de l'année 2000, fit Carole, mon oncle Alain a appelé hier soir, mais vous étiez déjà couchée et j'ai pas voulu vous réveiller.

— Qu'est-ce que ton oncle voulait?

— Il voulait juste nous rappeler qu'il s'occupe toujours d'organiser la soirée du 31 décembre. D'après ce que j'ai compris, il a loué la salle communautaire de Saint-Cyrille et il a déjà réservé un buffet et les services d'un couple qui va se charger de la musique. Il avait l'air tout excité. Il a laissé entendre qu'il avait préparé des surprises parce que c'était le commencement d'un autre millénaire.

– Est-ce qu'il était au Carrefour des jeunes ou à Nicolet?

– Je pense qu'il était à Nicolet parce que j'entendais la voix de ma tante Lise derrière.

– Pauvre Alain! le plaignit sa sœur. Avoir tant travaillé toute sa vie à vendre des silos et il est même pas capable de venir s'installer quand il veut dans sa belle maison du Carrefour des jeunes. Ta tante aime pas la campagne. Tu parles! Le monde de la campagne est pas assez ben pour elle. Elle a toujours été fraîche et sa fille est pire qu'elle.

– Pourtant, d'après mon oncle, Josée profite de la maison du Carrefour plus souvent que lui, affirma Carole. Il paraît que ça lui arrive d'aller se reposer là avec des amis, toute la fin de semaine. En tout cas, je vais appeler Julien et Karine à Trois-Rivières, après le souper. Ils vont être contents d'apprendre qu'on va avoir encore cette année une grande fête de famille.

Après avoir rangé la maison, Carole proposa à sa mère d'aller faire quelques achats de Noël à Drummondville.

– Il y a du spaghetti que p'pa peut faire réchauffer pour son dîner et nous, on mangera un petit quelque chose en magasinant. On reviendra vers quatre heures, en même temps que les garçons et avant Clément.

– Et la neige ? fit remarquer sa mère.

– La Dodge a des pneus à crampons, si ça peut vous rassurer, m'man. Vous allez voir que sur la 20, il y aura déjà plus de neige. Dans la côte du village, Lupien va s'être organisé pour étendre du sable.

Les deux femmes passèrent la fin de l'avant-midi et la plus grande partie de l'après-midi à parcourir les magasins. Elles furent tout étonnées de découvrir qu'il s'était remis à neiger pendant qu'elles faisaient des emplettes.

***

Un peu après quatre heures, Carole reprit la route avec sa mère pour revenir à Saint-Anselme.

Une demi-heure plus tard, les deux femmes descendirent de la vieille Dodge brune à la porte de la maison. Elles s'emparèrent des paquets déposés sur le siège arrière et rentrèrent dans la maison. Il faisait déjà noir.

En refermant la porte, elles entendirent des pas à l'étage supérieur et Mathieu demanda à voix forte :

– Est-ce que c'est toi, m'man ?

– Oui, répondit sa mère, et reste où tu es, tu m'entends ? Attends que je te dise que tu peux descendre.

– O.K., O.K., j'ai compris, fit l'adolescent qui avait deviné la raison de l'interdiction.

La mère et la fille entendirent claquer la porte de la chambre et elles s'empressèrent d'aller cacher leurs achats. Pendant que Carole s'engouffrait, les bras pleins, dans sa chambre à coucher, sa mère allait dissimuler ses cadeaux des fêtes dans un placard de l'ancienne cuisine d'été, derrière un amoncellement de vieilles couvertures.

Lorsque Aurore revint dans la cuisine, sa fille la rejoignit et elle cria à ses fils qu'ils pouvaient descendre.

Des portes de chambre claquèrent. Les deux adolescents descendirent l'escalier sans se presser.

– Il est proche cinq heures, leur dit leur mère. Il serait temps que vous alliez rejoindre votre grand-père à l'étable avant qu'il ait fait tout le train tout seul. Votre père devrait pas tarder à arriver.

Mathieu et Marco s'habillèrent et sortirent sans protester.

– Allez donc vous étendre un peu sur votre lit pendant que je prépare le souper, offrit Carole à sa mère.

– Je suis pas fatiguée, mentit Aurore, sans grande conviction.

– Allez-y pareil, m'man. Un petit somme va vous faire du bien. Je vais vous réveiller quand les hommes reviendront du train.

– Si t'es certaine de pas avoir besoin de moi, dit Aurore Lequerré en déposant sur la table le couteau à peler les pommes de terre qu'elle venait de prendre dans un tiroir.

La mère adressa à sa fille un sourire de reconnaissance et elle monta à sa chambre.

Carole prit la chaise libérée par sa mère et elle se mit à peler des pommes de terre, assise à la table de cuisine. Elle venait à peine de terminer quand elle entendit la camionnette de son mari pénétrer dans la cour et s'arrêter devant le garage, sous la sentinelle allumée, là où Clément Leroux la stationnait tous les soirs.

Elle se leva et frappa à la fenêtre pour lui signifier qu'elle l'avait vu arriver. Il se retourna pour lui envoyer la main avant de se diriger vers l'étable dont toutes les fenêtres étaient éclairées.

Vers six heures, Clément Leroux et ses deux fils rentrèrent à la maison. Les trois hommes laissèrent leurs bottes au sous-sol avant d'entrer dans la cuisine. Carole vint embrasser son mari.

– P'pa est pas avec vous autres? demanda-t-elle à Clément.

L'homme de quarante et un ans avaient les traits tirés par la fatigue d'une longue journée de travail. Il passa sa main à l'arrière de sa tête, là où ses cheveux roux étaient plus clairsemés.

– Je pensais que ton père était resté ben au chaud dans la maison, même si c'est pas ben, ben son genre, répondit Clément.

156

– Il est peut-être chez mon oncle Cyrille et il a dû oublier l'heure.

– Ce serait surprenant en maudit, dit son mari. Je me souviens pas d'une seule fois où il a pas fait le train avec nous autres. En plus, ton oncle Cyrille va toujours à l'étable avec Marc pour soigner les animaux…

– Je vais appeler Nicole. Si elle a décidé de garder mon père à souper, j'aime autant le savoir tout de suite.

Carole prit le téléphone et appela la femme de son cousin Marc.

– Est-ce que mon père serait chez vous? lui demanda Carole.

– Non.

– Il est pas allé chez vous aujourd'hui?

– Non. En tout cas, moi, je l'ai pas vu. Attends, je vais demander à Marc et à monsieur Riopel.

Il y eut un chuchotement, puis Nicole revint en ligne.

– Non, Carole, il est pas venu de la journée. Qu'est-ce qui se passe?

– Ben, on cherche mon père. Ma mère et moi, on a passé l'après-midi à Drummondville et en revenant, on l'a pas trouvé à la maison. On a cru qu'il était à l'étable à faire le train, mais il était pas là non plus.

— Il est sûrement chez un autre voisin.

— C'est sûr. Je vais les appeler, dit Carole, tourmentée par une sourde appréhension.

Ce n'était vraiment pas dans les habitudes du vieux Bruno Lequerré d'aller se promener chez les voisins à l'heure du train. Où pouvait-il bien être ?

— Est-ce que je réveille grand-mère ? lui demanda Mathieu.

— Non, attends, lui ordonna sa mère. Une chose à la fois. On va d'abord trouver grand-père.

Elle décrocha le téléphone à nouveau et appela successivement Pierre Bergeron, Richard Bergeron et André Marcotte. Comme aucun n'avait aperçu son père, elle appela même son oncle Alain qui aurait pu venir chercher son beau-frère pour avoir un peu de compagnie dans sa maison du Carrefour des jeunes. Son oncle n'avait pas bougé de Nicolet.

L'affolement avait gagné progressivement Carole qui ne savait plus vers qui se tourner.

— J'appelle la police, dit-elle.

— Du calme, lui intima Clément. La police est à Drummondville et avant qu'elle puisse faire quelque chose, ça va prendre un bon bout de temps. On va d'abord fouiller les bâtiments au cas où il lui serait arrivé quelque chose pendant l'après-midi. Pendant ce temps-là, parle à ta mère et essaie de pas trop l'énerver, tu m'entends ?

Carole secoua la tête.

– Où est-ce qu'il peut ben être? se demanda-t-elle à haute voix. Regarde, Clément, il a même pas pris son gros manteau d'hiver, dit-elle un ton plus haut en montrant à son mari le manteau bleu marine suspendu à la patère, dans l'entrée.

– Arrête de t'énerver pour rien, répéta Clément avec agacement. On s'en occupe. Arrivez les garçons, dit-il en s'adressant à ses deux fils, on va fouiller partout.

Son mari remit son manteau et alla mettre ses bottes, suivi de près par Marco et Mathieu. Carole se précipita à la fenêtre. Mis à part la cour éclairée par la sentinelle, tout était noir autour. La neige continuait à tomber lentement, faisant disparaître peu à peu les traces laissées par les pas.

– Avec une température pareille, ils le retrouveront jamais s'il est tombé dehors, quelque part, dit-elle en réprimant difficilement un frisson. Il fait froid et il neige. Pauvre p'pa! Qu'est-ce qui lui a pris de sortir par un temps pareil? Où est-ce qu'il est allé?

Clément et ses fils fouillèrent systématiquement l'étable, la grange, la remise et le garage, et ils explorèrent les abords de chaque bâtiment sans relever le moindre signe du passage de Bruno Lequerré. Pendant ce temps, Carole avait réveillé sa mère et l'avait mise au courant de la situation. La mère fit montre d'un bien plus grand calme que la fille.

— On va le trouver, se contenta-t-elle de dire à Carole. Viens, on va regarder partout dans la maison. Il peut pas être allé ben loin…

Vers sept heures, Clément revint à la maison avec Mathieu et Marco. Aucune trace du grand-père. Les trois hommes étaient gelés.

— On va demander l'aide des voisins, décréta l'électricien en se laissant tomber sur une chaise, mais avant, appelle la police provinciale.

Carole s'empara du téléphone, consulta son annuaire et appela le poste de la Sûreté du Québec de Drummondville. Elle expliqua à son interlocuteur la disparition de son père. Le policier lui promit de lui envoyer sans tarder des patrouilleurs.

— Veux-tu que j'appelle moi-même les voisins? proposa Clément.

— Non, laisse faire. Mange un morceau avec les garçons pendant que je les appelle.

Carole rappela tous ses voisins, qui lui promirent de venir aider aux recherches.

Quelques minutes plus tard, chacun arriva à la ferme Leroux-Lequerré à bord de sa voiture ou de sa camionnette. Une douzaine de personnes s'entassèrent tant bien que mal dans la cuisine pour décider de la marche à suivre dans les recherches.

Brigitte Riopel et sa bru, Nicole, s'employaient à rassurer Aurore et Carole.

— Ma peur, disait Aurore à sa belle-sœur, c'est qu'il soit tombé quelque part et qu'il soit pas capable de se relever. À soixante-quatorze ans, Bruno est plus une jeunesse.

— Voyons, ma tante, lui dit Nicole, il faut pas imaginer le pire. Il peut aussi être chez quelqu'un, ben au chaud. Il peut avoir oublié de vous avertir.

— S'il a fait ça, répliqua la vieille dame, je pense que je vais l'étrangler de mes propres mains pour lui apprendre à nous faire des peurs pareilles.

Les autres personnes se tenaient debout au centre de la pièce, en attente de la décision qui serait prise pour orienter leurs recherches.

— Comme personne l'a vu dans le rang Sainte-Anne, je vais suivre lentement, avec Jocelyne, le rang Saint-Édouard jusqu'au village, au cas où il se serait rendu jusque-là, proposa Richard Bergeron.

— Je vais prendre mon truck, décréta son fils Sylvain, et je vais faire le tour du village et essayer d'avoir plus de monde pour entreprendre une battue.

André Marcotte chuchota quelques mots à son fils Pascal et à Germain Ménard, l'un de ses deux employés, avant de s'adresser à Clément Leroux.

— Avec la neige qui tombe et la noirceur, je sais que ce sera pas facile de trouver des pistes, mais je pense que le mieux est peut-être de ben regarder les fossés de chaque côté de la route, tout le long du rang. Je vois pas ce que

161

ton beau-père serait allé faire dans un champ à cette période de l'année. Il pourrait ben avoir glissé en marchant sur le chemin et être tombé dans le fossé.

Tous l'approuvèrent bruyamment.

– Quelqu'un a-t-il une meilleure idée? demanda Cyrille en regardant le groupe de volontaires.

Il n'y eut aucune autre suggestion.

– Bon, si c'est comme ça, on va y aller, dit Richard Bergeron en enfonçant sa tuque sur sa tête.

– Si André commence par le bout du rang devant chez Paquette avec quelques-uns, dit Clément Leroux, les autres peuvent venir avec moi et on va partir de l'autre bout du rang. On se rejoindra au milieu.

En un rien de temps, tout le monde se retrouva à l'extérieur, sauf Carole et Aurore que l'on chargea de prendre les appels téléphoniques et de recevoir les policiers à leur arrivée.

Les voitures et les camionnettes quittèrent une à une la cour de la ferme et tournèrent soit à gauche soit à droite.

Cinq minutes plus tard, ces véhicules étaient abandonnés le long de la route aux deux extrémités du rang Sainte-Anne. Leurs occupants, chaudement habillés, en descendirent et commencèrent leur battue en scrutant attentivement les fossés de chaque côté du chemin.

– Avec cette neige-là qui arrête pas de tomber, maugréa André, c'est comme chercher une aiguille dans une botte de foin.

Quelques minutes plus tard, une voiture de police s'arrêta près du groupe de Clément Leroux. Le conducteur s'informa de la marche des recherches et promit de revenir aider après être allé rencontrer les parents de la personne disparue.

L'auto-patrouille venait à peine de tourner chez les Lequerré qu'une demi-douzaine de voitures remplies d'habitants du village arrivaient. L'électricien suggéra à la moitié de ces volontaires d'aller rejoindre le groupe à l'autre extrémité du rang et il garda avec lui cinq ou six personnes pour aider son groupe à progresser plus rapidement.

André Marcotte découvrit avec stupéfaction que l'une des trois voitures qui venaient de s'arrêter à sa hauteur n'était autre que la vieille Pontiac verte de Céline Lacombe.

– Qu'est-ce que vous faites là, madame Lacombe? demanda-t-il à la veuve qui venait d'abaisser la glace de sa voiture.

– Il paraît que vous avez besoin d'aide pour chercher quelqu'un. Je suis venue.

– On n'aura pas trop d'aide, fit André. Vous pouvez vous stationner ici, sur le bord du chemin, si vous le voulez.

André attendit que la femme sorte de son véhicule et le rejoigne pendant que les autres continuaient d'avancer lentement.

– À ce que je vois, votre Pontiac roule pas mal mieux, lui dit-il.

– J'ai suivi votre conseil. Le petit Rousseau l'a préparée pour l'hiver. Où est-ce que vous en êtes dans vos recherches? demanda-t-elle en se mettant en marche à ses côtés après avoir relevé le col de son manteau.

– On a déjà vérifié tout le bout du rang, de la maison des Paquette jusqu'ici. On est presque rendus à ma ferme.

– À l'autre bout, ils étaient à mi-chemin entre le début du rang et la première ferme, ajouta Céline Lacombe. J'ai parlé à Sylvain Bergeron en sortant de chez Gagnon. Il paraît que son père et sa mère inspectent le rang Saint-Édouard. Lui, il m'a dit qu'il avait fait le tour des rues du village et qu'il avait rien vu. Après m'avoir parlé, il s'en allait voir du monde pour avoir de l'aide. De ce côté-là, ça va bien. Je suis arrivée en même temps qu'une douzaine de personnes du village... On va sûrement le trouver rapidement.

Pourtant, une demi-heure plus tard, tout le monde était de retour chez les Lequerré. La battue n'avait rien donné. Personne n'avait relevé la moindre trace du passage de Bruno Lequerré, dans le rang comme au village.

– Il ne s'est tout de même pas évaporé! s'exclama André Marcotte en se frottant les oreilles rougies par le froid.

La porte d'entrée ne cessait de s'ouvrir devant ceux qui avaient décidé d'aller récupérer leur voiture ou leur camionnette laissée à une extrémité ou l'autre du rang.

Le visage creusé par l'angoisse, Aurore et Carole servaient du café bouillant à chaque nouvel arrivant. La cuisine ne pouvait contenir la vingtaine de personnes présentes. Certains bénévoles avaient trouvé place dans le salon.

La conversation générale fut soudainement interrompue par le policier présent qui venait d'ouvrir la porte à deux de ses confrères envoyés en renfort. L'un d'eux, un sergent, éleva la voix pour se faire entendre de tous.

– Il va falloir élargir le champ de nos recherches. Si c'était en plein jour, ce serait plus facile parce qu'on pourrait employer l'hélicoptère, mais là, en pleine noirceur, il va falloir faire autrement. En tout cas, si c'est nécessaire, on va le faire venir demain matin. Mais il faut pas se décourager; dans moins d'une heure, on aura au moins deux chiens pisteurs avec leur maître et ça va nous donner un sérieux coup de main.

Dans le silence qui suivit cette annonce, chacun entendit la voix misérable d'Aurore.

– Il a juste sa grosse veste de laine sur le dos… Il va ben mourir de froid avant qu'on le trouve.

– Une veste de laine? demanda Germain Ménard, le jeune employé d'André Marcotte. Est-ce que c'est une veste de laine grise?

Toutes les personnes présentes tournèrent la tête vers le jeune homme en même temps.

– Oui, en laine grise, répondit Carole pour sa mère. Pourquoi tu demandes ça?

– Ben, cet après-midi, je revenais de Sainte-Monique avec un chargement de bois quand j'ai vu quelqu'un avec une grosse veste de laine grise sur le dos qui avait l'air de s'en aller à pied vers l'île Ouellet.

Un silence religieux tomba soudainement sur la cuisine et le salon des Lequerré.

– Sur le coup, poursuivit le jeune homme, un peu mal à l'aise d'être devenu le centre de l'attention générale, ça m'a paru drôle que quelqu'un s'en aille à pied par là, surtout qu'il commençait à neiger…

– Maudit innocent! le coupa André Marcotte, furieux, t'aurais pas pu en parler avant?

– Mais, monsieur Marcotte, je le connais pas, moi, monsieur Lequerré…

– Je vous gage qu'il est quelque part dans le club gay, dit Clément Leroux en s'emparant de sa casquette. On va aller voir.

– Mais qu'est-ce qu'il serait allé faire là? demanda Aurore. Il sait ben que c'est fermé l'hiver. Il y a pas un chat dans l'île.

– Il a peut-être voulu juste aller voir, expliqua Carole à sa mère.

– Mais pourquoi il est pas revenu avant la noirceur ?

– On le sait pas, madame Lequerré, lui répondit son gendre, mais on va vous le trouver votre mari et on va tout savoir à ce moment-là.

Les policiers n'émirent aucune objection à ce que la plupart des véhicules suivent le leur jusqu'à la chaussée élevée qui permettait de traverser l'étroit cours d'eau qui séparait l'île Ouellet de la terre ferme.

Quand les gens descendirent de leurs voitures à l'entrée de l'île Ouellet, ils se rendirent soudainement compte que la température avait changé depuis le début de la soirée. Un petit vent du nord s'était mis à souffler, transformant les flocons de neige en petits dards. Le froid était plus intense. De plus, comme une faible neige n'avait cessé de tomber depuis le milieu de l'après-midi, il n'y avait aucune trace visible de présence dans l'île.

Pierre Bergeron rejoignit les trois policiers devant la barrière qui interdisait l'entrée de l'île aux véhicules durant l'hiver.

– C'est moi qui surveille la place durant l'hiver, leur dit-il en soufflant sur ses doigts. Je viens jeter un coup d'œil aux chalets du club deux ou trois fois par semaine. Tout ce que je peux dire, c'est qu'il y a une vingtaine de petits chalets et la moitié ont un poêle ou une fournaise. Je sais pas si vous y êtes déjà allés, mais il y a juste une petite route qui fait le tour de l'île.

— On devrait faire comme on a fait dans le rang tout à l'heure, suggéra son cousin Richard. On n'a qu'à se séparer en deux groupes et à faire le tour. On pourrait se rejoindre au milieu.

— Bonne idée, dit le sergent. L'agent Laurendeau va accompagner un groupe et l'agent Dubois et moi, nous serons avec l'autre.

Les deux groupes d'une dizaine de personnes s'éloignèrent lentement l'un de l'autre dans des directions opposées, foulant la neige vierge qui couvrait la route étroite.

Moins de dix minutes plus tard, les cris de Richard Bergeron alertèrent les membres de l'autre groupe qui s'empressèrent de rebrousser chemin pour venir le rejoindre.

Le sexagénaire pointa du doigt un filet de fumée qui s'échappait de la cheminée d'un petit chalet en bois construit près d'un bouquet de bouleaux, à l'écart de la route.

— Ma main à couper qu'il est là, affirma le cultivateur. Ça peut être juste lui.

— Qu'est-ce qu'on fait? demanda Jocelyne à la cantonade. Il a ben dû nous entendre. Pourquoi il sort pas?

— C'est peut-être pas lui qui est dans le chalet, supposa l'un des policiers.

– Non, je pense que Richard a raison, dit Pierre Bergeron. Ça peut pas être des voleurs, il y a rien à voler dans ces chalets-là. Les propriétaires rapportent toutes leurs affaires chez eux, chaque automne.

– Bon, ça sert à rien d'attendre, décida Clément Leroux sans consulter les policiers. Moi, je vais aller voir.

Sur ces mots, l'électricien quitta la route, suivi de près par ses deux fils et par Marc Riopel, le cousin de sa femme. Tous les quatre firent le tour du chalet pour essayer de voir par l'une des fenêtres qui se tenait à l'intérieur. Ils ne virent rien. Des toiles avaient été soigneusement tendues devant chacune des trois étroites fenêtres du chalet.

Clément revint devant la porte en bois du chalet et il frappa. Pendant toutes ces manœuvres, les spectateurs s'étaient rapprochés.

– Monsieur Lequerré! Monsieur Lequerré! cria son gendre, c'est moi, Clément. Je suis avec Mathieu et Marco. Voulez-vous nous ouvrir la porte? On gèle dehors.

Il n'y eut d'abord aucun signe de vie à l'intérieur de la maisonnette.

– Monsieur Lequerré, vous m'entendez?

Il y eut alors un glissement de pieds à l'intérieur et le coin d'une toile fut soulevé. Mais la porte ne s'ouvrit pas.

– Bon, on va le sortir de là, dit le sergent de la SQ en faisant signe aux deux policiers derrière lui. On n'est pas pour passer la nuit à geler dehors. Si c'est votre beau-père qui est dedans, il a pas l'air d'être dans son état normal.

Le plus costaud des policiers prit un court élan et il donna un vigoureux coup d'épaule contre la porte. Le choc ébranla le chalet et la porte s'ouvrit avec fracas.

Les chercheurs découvrirent alors un spectacle qui les laissa sans voix.

Vaguement éclairé par une lampe à huile posée au milieu d'une table, le vieux Bruno Lequerré se berçait dans une chaise berçante à côté d'un poêle à bois dans lequel il venait probablement de jeter une bûche si on se fiait aux crépitements qui en sortaient.

Clément Leroux entra dans la pièce derrière le policier.

– Vous allez ben, le beau-père ? demanda-t-il, intrigué par l'absence de réaction du vieil homme.

Le regard que le vieux cultivateur lui jeta exprimait la plus totale incompréhension.

– Le beau-père ? répéta le vieil homme, comme s'il cherchait la signification du mot qu'il venait d'entendre.

– Rentrez-vous avec nous autres à la maison, monsieur Lequerré ? reprit son gendre.

Il y eut un long silence avant que Bruno Lequerré se décide à répondre.

– Non, je suis ici chez moi, laissa tomber le Français. Qui c'est tout ce monde-là? demanda-t-il à Clément en lui montrant les curieux entassés près de la porte d'entrée. Qu'est-ce qu'ils veulent?

– Ce sont vos voisins, monsieur Lequerré, répondit Clément, totalement désarçonné par la situation. Ils s'inquiétaient pour vous.

Son gendre jeta un regard affolé autour de lui, à la recherche d'une aide quelconque. Céline Lacombe écarta alors le policier qui l'empêchait de passer et elle entra à son tour dans le chalet.

– Bonjour monsieur, dit-elle à Bruno en arborant son plus beau sourire. Je pense qu'il y a pas grand-chose à manger dans votre chalet. Est-ce que ça vous tenterait de venir manger quelque chose de chaud avec moi?

Bruno Lequerré sembla réfléchir un instant à la pro-position de la femme. Finalement, un mince sourire apparut sur son visage.

– Comment refuser à une jolie femme? fit-il.

Il quitta sa chaise comme à regret et, sans dire un mot, il boutonna sa grosse veste de laine grise. Il eut alors un regard pour son poêle.

– Il faudrait bien que je l'éteigne avant de partir, dit-il à la veuve avec son accent chantant de Provençal. Il ne manquerait plus que je mette le feu dans ma maison.

171

Clément s'avança.

– Vous occupez pas de ça, monsieur Lequerré. Je vais l'éteindre, moi.

Quand Bruno Lequerré sortit du chalet, le silence se fit dans la petite foule qui l'attendait. Le vieil homme semblait avoir déjà oublié la présence de tous ces gens. Il se contenta d'offrir son bras à Céline Lacombe et tous les deux prirent le chemin qui conduisait à la sortie de l'île Ouellet, suivis à courte distance par les autres.

Pendant que leur père éteignait le poêle à bois en répandant sur les flammes quelques pelletées de neige, Mathieu et Marco sortirent finalement du mutisme qui les avait frappés depuis qu'ils avaient découvert leur grand-père assis seul dans la pièce.

– Qu'est-ce qu'il a, grand-père, p'pa? demanda Marco.

– Je le sais pas, répondit Clément. On dirait qu'il a perdu le cap.

– Est-ce que c'est grave? demanda Mathieu.

– Comment veux-tu que je le sache? répondit avec impatience son père, en soufflant la lampe à huile demeurée allumée sur la table. Je suis pas docteur, moi.

Tous les trois sortirent du chalet et Clément tira la porte derrière lui. Ils rejoignirent le groupe un peu plus loin sur la route.

– Voulez-vous qu'on l'amène à Sainte-Croix? proposa l'un des policiers qui avait ralenti le pas pour pouvoir parler au gendre de Bruno Lequerré.

– Il a l'air plus perdu que malade, ajouta le sergent qui venait de les rejoindre.

– C'est aussi ce que je pense, fit Clément Leroux en étirant le cou pour apercevoir son beau-père qui marchait à l'avant du groupe en compagnie de la veuve Lacombe. On est peut-être mieux de le garder à la maison jusqu'à demain matin. Si ça empire, on pourra toujours l'amener à l'hôpital.

– Comme vous voudrez, répondit l'officier. Si ça vous fait rien, on va s'asseoir deux minutes dans l'auto-patrouille et je vais remplir mon rapport. Comme ça, j'aurai pas besoin d'aller vous déranger à la maison.

– Pas de problème, fit Clément. Marco, tu feras chauffer le moteur du truck et attendez-moi, j'en ai pas pour longtemps, ajouta-t-il à l'adresse de ses fils qui marchaient à ses côtés.

À la sortie de l'île, Céline Lacombe fit signe à André Marcotte de s'approcher.

– Est-ce que votre garçon pourrait ramener votre auto chez les Lequerré? lui demanda-t-elle à voix basse. Vous pourriez monter avec moi et monsieur Lequerré dans ma Pontiac. Ça me rassurerait.

André Marcotte se contenta de hocher la tête. Il s'éloigna un instant pour dire deux mots à Pascal qui venait vers lui en discutant avec Cyrille et Marc Riopel.

Arrivé près de la Pontiac rangée avec les autres véhicules le long de la route, André Marcotte se contenta d'avancer la main en direction de Céline pour qu'elle y laisse tomber les clés de sa voiture. Pendant que le sexagénaire s'assoyait au volant, elle prit place à l'arrière, aux côtés de Bruno Lequerré qui n'avait pas desserré les lèvres une seule fois depuis sa sortie du chalet.

Lorsque la vieille Pontiac démarra, les chercheurs demeurèrent debout au centre de la route, échangeant leurs impressions sur les événements qu'ils venaient de vivre. Clément Leroux s'attarda durant quelques minutes encore sur les lieux afin de remercier tous les habitants de Saint-Anselme qui avaient participé aux recherches. Il leur offrit de venir boire une tasse de café à la maison pour se réchauffer. Les gens refusèrent, comprenant que ce n'était vraiment pas le temps d'envahir la maison où le vieux Bruno Lequerré allait rentrer. Il y eut des salutations et des vœux de bonne chance et, un à un, les chercheurs montèrent à bord de leurs voitures et disparurent dans la nuit.

Enfin, il ne resta plus que les deux autos de la Sûreté du Québec. Le sergent renvoya ses deux agents à Drummondville et il demeura seul avec Clément qu'il invita à venir s'asseoir au chaud dans son véhicule. Cinq minutes suffirent pour dresser le procès-verbal que le policier fit signer à l'électricien. Ce dernier quitta le policier après l'avoir remercié pour son aide et il rejoignit Marco et Mathieu qui l'attendaient dans la cabine de la camionnette familiale pour revenir à la maison.

La maison baignait dans une étrange tranquillité quand Clément pénétra dans la cuisine, suivi de près par

174

Marco et Mathieu. Cyrille et Brigitte Riopel, l'oncle et la tante de sa femme, étaient assis à la table de cuisine en compagnie de sa belle-mère et de Carole.

– Vous êtes tout seuls? demanda Clément à sa femme qui se leva à son entrée dans la pièce.

– Marc et Nicole viennent de partir et tu as manqué de justesse André Marcotte et madame Lacombe.

– Bon, et où est ton père?

– En haut.

– Comment il va?

– On le sait pas trop, répondit Carole en baissant la voix malgré elle. Il est entré dans la maison, sans dire un mot, avec madame Lacombe et André Marcotte. Il nous a regardés comme s'il se réveillait tout à coup.

– Puis?

– Ben, il a juste dit: «Je suis fatigué. Je pense que je vais aller me coucher», ajouta sa belle-mère dont l'inquiétude faisait pitié à voir. Il a ôté sa veste et il est monté dans notre chambre. Quand je suis allée voir s'il avait besoin de quelque chose, deux minutes plus tard, il dormait déjà, tout habillé, sur le lit. Qu'est-ce qui s'est passé?

– C'est peut-être juste une perte de mémoire, hasarda son frère Cyrille. À son âge, c'est des choses qui peuvent arriver.

175

– En tout cas, on l'a retrouvé vivant et pas blessé, ajouta Clément en s'assoyant. C'est ça le plus important.

– On va ben voir comment il va être demain matin quand il va se lever, dit Carole en cherchant à se rassurer.

– À ta place, ma petite fille, je barrerais comme il faut toutes les portes au cas où ton père aurait l'idée de reprendre le chemin durant la nuit, dit Brigitte.

– On peut tout de même pas vivre tout le temps comme ça, dit Aurore, les larmes aux yeux.

– Non, m'man. Demain, qu'il le veuille ou non, on va à l'hôpital avec lui. Il faut savoir ce qu'il a. Il nous fera pas deux fois des peurs comme ça. Avant de me coucher, je vais appeler Julien pour lui raconter ce qui est arrivé à p'pa. Il comprendrait pas qu'on lui ait rien dit.

***

Quelques minutes plus tôt, à sa sortie de la maison des Lequerré, André Marcotte avait trouvé sa Buick grise stationnée près de la porte. Pascal avait laissé la clé de contact sur le siège et il était rentré à la maison en compagnie de Germain Ménard.

Il était un peu plus de neuf heures et le sexagénaire n'avait pas envie de rentrer à la maison pour regarder une émission télévisée ennuyeuse.

Au moment de monter à bord de sa voiture, André eut l'idée d'inviter Céline Lacombe à venir boire quelque chose de chaud à la maison. Sans l'admettre, il avait apprécié sa présence à ses côtés durant les recherches et il avait été flatté qu'elle fasse appel à lui en particulier pour l'amener avec Bruno Lequerré chez ce dernier. Pendant un moment, il craignit de se faire rabrouer. Puis, voyant la veuve s'apprêter à quitter les lieux, il se jeta à l'eau.

— Si l'air bête de ma bru vous décourage pas, vous pourriez peut-être venir boire une tasse de café ben chaud à la maison, proposa-t-il. On est tout près.

— Vous êtes bien aimable de me l'offrir, mais je pense que c'est à mon tour de vous faire goûter à mon café… si vous trouvez pas le village trop loin. À part ça, il me reste de la tarte au sucre faite hier. Elle devrait pas être encore trop dure. Qu'est-ce que vous en pensez? lui demanda Céline en lui adressant son plus beau sourire.

— Vous me tentez pas mal, admit André Marcotte en lui retournant son sourire.

— Bon, on se rejoint à la maison. Je vais en profiter pour vous mettre au courant des affaires de la paroisse. Vous allez vous apercevoir que les marguilliers font pas des choses bien compliquées.

Céline Lacombe démarra, suivie par la voiture d'André Marcotte. Au village, la veuve stationna son auto dans la courte allée asphaltée située à la gauche de sa maison. André Marcotte arrêta sa Buick grise le long du trottoir, devant la petite maison en pierre et brique située en face de l'église.

177

Après avoir retiré son manteau et ses bottes dans l'entrée, le cultivateur prit le temps d'admirer le salon et la salle à manger que Céline lui fit traverser avant de lui offrir un siège dans la cuisine où elle s'activa à préparer le café et à placer des napperons sur la table. André Marcotte découvrait rapidement que son hôtesse avait su transformer l'ancienne résidence du notaire Deschamps en véritable bonbonnière. Le mobilier et la décoration prouvaient largement son bon goût.

Céline Lacombe servit le café et trancha deux généreuses portions de tarte au sucre avant de prendre place face à son invité. Durant un moment, ils savourèrent ce dessert en silence.

— Qu'est-ce que tu dirais si on arrêtait de se vouvoyer? demanda Céline Lacombe. Je m'appelle Céline.

— Moi, André, répondit le cultivateur, tout heureux de cette familiarité que son hôtesse encourageait.

— Bon, voilà une bonne chose de faite. À cette heure, parlons de la paroisse. Tu sais que la fabrique a ouvert deux soumissions pour l'achat du presbytère. On a eu deux offres: une de trente mille dollars et une de quarante-quatre mille d'une femme de Victoriaville. Bien entendu, c'est elle qu'on a choisie, mais on a dû attendre pour voir si elle obtiendrait son prêt de la Caisse populaire. Deux jours après l'ouverture des soumissions, sa demande de crédit a été acceptée sans problème. J'ai même entendu dire que cette femme-là avait pas mal d'argent. En tout cas, on devrait passer chez le notaire le 10 décembre. Ça veut dire que la fabrique sera plus responsable du vieux presbytère à partir de ce jour-là.

– Maudit, vous avez pas eu cher pour le bâtiment et le terrain, dit André, surpris.

– Peut-être, mais on n'avait pas le choix avec les soumissions. En tout cas, moi, je vais être contente de voir des fenêtres allumées dans cette grosse bâtisse devant ma maison. J'ai des frissons le soir quand je la vois toute noire…

– T'as raison. Le bâtiment va certainement moins se détériorer s'il est habité.

– Bon, ça, c'est une chose. La deuxième, c'est le budget. On achève de ramasser les enveloppes de la dîme. À la prochaine réunion, on va travailler sur le budget et on va discuter de ce qu'on va faire avec les quarante-quatre mille dollars de la vente.

– Quand est-ce que vous faites cette réunion-là ?

– Les réunions du conseil ont toujours lieu le 15 du mois. Le seul problème, c'est qu'on sait pas trop où on va faire la prochaine parce que le presbytère est maintenant vendu. Peut-être qu'on va pouvoir s'installer dans la sacristie. C'est Marc Riopel qui va s'arranger avec ça.

André tourna la tête vers l'entrée du salon et il remarqua sur l'une des tables des fiches de couleur qui y étaient étalées. Ces fiches lui rappelèrent vaguement quelque chose.

— Je veux pas être effronté, mais est-ce que je peux te demander à quoi ces fiches-là servent? demanda-t-il à Céline en lui montrant la table du doigt. C'est drôle, il me semble en avoir déjà vu des pareilles.

Céline regarda dans la direction désignée avant de répondre.

— Ce sont les fiches des familles qui ont demandé des paniers de Noël. Avant de passer pour la guignolée, on s'organise toujours pour savoir exactement le nom des familles qui auront besoin d'aide.

— Ah oui! C'est ça! Ma femme s'est occupée de la guignolée une couple d'années et elle avait les mêmes fiches…

— Ben, comme tu vois, cette année, c'est moi qui organise la collecte et je cherche de l'aide.

— Tu veux un coup de main?

— Si tu me le proposes, tu peux être certain que je refuserai pas, dit Céline en riant. J'ai déjà fait cet ouvrage-là quand mon Rémi vivait et il était toujours le premier à se proposer. Pauvre Rémi! dit Céline, soudain attristée à l'évocation de son mari disparu.

— Ben, tu vois, dit André à mi-voix, je te mentirai pas; j'ai jamais aidé ma femme quand elle faisait cet job-là. Quand j'y pense, je dois dire que j'ai jamais été ben fin avec elle. Ça m'a pris du temps à le comprendre. Au fond, elle avait des maudites bonnes raisons de me sacrer là et de jamais revenir.

180

– Elle est partie quand? demanda Céline, mal à l'aise de le voir bouleversé à ce point.

– Il y a presque vingt ans… Après, j'ai plus jamais eu confiance dans une femme.

– Sois pas trop dur avec les femmes; elles sont pas toutes pareilles. Puis, sois pas trop dur avec toi non plus. Il me semble que si t'as fait des erreurs, t'as déjà pas mal payé, non?

– Pour payer, j'ai payé! conclut amèrement André, l'air sombre.

– Bon, mais veux-tu ben me dire comment ça se fait qu'on s'est mis à brasser le passé? demanda Céline en s'efforçant de mettre une joyeuse animation dans sa voix. Laissons le passé tranquille, on a bien assez de problèmes avec le présent.

Pendant plus d'une heure, André et Céline parlèrent de leur famille et de la période des fêtes qui approchait. Si André s'attendait à passer Noël et le jour de l'An seul parce que son fils et sa famille seraient en Floride, Céline ne serait guère plus gâtée parce que sa fille unique et son petit-fils, qui vivaient en Californie, ne viendraient probablement pas la visiter durant cette période.

Chapitre 11

La maladie de Jean-Pierre

Le passage de la charrue fut accompagné par un sourd grondement suivi d'un fin nuage de neige qui retomba lentement.

– Ce maudit cave-là, jura Richard Bergeron planté devant la fenêtre de la cuisine, il va finir par arracher ma boîte à lettres. Je sais pas où Lupien a trouvé ce chauffeur de charrue-là, mais il m'a pas l'air de valoir grand-chose. S'il l'accroche, je te garantis qu'ils vont m'entendre à l'hôtel de ville !

Jocelyne leva à peine le nez du livre de recettes qu'elle feuilletait avec impatience. Elle cherchait sa recette de gâteau aux fruits depuis une dizaine de minutes et elle n'avait qu'une hâte, c'était que son mari se décide à aller rejoindre Sylvain qui venait de finir de souffler la neige de la cour.

Pourtant, Richard Bergeron ne bougea pas et il continua d'exhaler sa mauvaise humeur.

– Tu parles d'un commencement d'hiver, sacrement ! Il neige presque tous les jours depuis un mois. On voit jamais le soleil. C'est rendu qu'il y a des bordures de presque trois pieds de haut sur le bord du chemin. Je me souviens même pas d'avoir déjà vu ça… Dans une semaine, ça va être juste Noël, et on a l'impression que ça fait déjà des mois que l'hiver dure.

– Au moins, il y a pas eu encore de grosses tempêtes et c'est pas trop froid, laissa tomber Jocelyne.

Richard se tourna finalement vers sa femme.

– Ça, on le dirait pas, dit-il en lui montrant du menton Jean-Pierre, enveloppé dans une épaisse couverture de laine beige à l'autre extrémité de la pièce.

Le jeune homme, assis dans un fauteuil poussé près de l'une des fenêtres de la cuisine, lisait un livre. Il ne portait aucune attention à la conversation de ses parents. Il semblait perdu dans son monde.

Son mois de convalescence chez sa mère ne paraissait pas lui avoir beaucoup profité. Jocelyne avait eu beau tenter de le gaver de ses mets préférés, il n'avait aucun appétit.

Depuis son arrivée, le convalescent se contentait de chipoter dans son assiette et il n'avalait pratiquement rien. Il affichait la même maigreur inquiétante qu'à sa sortie de l'hôpital. Jocelyne sentait son cœur se serrer chaque fois qu'elle constatait qu'il ne pesait que cinquante-cinq kilos pour 1,77 m. Pour l'encourager à manger, elle ne cessait de lui répéter: «Jean-Pierre, force-toi donc à manger un peu. T'as les joues collées ensemble. T'es rendu tellement maigre que les yeux te mangent le visage.» Rien n'y faisait. Le jeune homme ne se gavait que de pilules. La quantité de médicaments absorbée par son fils la stupéfiait.

– Comment veux-tu aller mieux quand tu te nourris juste avec des pilules! s'exclamait-elle quand elle le voyait aligner sur la table de cuisine une dizaine de comprimés à trois ou quatre reprises chaque jour. Ça a pas d'allure! À ce régime-là, c'est pas demain matin que tu vas être moins maigre! On pourrait presque te compter les os.

Jean-Pierre se contentait de tourner vers sa mère son visage émacié et il esquissait un pauvre sourire. Il repoussait une longue mèche de ses cheveux bruns qui avait tendance à lui tomber sur l'œil gauche et il commençait à avaler ses pilules, l'une après l'autre, sans émettre le moindre commentaire.

Le silence soudain qui s'était fait dans la pièce tira le jeune homme hors de la bulle où il s'était retiré. Il ferma son livre et regarda tour à tour sa mère et celui qui l'avait élevé comme son propre fils.

– Je pense que je vais retourner à la maison demain, dit-il d'une voix faible. Ça fait un mois que je suis dans vos jambes, il est temps que je débarrasse le plancher.

Richard ne protesta pas, mais Jocelyne n'était pas d'accord.

– Voyons donc, Jean-Pierre! T'as de la misère à mettre un pied devant l'autre. Il est pas question que tu t'en retournes vivre tout seul dans ton petit logement.

– Mais je suis pas tout seul, m'man. Guy peut faire le ménage et cuisiner.

– Ton coloc, comme tu l'appelles, c'est pas ta mère. Il te doit rien… En plus, je vois pas pourquoi tu te presserais de retourner sur le boulevard des Forges, t'es pas prêt pantoute à retourner travailler.

– Je le sais ben, m'man, mais ça commence à me gêner de servir à rien et…

– Aïe! On te reproche rien. On sait ce que c'est qu'être malade. Tu restes; un point, c'est toute. On en reparlera après les fêtes quand tu iras mieux.

– Bon, on va y aller, déclara Richard en voyant Sylvain s'approcher de la maison avec la camionnette. Avant le dîner, on va avoir le temps de faire au moins deux voyages de bûches.

Tout en parlant, Richard Bergeron chaussa ses bottes, endossa son manteau et enfonça sa tuque sur sa tête.

Le sexagénaire sortit de la maison et prit place sur le siège du passager de la camionnette Ford immobilisée devant la porte. Sylvain remarqua le visage fermé de son père et il embraya sans dire un mot.

Richard Bergeron était de ces êtres pour qui la santé allait de soi. Il avait vite oublié l'accident de motoneige

185

dont il avait été victime en 1981. Il avait gommé de sa mémoire l'intervention chirurgicale et les longs mois de physiothérapie qui lui avaient permis de retrouver l'usage à peu près normal de son bras gauche. Ce n'était pas de la mauvaise foi de sa part: il ne se souvenait plus que des progrès qu'il avait réalisés au fil des semaines à force de volonté et d'exercices. C'est pourquoi il n'était pas loin de croire que le fils de Jocelyne n'était qu'un mou qui n'avait pas la volonté de se relever, de guérir... Cette absence d'énergie chez le jeune homme de vingt-sept ans commençait à l'énerver sérieusement. Il avait le goût de le secouer. En tout cas, il aurait été prêt à aller le conduire chez lui avec sa valise à Trois-Rivières, la journée même.

Sylvain jeta un coup d'œil à son père qui fixait le pare-brise d'un air renfrogné.

– Au déjeuner, je regardais Jean-Pierre, p'pa. Il a pas l'air d'aller ben mieux que quand je suis allé le chercher à Notre-Dame.

– Ouais! C'est aussi ce que je pense.

– Je sais pas s'il serait pas mieux d'aller voir un autre docteur, fit le fils d'une voix hésitante. Il me semble qu'une pneumonie, ça guérit pas mal plus vite que ça d'habitude.

– S'il a besoin d'aller voir un autre spécialiste, il va le décider tout seul. Il est assez grand pour le savoir.

– En tout cas, si ça vous fait rien, p'pa, je vais lâcher l'ouvrage plus de bonne heure cet après-midi. Jean-

Pierre voulait que j'appelle Guy «je sais pas qui» qui reste avec lui pour lui demander de passer aujourd'hui à la maison pour prendre ses prescriptions. Il voulait qu'il les fasse remplir à la pharmacie et qu'il lui apporte ses remèdes. Le pauvre gars aurait été obligé de venir de Trois-Rivières, d'aller à une pharmacie, puis de retourner à Trois-Rivières après lui avoir laissé ses pilules. Je lui ai dit que j'irais faire remplir moi-même ses prescriptions à la pharmacie. Ça va être ben plus simple comme ça. De toute façon, j'ai une ou deux affaires à acheter pour les fêtes à Drummondville.

Richard se contenta de répondre par un grognement.

***

Au milieu de l'après-midi, Sylvain se rendit à Drummondville pour acheter quelques cadeaux de Noël et il s'arrêta dans une petite pharmacie du boulevard Saint-Joseph pour acheter les médicaments dont son frère avait besoin. Après vingt minutes, le jeune homme finit par trouver que le pharmacien mettait beaucoup de temps à remplir les trois ordonnances qu'il lui avait tendues. Pourtant, il était son seul client.

Pendant plusieurs minutes, il déambula dans les allées en regardant les prix de différents produits. Finalement, le pharmacien l'appela à son comptoir.

– Excusez-moi d'avoir pris autant de temps, lui dit-il, il y a sur votre liste certains médicaments peu courants. En plus, j'ai dû vérifier par téléphone le nom de certains parce que le docteur qui a rempli l'ordonnance écrit vraiment mal.

– C'est pas grave, répondit Sylvain, soulagé que l'attente soit terminée.

– Est-ce que c'est pour vous? demanda le pharmacien.

– Non, pour mon demi-frère. Est-ce qu'il y a un problème?

– Euh... non, répondit l'autre après un instant d'hésitation. Je me disais aussi. Je vous trouvais plutôt en forme pour quelqu'un qui prend de l'AZT.

– De l'AZT? C'est quoi ça? demanda Sylvain, intrigué.

– Mais monsieur, c'est, à l'heure actuelle, le meilleur médicament pour traiter les patients séropositifs.

– Et ça veut dire quoi, «séropositif»? fit Sylvain, craignant soudainement de comprendre le sens du mot utilisé par le pharmacien.

– Ordinairement, on appelle comme ça ceux qui souffrent du sida, dit le pharmacien. Je suppose que vous connaissiez déjà l'état de santé de votre demi-frère.

– Ben sûr, mentit Sylvain, rouge de confusion.

Il présenta la carte d'assurance de Jean-Pierre au pharmacien et il paya ce qu'il lui devait avant de s'emparer du sac de médicaments. Il s'empressa de quitter les lieux.

Durant tout le trajet de retour, le jeune cultivateur ne cessa de se répéter: «Sida! Sida!» Comment Jean-Pierre avait-il pu attraper cette maladie-là? Par une transfusion sanguine? Il y avait un procès contre la Croix-Rouge pour avoir donné du sang contaminé et… Mais ça n'avait pas de sens. Il ne se souvenait pas que son demi-frère ait jamais été opéré.

Il venait de s'engager dans le rang Saint-Édouard quand la vérité finit par se faire jour dans son esprit. La surprise fut telle qu'il faillit emboutir un camion chargé de gravier qui sortait du chantier du barrage.

– C'est pas vrai! s'exclama-t-il à voix basse. Je dois me tromper…

Mais, à l'examen, il sentait bien qu'il ne faisait pas erreur. Il venait de réaliser subitement que les liens unissant Jean-Pierre à Guy Rondeau étaient proba-blement bien plus étroits que ceux que l'on retrouve habituellement entre deux colocataires. Ils vivaient ensemble depuis au moins cinq ans.

À la réflexion, Sylvain se rendit compte qu'il ne se rappelait pas avoir déjà vu Jean-Pierre fréquentant une fille. Même à l'époque où tous les deux allaient à la polyvalente, elles ne paraissaient pas l'intéresser. On disait de lui, dans ce temps-là, que c'était parce qu'il était un élève sérieux. Plus tard, installé à Trois-Rivières, il n'était d'ailleurs jamais venu à une fête familiale en compagnie d'une femme. Comment se faisait-il qu'il n'avait jamais envisagé la possibilité que son demi-frère soit homosexuel? Il était incapable de dire ce qui le bouleversait le plus: la découverte de l'homosexualité de Jean-Pierre ou le fait qu'il soit sidatique? En tout cas, il était au moins certain d'une chose: le sida était une maladie mortelle. Son demi-frère risquait même de contaminer les gens qui l'approchaient. Comment? Sylvain ne le savait pas trop, mais il s'informerait.

Le jeune homme stationna son auto près de la camionnette de son père, devant la porte du garage, et il attendit un peu pour mettre de l'ordre dans ses pensées. Comment devait-il se comporter? Fallait-il prévenir sa mère? Devait-il faire semblant d'ignorer le véritable état de Jean-Pierre? Le mieux était-il d'avoir une véritable conversation avec lui pour l'obliger à révéler son état de santé à sa mère, et même à son père adoptif? Il était dans l'indécision la plus totale.

Une tape vigoureuse donnée par son père sur le capot de sa voiture le tira de sa réflexion. Sylvain ouvrit la portière et saisit le sac contenant les médicaments.

– Dis donc, lui dit son père, narquois, t'as l'air de dormir debout. Ça fait au moins cinq minutes que tu traînes dans ton char sans bouger.

– Je dors pas, j'étais dans la lune, fit Sylvain, agacé d'avoir été surveillé.

– En tout cas, traîne pas trop; c'est l'heure du train, dit Richard Bergeron en se dirigeant vers l'étable sans plus s'occuper de lui.

Sylvain claqua sa portière et entra dans la maison. Son frère était installé devant le téléviseur, mais il avait coupé le son.

— Tiens, voilà tes remèdes, lui annonça-t-il en déposant sur la table le sac rempli de médicaments.

— Je sais vraiment pas comment te remercier, dit Jean-Pierre.

— Laisse faire. C'était pas la fin du monde d'aller à Drummondville, lui répondit Sylvain en fuyant le regard du malade.

Jean-Pierre le scruta un instant et à la vue de l'air emprunté de Sylvain, il comprit que ce dernier connaissait maintenant la vérité. Le malade ne savait s'il devait se sentir soulagé de partager enfin ce secret avec un membre de sa famille ou s'il devait craindre sa réaction. Il n'eut pas le temps de se poser la question.

— Bon, il faut que j'y aille, dit Sylvain en tournant les talons. P'pa a l'air aussi patient que d'habitude.

Le jeune homme sortit de la maison au moment où Jocelyne descendait de l'étage en portant une boîte de décorations de Noël. La semaine précédente, elle avait orné de boules et de lumières multicolores un arbre de Noël artificiel qu'elle avait dressé dans un coin du salon. Comme Richard s'entêtait à ne pas vouloir installer des lumières de couleur à l'extérieur, elle allait placer des guirlandes à l'intérieur, autour des fenêtres du rez-de-chaussée, pour donner à la maison un air de fête.

***

Ce soir-là, quand Sylvain monta à sa chambre, vers dix heures, il s'aperçut qu'il y avait de la lumière qui filtrait sous la porte de la chambre à coucher occupée par Jean-Pierre.

Il s'arrêta un instant devant la porte, indécis sur la conduite qu'il devait adopter. Depuis son retour à la maison, il n'avait cessé de retourner dans sa tête le problème. Devait-il parler franchement à Jean-Pierre de sa maladie et l'obliger à en informer ses parents? Était-il mieux de feindre de tout ignorer et d'attendre qu'il aborde lui-même le sujet, si jamais il l'abordait? Ce serait peut-être de l'hypocrisie mais, de cette façon, le malade aurait encore une chance de sauver la face.

Avant même de prendre une décision, Sylvain frappa légèrement à la porte qui s'ouvrit presque immédiatement sur un Jean-Pierre vêtu d'un pyjama vert foncé.

– Il faut qu'on se parle, fit Sylvain, sans trop savoir comment il allait aborder le problème.

Jean-Pierre s'effaça et le laissa pénétrer dans la petite chambre. Il lui montra l'unique chaise de la pièce et il s'assit au bout du lit.

– T'as compris ce que j'ai? demanda Jean-Pierre, la voix basse et tendue.

– Non, mais le pharmacien me l'a expliqué. T'as ça depuis combien de temps?

– Je le sais pas. Le printemps passé, j'ai été malade et mon docteur m'a envoyé passer des tests à la clinique l'Actuel, à Montréal. J'ai tout de suite compris.

– Tu vas guérir?

– Non, on guérit pas de ça, dit Jean-Pierre d'une voix misérable. Tout ce qu'on peut faire, c'est d'essayer de se battre. J'ai plus de système immunitaire pour combattre les microbes. J'attrape tout ce qui passe.

– Ça vient pas d'une transfusion ton affaire? Tu te drogues?

– Non, cherche pas. Ça vient d'un gars que j'aimais.

Sylvain eut une grimace de répulsion qui n'échappa nullement à son interlocuteur. Il rougit.

– Je sais qu'il y en a encore qui comprennent pas qu'un homme peut en aimer un autre, dit Jean-Pierre en serrant les poings. Mais maudit, on est en 1999! On choisit pas son orientation sexuelle. On vient au monde comme ça, c'est toute! Il me semble que t'es pas trop vieux pour comprendre ça! Si tu penses que j'aurais pas aimé mieux être comme tout le monde, tu te trompes.

– Bon, énerve-toi pas avec ça, fit Sylvain, gêné d'avoir été percé à jour. Qu'est-ce que tu vas faire pour ta mère? Pour mon père? Ils ont le droit de le savoir, non?

Il y eut un long silence dans la chambre avant que Jean-Pierre reprenne la parole.

– C'est pas pour rien que je voulais pas venir ici en sortant de l'hôpital. M'man a tellement insisté que je pouvais pas refuser. J'ai pensé que le mieux était d'attendre à la dernière minute pour tout lui dire.

Pourquoi lui faire de la peine pour rien? Pourquoi lui gâcher la période des fêtes? Laisse-moi choisir le moment de leur dire la vérité.

– C'est pas dangereux pour…

– Ben non. Les docteurs m'ont dit qu'il faut juste éviter que mon sang entre en contact avec une plaie.

– O.K., c'est toi qui décides.

– Si je sens que je vais plus mal, tu me ramèneras à Trois-Rivières et Guy me conduira lui-même à l'hôpital. Il commence à en avoir l'habitude.

Sylvain se leva et se dirigea lentement vers la porte de la chambre.

– Sylvain, chuchota Jean-Pierre.

– Oui? demanda ce dernier en se tournant vers lui.

– Ce qui me fait le plus peur, c'est la réaction de ton père quand il va apprendre la vérité. Tu le connais; il va en faire une maladie. Quand il va savoir que le gars qu'il a élevé est une maudite tapette, il va sauter au plafond.

– Ça sert à rien de s'inquiéter d'avance, répondit Sylvain. On trouvera peut-être le moyen de rien lui dire.

Sylvain sortit et referma la porte derrière lui sans faire de bruit.

Chapitre 12

Le diagnostic

Le lendemain matin, un froid vif avait succédé aux chutes de neige de la veille. Un soleil radieux se leva dans un ciel débarrassé du moindre nuage. Dans les champs, le vent avait sculpté des vagues dans la neige durcie.

Chez les Lequerré, Bruno s'était levé en même temps que son gendre et ses deux petits-fils. Le vieil homme descendit l'escalier en lissant sa couronne de cheveux blancs de ses gros doigts noueux. Arrivé dans la cuisine, il se servit une tasse de café après avoir boutonné les deux derniers boutons de sa chemise de finette verte. Debout près du comptoir, il sirota le liquide chaud et noir avant d'aller traire les vaches.

Clément Leroux, assis à la table de la cuisine avec ses deux fils, épiait son beau-père depuis qu'il l'avait vu descendre.

– Vous allez ben, monsieur Lequerré ? demanda-t-il.

– Très bien, répondit le vieux Français en se tournant vers lui. Et toi ?

195

– Parfait. Vous savez, on est déjà trois pour faire le train, ajouta Clément. Vous pourriez laisser faire, ce matin, si vous le voulez.

– Il en est pas question. Je suis encore capable de faire ma part, répliqua le vieil homme.

Après le déjeuner, Clément Leroux quitta la maison pour aller travailler au chantier de la Beaver où les travaux progressaient beaucoup plus rapidement que ne l'avait prévu son ingénieur en chef. Avant de quitter la maison, l'électricien profita du fait que son beau-père était parti se raser dans la salle de bain pour souhaiter bonne chance à sa femme et à sa belle-mère.

– S'il veut pas vous suivre, vous avez qu'à m'appeler sur le chantier, fit Clément en prenant son téléphone cellulaire sur la table de cuisine. Je viendrai vous donner un coup de main.

– Ça me surprendrait que ce soit nécessaire, répliqua Carole. Quand j'ai appelé Julien hier soir, il m'a offert de venir. Après tout, c'est son père. Je lui ai dit que maman et moi, on était capables de se débrouiller. En tout cas, il m'a promis de rester chez lui ce matin et de venir faire un tour cet après-midi avec Karine.

Peu après le départ de Clément et des deux adolescents, Carole et Aurore vinrent s'asseoir à côté de Bruno qui, les lunettes sur le bout du nez, lisait un article de *L'Express*, grand ouvert sur la table de cuisine. Avec de multiples précautions, sa femme lui expliqua la peur qu'il avait causée à toute sa famille la veille, et comment et où il avait été retrouvé.

En entendant ce récit, la plus totale incrédulité se peignit sur le visage du vieux Bruno Lequerré.

– J'ai pas fait ça! C'est pas possible! répéta-t-il à plusieurs reprises en passant sa main tavelée sur sa large calvitie. Comment ça se fait que je me rappelle de rien? demanda-t-il au bord de la panique. Est-ce que je suis en train de devenir fou?

– Ben non, p'pa, protesta sa fille. Mais on aimerait aller voir un spécialiste à l'hôpital avec vous. On voudrait pas qu'il vous arrive quelque chose sans avoir rien fait.

– Les gens de Saint-Anselme vont penser que je suis complètement détraqué, que je suis pire que Momon Patenaude qui a déjà travaillé pour nous.

– Exagère pas, Bruno, fit sévèrement Aurore. Ça arrive à tout le monde d'avoir une perte de mémoire. Il y a des remèdes pour ça. C'est pour ça qu'il faut aller à l'hôpital. Ça va juste prendre une heure.

– Est-ce qu'il faut que je me change?

– On va tous se changer, dit Carole en jetant un regard triomphant à sa mère.

***

Si la mère et la fille avaient encore eu des doutes sur la nécessité de conduire Bruno Lequerré à l'urgence de l'hôpital Sainte-Croix, ces derniers auraient disparu rapidement durant la demi-heure suivante. Pendant le court trajet entre Saint-Anselme et Drummondville, le

197

vieil homme leur demanda à cinq ou six reprises s'il avait bien donné à Julien les six bouteilles de vin rouge qu'il avait promis de lui remettre au début d'octobre. Chaque fois, sa femme ou sa fille lui répondit qu'il l'avait fait et que Julien avait trouvé son vin très bon. Ensuite, sans aucune raison, il se mettait à fouiller fébrilement dans son porte-monnaie, à la recherche d'elles ne savaient quoi.

À l'urgence, une préposée les aiguilla vers le service de neurologie où, par chance, ils n'eurent à attendre que quelques minutes avant d'être reçus par le docteur Bourbonnais.

Après s'être fait expliquer succinctement ce qui s'était passé, le spécialiste pria les deux femmes de le laisser seul avec Bruno. Son examen dura près d'une heure.

Avant la sortie du patient du bureau du spécialiste, une jeune femme à l'allure décidée vint rencontrer Aurore et Carole, sagement assises dans la salle d'attente. Elle dit être la travailleuse sociale. Elle avait probablement été alertée par le neurologue ou par une infirmière du département. Elle expliqua aux deux femmes inquiètes qu'elle allait rencontrer monsieur Lequerré durant quelques minutes pendant que le docteur leur parlerait.

Quand Bruno sortit du bureau du médecin, ce dernier tendit une chemise cartonnée à la travailleuse sociale qui, toute souriante, invita Bruno à la suivre.

Le docteur Bourbonnais, un gros quinquagénaire à la figure joviale, salua son patient et il eut un geste d'invite à l'endroit de la mère et de la fille. Ces deux dernières se levèrent pour le suivre dans son bureau dont il referma la porte derrière elles.

— Puis, docteur, qu'est-ce qu'il a? demanda Aurore, à peine assise devant le bureau du neurologue.

Les deux femmes le dévisageaient, la figure tendue par l'anxiété.

Trente ans de pratique médicale avaient appris à Alexandre Bourbonnais comment dédramatiser les pires situations tout en ne cachant pas la vérité. Il décida, comme d'habitude, de jouer cartes sur table.

— Bon, je ne vous cacherai rien, dit, d'entrée de jeu, le spécialiste à Aurore. À mon avis, votre mari souffre de la maladie d'Alzheimer dont vous avez sûrement entendu parler.

— Oh non! s'écria Aurore dont le visage avait subitement pâli.

— Calmez-vous, madame, dit le docteur Bourbonnais, et laissez-moi d'abord vous expliquer certaines choses. Vous devez savoir qu'il y a plusieurs phases dans cette maladie qui frappe surtout les personnes âgées. Les troubles de comportement comme en a connu votre mari hier m'indiquent qu'il est passé à la seconde phase.

— On s'est jamais rendu compte de rien, dit Carole en regardant sa mère.

– La première phase est loin d'être apparente, dit le médecin. Il s'agit le plus souvent de petites pertes de mémoire à répétition que les gens cherchent à camoufler en prenant des notes pour les éviter. Mais je dois vous dire qu'il s'agit d'une maladie dégénérative et, surtout, évolutive. Il y a une dégénérescence plus ou moins rapide des cellules du cerveau.

Les deux femmes se regardèrent avec un air affolé.

– Ce que je cherche à vous expliquer, reprit le spécialiste, c'est qu'un patient qui souffre de cette maladie ne prend jamais du mieux et ne redevient jamais comme avant. Ça ne sert à rien de se raconter des peurs. Tout ce qu'on peut faire, c'est de retarder le plus possible la dégénérescence en lui offrant un milieu de vie qui lui est familier et où il est heureux.

– Qu'est-ce qui va se passer exactement? demanda Carole dans un souffle.

– Si les pertes de mémoire se multiplient, il est possible que votre père, madame, devienne de plus en plus agressif.

– Ensuite?

– Ensuite, il va perdre progressivement son autonomie. Il va éprouver des difficultés de plus en plus grandes à parler, au point que vous ne comprendrez plus ce qu'il dit. Il va devenir incontinent et il faudra le surveiller. En d'autres mots, il va se replier sur son monde à lui et il ne vous reconnaîtra plus.

– Mon Dieu! Mon Dieu! gémit Aurore qui s'était mise à pleurer de façon convulsive.

– Madame Lequerré, fit le docteur Bourbonnais, je sais que la maladie de votre mari est une vraie catastrophe pour vous, mais il y a pire, bien pire... Pensez qu'il pourrait souffrir d'un cancer qui pourrait l'emporter en quelques semaines. Une crise cardiaque ou un simple accident de la route pourrait le tuer aujourd'hui même. Ce n'est pas le cas. Votre mari a une bonne santé physique et il peut encore vivre de nombreuses années. Je vais vous donner le conseil que je donne habituelle-ment aux familles de mes patients souffrant de la même maladie que votre mari. Rassemblez-vous et décidez ensemble de ce qui vous semble être dans vos moyens de faire pour lui venir en aide. Si vous croyez être capables de le garder à la maison avec vous, ce serait l'idéal. Si vous pensez ne pas avoir les ressources ou les forces nécessaires pour le soigner convenablement, entreprenez sans tarder toutes les démarches pour le placer dans une institution. Il en existe quelques-unes dans la région.

– On va le garder et en prendre soin, déclara Aurore sans un instant d'hésitation.

– Ne décidez pas trop vite, madame, la mit en garde le neurologue. C'est un pensez-y-bien de garder un tel patient. Vous allez vous apercevoir vite que c'est épuisant de le surveiller vingt-quatre heures sur vingt-quatre et...

– On va le garder, répéta Aurore sur un ton farouche.

– Dans ce cas-là, je vais vous préparer une prescription. Il existe des médicaments qui devraient aider à stabiliser l'état de monsieur Lequerré, dit le docteur Bourbonnais.

Le neurologue tira à lui un bloc-notes sur lequel il se mit à écrire rapidement. Il arracha la feuille qu'il venait de couvrir d'une fine écriture absolument illisible et il la tendit à Aurore.

Le praticien se leva, signifiant ainsi la fin de la consultation.

– Je vous souhaite bonne chance, dit-il aux deux femmes. S'il se produit quelque chose de nouveau, n'hésitez pas à prendre un rendez-vous. Je ferai mon possible pour vous recevoir le plus vite possible.

Après avoir fermé la porte de son bureau, le neurologue secoua doucement la tête. Il connaissait bien la somme de dévouement et d'abnégation qu'exigerait son patient de ses proches et il savait à quel point son état les bouleverserait.

À leur sortie de l'hôpital, Carole s'arrêta dans une pharmacie avant de ramener ses parents à la maison.

***

Vers trois heures, ce samedi après-midi-là, Marco et son frère allaient sortir de la remise quand ils virent entrer dans la cour la Nissan rouge de leur oncle Julien.

– Oh non! Pas lui! s'exclama Mathieu en voyant l'enseignant s'extirper de la petite japonaise.

– Ouach! fit Marco. On est gâtés en maudit aujourd'hui. Voilà le bon Dieu qui arrive.

Julien Lequerré était toujours aussi grand, mais il s'était épaissi avec les années. Sa dense chevelure châtaine et bouclée était maintenant striée de gris. Le quadragénaire avait une façon de regarder son interlocuteur sans ciller, au travers de ses lunettes cerclées d'acier, qui devait en imposer à ses élèves de la polyvalente. De plus, son ton sec et un peu pompeux n'avait rien pour lui attirer l'affection de ses deux neveux.

– Qu'est-ce qu'on fait? demanda Mathieu à son frère.

– On se montre pas la fraise dans la maison, même si ma tante Karine est là. Le mieux est d'aller dans la tasserie.

– S'il reste à souper?

– On rentrera après le train; on n'aura pas le choix. P'pa va être revenu de la centrale.

Karine Lequerré ouvrit sa portière et s'apprêtait à contourner le véhicule pour aller rejoindre son mari quand ce dernier perdit brusquement pied sur une plaque de glace traîtreusement dissimulée sous la neige. Julien eut à peine le temps d'émettre un «Verrat!» retentissant avant de s'étaler de tout son long dans la neige.

La petite brune sémillante eut tout le mal du monde à se retenir de rire pendant que Julien jetait autour de lui des regards furieux pour voir si quelqu'un avait vu sa chute. Il se releva péniblement en secouant ses

vêtements couverts de neige, blessé dans son amour-
propre.

À la vue de ce spectacle, Mathieu oublia sa résolution de se cacher jusqu'à l'heure du train et il se précipita
hors de la remise.

– Vous vous êtes pas fait mal, mon oncle? demanda-
t-il, d'un air hypocrite, réprimant difficilement l'envie
de rire qui le torturait.

– Non, répondit sèchement Julien. Mais il me semble
que vous pourriez mieux nettoyer la cour.

– Tu viens pas m'embrasser? demanda sa femme en
faisant deux pas en direction de son neveu.

Mathieu s'approcha et embrassa sa tante sur la joue.

– Bon, on se revoit tout à l'heure. J'ai un peu d'ouvrage
à faire dans l'étable, dit l'adolescent.

– Le petit maudit baveux! jura Julien Lequerré entre
ses dents. Je te gage qu'il est en train de rire de moi dans
un coin avec son frère.

En compagnie de sa femme, il se dirigea de très
mauvaise humeur vers la maison. Il sonna et entra.

Après les embrassades d'usage, Julien s'inquiéta de
savoir où étaient Clément et son père.

– Clément est encore à la centrale. Il travaille six jours
par semaine sur ce contrat-là, lui répondit sa sœur. Je

pense qu'il commence à avoir hâte que ça finisse. Pour papa, il est allé s'étendre sur son lit quelques minutes. Je vais aller lui dire que t'es arrivé, lui dit sa sœur.

– Ne le dérange pas tout de suite, dit Julien en essuyant soigneusement les verres embués de ses lunettes. Donne-moi plutôt le diagnostic du médecin.

Aurore devança sa fille. Elle se mit à raconter tout ce que le docteur Bourbonnais leur avait dit le matin même à l'hôpital. Voyant son désarroi, Karine s'était rapprochée de sa belle-mère et lui tenait la main pendant qu'elle donnait les informations.

– Allez-vous chercher à le placer dans une institution?

– Voyons, Julien, c'est notre père, protesta Carole. Il est pas question qu'il aille pourrir dans ce genre de maison-là.

– Je suis d'accord avec vous autres, dit Julien, mais je peux pas beaucoup vous aider. Je demeure loin et…

– Inquiète-toi pas pour ça, le coupa sa mère. On va se débrouiller.

– Avez-vous pensé à une procuration?

– Pourquoi une procuration? demanda Aurore. T'oublies que ton père et moi avons toujours eu un compte de banque conjoint. Sa maladie nous empêchera pas de payer nos comptes.

– Ça, je le sais, maman. Qu'est-ce qui va empêcher papa de vider son compte de banque et de dépenser tout son argent en achetant n'importe quoi quand il deviendra vraiment confus? Il faut y penser.

– Après les fêtes, on arrangera ça, fit Aurore, frappée par le bon sens de la remarque de son fils.

Quelques minutes plus tard, Carole alla réveiller son père. À leur grande surprise, Julien et Karine trouvèrent Bruno Lequerré inchangé depuis leur dernière visite.

Chapitre 13

Un homme nouveau

Ce soir-là, debout devant la fenêtre du salon, Lucie Veilleux regarda les feux arrière de la vieille Buick grise de son beau-père disparaître. La jeune femme se tourna alors vers son mari qui venait de s'asseoir dans son fauteuil préféré dans l'intention de regarder la retransmission du match entre le Canadien de Montréal et les Maple Leafs de Toronto.

– Je te dis que ton père s'énerve depuis que la petite veuve lui court après, dit-elle avec une pointe de méchanceté. Aussitôt la dernière bouchée avalée, il se met sur son trente et un pour courir ventre à terre au village.

Pascal ne répondit rien, habitué à la hargne de sa femme.

– Je te parle, Pascal Marcotte! dit Lucie en haussant le ton. Je pense que ton père est en train de faire un vrai fou de lui. La bonne femme lui fait faire ce qu'elle veut. Qu'est-ce que t'attends pour lui parler? Il manquerait plus qu'il nous amène cet agrès-là ici-dedans.

Pascal serra les dents, mais il ne dit rien.

– Ce vieux maudit fou, il est ben capable de la marier. Elle, pas folle, dirait pas non. Ça se voit qu'il y a juste l'argent qui l'intéresse… Si elle savait tout ce qu'il a fait endurer à ta mère, elle serait peut-être pas si pressée de lui mettre le grappin dessus.

– Parle donc pas de ce que tu sais pas, laissa tomber son mari, excédé. Qu'est-ce que tu connais de ma mère?

– Peut-être pas grand-chose, dit Lucie Veilleux, méprisante, mais ça fait assez longtemps que j'endure ton père pour comprendre.

Pascal coupa le son du téléviseur d'un geste décidé.

– Corinne, va lire dans ta chambre, dit-il d'un ton sans réplique à sa fille assise devant l'arbre de Noël. J'ai à parler à ta mère.

La fillette regarda tour à tour ses parents avant de sortir de la pièce en traînant les pieds.

Pascal quitta alors son fauteuil et s'approcha de Lucie, blanc de colère. Sa femme eut un léger mouvement de recul en le voyant dans cet état. Lui, d'habitude si calme, semblait hors de lui.

– Écoute-moi ben, Lucie Veilleux, siffla-t-il entre ses dents. Tu vas apprendre à respecter le monde avec qui tu vis. Tu m'entends? Mon père a pas gardé les cochons avec toi. Tu vis dans sa maison. Je suis écœuré de te voir cracher sur tout le monde et crier partout qu'on

208

t'exploite parce que t'es juste une pauvre femme. Réveille-toi, calvaire! Personne t'exploite! C'est toi qui fais suer tout le monde avec ton maudit féminisme!

– Whow! Les nerfs, bonhomme! se rebiffa la jeune femme. Monte pas sur tes grands chevaux! J'ai encore le droit de dire ce que je veux dans cette maison, non?

– Non, justement. Ferme donc un peu ta grande gueule. On part après-demain pour la Floride et t'as ben d'autres choses à faire que de baver sur mon père. D'abord, as-tu pris la peine de regarder les cadeaux qui sont en dessous de l'arbre de Noël?

– Quel rapport?

– Le rapport est que mon père a déjà mis là ses cadeaux pour nous autres et il a apporté aussi un cadeau pour Corinne de la part de madame Lacombe. Au lieu de dire n'importe quoi sur son compte, tu ferais ben mieux de t'organiser pour encourager ta fille à lui préparer aussi un cadeau.

– Si tu penses que j'ai le temps de m'occuper de ces niaiseries-là avec les bagages que j'ai à préparer...

– Si t'as l'intention de partir mardi matin, t'es mieux de le trouver, ce temps-là. En plus, as-tu pensé qu'en laissant mon père tout seul durant les fêtes, la moindre des choses, ce serait de lui préparer de la bonne nourriture pour qu'il soit pas obligé de manger des cannages pendant qu'on va être au soleil?

– Ah ben! Il manquerait plus que ça! Tu trouves peut-être que j'ai pas assez d'ouvrage. En plus, il faudrait que je lui cuise une dinde, des tourtières et des tartes avant de partir peut-être? Mais t'es malade dans la tête! S'il veut ben manger, qu'il aille voir sa veuve! Elle est peut-être capable de faire autre chose que la belle.

Pascal recouvra brusquement son calme en voyant sa femme s'emporter.

– Je te préviens, dit-il sèchement, on part pas s'il y a pas de cadeau pour madame Lacombe de la part de la petite et si t'as pas préparé de quoi manger pour mon père pendant nos vacances. Tu m'as entendu?

– Je m'en sacre! Je pars toute seule, décréta Lucie, furieuse.

– Ah oui! Avec quel argent? Je savais pas que t'avais un compte de banque.

Lucie Veilleux lança à travers la pièce la revue qu'elle tenait et elle claqua la porte du salon. Pascal s'essuya le front et se laissa tomber dans son fauteuil. Il n'avait plus du tout envie de regarder la partie de hockey.

André Marcotte rentra peu après minuit. Il avait passé la soirée en compagnie de Céline et de deux autres bénévoles à confectionner des paniers de Noël avec les produits amassés lors de la guignolée quelques jours auparavant. Il vit sur la table de cuisine un billet de cinquante dollars déposé sur un bout de papier où il était écrit: «cadeau».

Le lendemain avant-midi, Lucie et sa fille allèrent à Drummondville pendant que Pascal et son père étaient à la messe. Même s'il faisait près de −20 °C, André Marcotte quitta les siens au début de l'après-midi. Il avait promis à Céline Lacombe de l'accompagner lors de la distribution de paniers de Noël préparés la veille.

Il faut tout de même mentionner que le nouveau comportement altruiste d'André Marcotte n'avait pas échappé aux gens de Saint-Anselme. Par exemple, les habitués du restaurant Cardin, tels que Gilles Gagné, Richard Miron et Adrien Beaulieu, n'avaient pas été les derniers à remarquer que Céline Lacombe était de plus en plus souvent en sa compagnie. Même sa vieille mère l'avait aperçu à plusieurs reprises entrant ou sortant de chez la veuve et en avait discuté avec Claude et Émilie, le frère et la sœur d'André, lorsqu'ils lui avaient rendu une brève visite au Petit Foyer, la semaine précédente. Somme toute, Pierrette Marcotte était assez contente de voir son fils aîné sortir de son isolement… Mais il ne s'agissait là que de commérages. La mère attendait qu'André vienne lui expliquer ce qui se passait entre lui et cette femme qu'elle ne connaissait pas.

En vérité, il n'était pas encore question d'amour entre les deux sexagénaires. André Marcotte commençait tout simplement à éprouver à l'égard de Céline une véritable amitié. Pour la première fois depuis près de vingt ans, une personne de l'autre sexe ne suscitait pas chez lui cette méfiance et ce mépris un peu haineux qu'il éprouvait généralement envers les femmes depuis son divorce avec Louise.

Durant tout l'après-midi, la radio joua à tue-tête des airs de Noël dans la cuisine des Marcotte et toutes sortes d'odeurs appétissantes émanaient de la pièce que Lucie avait interdite à son mari et à sa fille.

Pascal ne bougea pas du salon, n'ayant aucune envie d'affronter la mauvaise humeur apparente de sa femme. Il lui suffisait d'entendre les bruits faits par cette dernière pour deviner son état d'esprit. Seuls les bruits de chaudrons manipulés avec brusquerie et les claquements secs des portes d'armoire fermées à la volée parvenaient, de temps à autre, à dominer la voix des chanteurs.

Vers quatre heures, Pascal était sur le point d'aller faire le train seul avec Germain Ménard, qui venait de stationner sa voiture près de l'étable, quand son père pénétra dans la maison en compagnie de Céline Lacombe.

– T'en allais-tu commencer le train? demanda André en aidant la veuve à retirer son manteau.

– Oui, j'y allais, dit Pascal après avoir salué Céline. Germain vient d'arriver.

– Je me change et je te rejoins.

– Il y a pas de presse, dit Pascal. Vous pouvez vous occuper de votre visite.

212

– Non, non, vas-y André, intervint Céline. Pendant ce temps-là, je vais jaser un peu avec ta bru avant de partir. Si je suis partie quand tu reviendras, on se verra demain soir.

En entendant cela, Pascal jeta un coup d'œil inquiet à son père, mais ce dernier fit comme s'il ne remarquait rien. Le jeune homme se dépêcha alors de mettre son manteau et de sortir, peu désireux d'entendre l'esclandre que sa femme allait déclencher en voyant pénétrer la veuve sur son territoire. Cinq minutes plus tard, son père entra dans l'étable.

– Tout va ben dans la cuisine? demanda-t-il à son père d'un ton un peu inquiet.

– Ça en a tout l'air, dit André, d'un ton apparemment désinvolte. En tout cas, j'ai pas entendu de cris.

***

Quand Céline Lacombe était entrée dans la cuisine, Lucie Veilleux tournait le dos à la porte. Elle était en train de faire rissoler des boulettes de viande destinées à son ragoût. Le volume de la radio était à la limite du supportable. Le comptoir croulait sous les marmites et les plats sales. Sur la table, quatre tartes attendaient d'aller au four pendant qu'autant de pâtés à la viande achevaient de cuire.

Sans dire un mot, Céline releva les manches de son chemisier et entreprit de remplir l'évier d'eau savonneuse.

La jeune femme n'avait pas entendu entrer la veuve et elle sursauta au son de l'eau qui se mit à couler derrière elle. Son visage se durcit quand elle aperçut la femme prête à commencer à laver la vaisselle.

— Qu'est-ce que vous faites là ? demanda-t-elle d'un ton rogue. J'ai pas besoin d'aide.

— Si, tu as besoin d'aide, répondit Céline d'un ton sans réplique en allongeant le bras pour baisser le volume de la radio. Il y a juste à voir tout ce que t'as cuisiné pour s'apercevoir que t'as travaillé tout l'après-midi sans t'arrêter.

— Je suis capable de me débrouiller toute seule, fit Lucie d'un ton moins convaincant.

— Je le sais, dit doucement Céline, mais c'est pas une raison pour te crever à l'ouvrage… Surtout que tu te prépares à partir en voyage. Il manquerait plus que tu partes épuisée. C'est souvent sur nous autres, les femmes, que la plus grosse partie de l'ouvrage tombe.

Lucie releva une mèche de cheveux trempée de sueur et sa main laissa sur son front une trace de farine.

— Comment vous savez ça, vous ? Chaque fois que je vous vois, vous avez l'air de sortir d'une revue de mode. Vous avez pas dû vous taper ben souvent des grosses journées d'ouvrage dans votre vie.

Le rire de Céline Lacombe détendit l'atmosphère. Avant de reprendre la parole, elle s'empara d'une marmite et se mit à la frotter vigoureusement.

– Là, tu te trompes. Oublie pas que j'ai été mariée trente ans et que j'ai élevé une fille. J'ai jamais été riche et j'ai longtemps travaillé comme vendeuse pour aider mon mari à arriver. En rentrant à la maison, le soir, personne avait fait l'ouvrage à ma place. Ta mère a dû te dire…

– J'ai pas connu ma mère, la coupa abruptement Lucie Veilleux.

– Si tu l'avais connue, reprit Céline, elle t'aurait sûrement dit : «Nous, les femmes, on est fortes et on est capables d'en prendre… et ça sert jamais à rien de se lamenter.»

– C'est facile à dire, ça.

– C'est aussi facile à faire. Je vais te parler comme si tu étais ma fille, O.K.?

– Aïe! Attendez une minute, vous! se défendit Lucie en élevant la voix.

– Non, écoute d'abord, et tu feras ce que tu veux ensuite. Quand tu t'enrages comme tu le fais, tu me fais penser aux femmes qui cherchaient à se libérer il y a vingt-cinq ans. Il y en avait qui pensaient y arriver en enlevant leur soutien-gorge, en rejetant les hommes et en arrêtant de prendre soin de leur corps.

– Vous avez pas dû faire ça, vous, dit Lucie, frondeuse.

– C'est là que tu te trompes. J'ai été comme ça jusqu'au jour où je me suis aperçue que j'arriverais à rien en m'y prenant de cette façon-là. Je pense que j'avais raison. Regarde aujourd'hui. Les femmes intelligentes ont trouvé une autre façon de devenir les égales de l'homme. Elles ont arrêté de crier et elles ont prouvé qu'elles étaient capables de faire tout ce que les hommes font. La plupart des nouveaux docteurs sont des femmes. Les femmes sont partout. Il y en a qui sont policières, soldats, ingénieures. C'est rendu qu'il y a plus un métier que les femmes peuvent pas faire.

— Ça empêche pas qu'il y a encore des femmes qui se font battre par leur mari et qui sont traitées comme des esclaves, rétorqua Lucie.

— T'as raison, reconnut Céline Lacombe, et le pire, c'est qu'il y en aura toujours. Mais c'est pas ton cas, non? T'es une belle femme et t'es jeune. T'as un bon mari et une belle petite fille. En plus, tu vis dans une grande maison confortable. Qu'est-ce que tu veux de plus? T'as l'air d'avoir tout ce qu'il faut pour être heureuse. Il va falloir que tu finisses par te faire à l'idée qu'il y aura toujours des affaires que t'aimeras pas, mais ça devrait jamais être assez important pour te faire oublier tout ce que t'as.

— Oui, puis après?

— Après? À ta place, je profiterais de tout ce que j'ai. Je m'organiserais pour prendre soin de moi, me faire belle et surtout m'aimer. Je m'arrangerais pour avoir des amies. C'est sûr que t'as des qualités. Il y a juste à voir comment tu cuisines. Ta maison est bien tenue. T'en as aussi d'autres, des cachées, sinon ton Pascal serait parti depuis longtemps.

Le visage buté de Lucie Veilleux se détendit en un de ses rares sourires.

– Vous avez peut-être raison.

– J'ai raison, dit Céline Lacombe avec force. Je serai même ta première amie, si t'arrêtes de bouder pour rien... et si tu m'invites à goûter à ton ragoût de boulettes qui a l'air bien bon.

– Vous êtes invitée si ça vous tente, dit Lucie en riant, mais vous êtes mieux de me laver toute cette vaisselle-là. Moi, je vais l'essuyer.

***

Deux heures plus tard, à leur sortie de l'étable, André Marcotte et son fils eurent la surprise de découvrir la Pontiac de Céline Lacombe encore stationnée dans la cour. Instinctivement, les deux hommes accélérèrent le pas.

Lorsque André et Pascal entrèrent dans la cuisine, la table était mise et un paquet enrubanné avait été déposé sur une assiette.

– Lucie et Corinne m'ont invitée à souper, dit Céline à l'adresse des deux nouveaux arrivants. J'espère que ça vous dérange pas trop si je reste.

– Vous êtes la bienvenue, madame Lacombe, dit Pascal en jetant un regard interrogateur à sa femme qui s'activait déjà à remplir une assiette.

– Je vais donner un coup de main à Lucie pour servir.

Le souper dominical se passa dans une ambiance détendue. Chacun parla de ses expériences passées en

Floride. Céline Lacombe y était allée à deux reprises avec son mari. Pour sa part, André se souvenait y être allé avec Louise quatre ou cinq fois, à la fin des années 70. L'un et l'autre avaient gardé de merveilleux souvenirs de leurs séjours, souvenirs qu'ils s'empressèrent de partager avec le jeune couple et leur fille qui partaient vers cette destination le lendemain après-midi.

Au milieu de la soirée, Céline Lacombe remercia ses hôtes de l'avoir reçue et elle dut promettre à la petite Corinne de ne pas ouvrir son cadeau avant Noël.

– Pourvu que tu en fasses autant, la prévint la veuve en souriant.

– Vous savez, maman m'a dit qu'on emporterait tous nos cadeaux en Floride et qu'on les ouvrirait seulement au réveillon, dit la fillette.

– Et qui va surveiller ton grand-père, demanda Céline pour la taquiner. Il est curieux ton grand-père. J'ai bien peur qu'il se dépêche à ouvrir ses cadeaux aussitôt que vous allez être partis.

– Il va me le promettre avant que je parte, pas vrai, grand-père?

– C'est juré, craché, promit André avec un sourire.

Avant de quitter la maison, Céline attira Lucie à elle et elle l'embrassa sur les deux joues.

– Profite bien de tes vacances. Je te souhaite du soleil, une belle plage et, surtout, beaucoup de plaisir.

La jeune femme, un peu empruntée, lui souhaita à son tour des belles fêtes.

André accompagna l'invitée jusqu'à sa voiture.

– Si j'étais pas si vieux, fit André au moment où Céline Lacombe se glissait derrière le volant de sa Pontiac, je pense que je me mettrais à croire au père Noël après avoir vu ce que je viens de voir.

– Il y a pas d'âge pour croire en lui, fit Céline dans un éclat de rire, avant de démarrer.

À la fin de la soirée, au moment de se mettre au lit, Pascal dit à sa femme :

– Tu peux pas savoir comment ça m'a fait plaisir que tu te sois ben entendue avec madame Lacombe.

– Elle est moins pire que je croyais, laissa tomber Lucie en enfilant sa robe de nuit. Au fond, je pense même qu'elle va finir par avoir droit à une médaille si elle continue à endurer ton père comme ça.

– Dis donc pas ça. As-tu vu comment il était content que tu lui aies préparé du ragoût, de la tourtière et des tartes pour les fêtes ?

– Il peut ben être content ! s'exclama Lucie d'une voix étouffée. Avec tout le trouble que ça m'a donné ! J'espère que ça va paraître dans le cadeau qu'il me donne à Noël.

– En tout cas, moi, je me sens moins coupable de le laisser tout seul durant les fêtes.

Le lendemain après-midi, Pascal, Lucie et Corinne quittèrent Saint-Anselme pour leurs vacances floridiennes.

***

La veille de Noël, en début de soirée, la température devint plus douce et une neige légère se mit à tomber peu avant l'heure du souper. Cette neige remplit certaines personnes âgées de nostalgie en leur rappelant leurs Noëls d'antan.

Ce soir-là, un peu avant sept heures, André Marcotte s'arrêta chez sa mère, au Petit Foyer. Pierrette Marcotte vint lui ouvrir rapidement. La vieille dame de quatre-vingt-sept ans n'avait rien perdu de sa vivacité.

– Dites donc, m'man, vous deviez me guetter par la fenêtre pour être aussi vite que ça, dit André en l'embrassant sur la joue après être entré dans le petit vestibule de l'appartement.

– Qu'est-ce qu'il y a de surprenant là-dedans? demanda sèchement sa mère. C'est à peu près tout ce qu'une vieille de mon âge peut faire: regarder ce que font les autres.

– Voyons, m'man, il faut pas exagérer, protesta le sexagénaire.

– Par exemple, c'est comme ça que je te vois passer pas mal souvent de ce temps-ci avec la Lacombe.

– Allez pas partir en peur, m'man; il y a rien entre nous deux. C'est seulement une amie.

– Moi, j'ai jamais cru ça possible un homme ami avec une femme, fit l'octogénaire avec un scepticisme évident. Bon! Ça sert à rien de discuter de ça. On devrait peut-être plutôt partir pour l'église, si on veut avoir une bonne place.

Pierrette Marcotte se dirigea vers son manteau posé sur le bras de son fauteuil préféré.

– J'haïs donc ça une messe de minuit à huit heures. Si ça a du bon sens! Mais il y a plus de prêtres!

– M'man, vous le savez aussi ben que moi. Cette année, c'est pas notre tour d'avoir la messe à minuit. C'est le tour de Sainte-Monique. Pour nous autres, c'est tout de même mieux que pas de messe pantoute.

Pierrette s'assit sur une chaise et tendit un pied en direction de son fils aîné.

– Aide-moi donc à mettre mes bottes, dit-elle avec impatience.

André mit un genou par terre devant elle et l'aida à se chausser. Ensuite, la vieille dame endossa son épais manteau de drap noir après avoir posé sur ses cheveux blancs une toque de fourrure.

– Ton char est devant la porte?

– Oui, mais j'avais l'intention de le laisser là durant la messe. Je me suis dit qu'on était tout près et qu'on irait à pied.

– Si c'est comme ça, on est mieux de pas traîner, même s'il est encore de bonne heure, fit Pierrette en se dirigeant vers la porte. Tu vas voir, l'église va être déjà ben pleine. Qu'est-ce que tu veux? Il y en a qui viennent à l'église que la veille de Noël et à Pâques.

Comme prévu, André laissa sa Buick devant chez sa mère parce que le stationnement de l'église était déjà engorgé. Il salua en passant Aurèle Lupien qui, debout au centre du stationnement, dirigeait la circulation à grands coups de sifflet.

***

À leur entrée dans l'église, André s'empressa d'aller conduire sa mère à une place libre après avoir salué le curé Gingras. Le prêtre, vêtu d'une aube blanche, accueillait ses paroissiens, debout à l'arrière.

Après s'être assuré que sa mère était confortable-ment installée pour la cérémonie, André s'empressa de rejoindre Céline, Lucien Proulx et Marc Riopel. Les marguilliers avaient pris position près des portes pour aider les nouveaux arrivants à trouver des sièges libres.

Pierrette Marcotte avait raison. Trente minutes avant la messe, il y avait déjà une vingtaine de personnes debout au fond de l'église surpeuplée et il faisait si chaud que certains fidèles avaient du mal à supporter cet inconfort. Quelques bébés pleuraient déjà et de jeunes enfants échappaient de temps à autre à la surveillance relâchée de leurs parents pour courir dans les allées. Beaucoup de paroissiens s'entretenaient à voix basse avec leurs voisins pendant que la chorale s'exerçait une dernière fois avant le début de la cérémonie.

Arrivée quelques minutes auparavant, Geneviève Biron était allée s'entretenir durant quelques instants avec son oncle Pierre Bergeron et sa femme Diane qui s'étaient installés dans l'un des derniers bancs de l'allée centrale, aux côtés de leur fils Frédéric. Sans en avoir l'air, la jeune femme guettait l'entrée des gens. Lorsqu'elle aperçut Luc Patenaude s'engager dans l'allée centrale, elle quitta rapidement ses parents pour le suivre sans que cela soit trop apparent.

Le gérant de la Caisse populaire trouva la moitié d'un banc libre. Geneviève arriva sur ses talons et elle lui toucha le bras.

– C'est un miracle, lui dit-elle à voix basse. Deux places libres d'un seul coup. Est-ce que je peux prendre l'autre place?

Luc Patenaude lui adressa un sourire engageant et, d'un geste, l'invita à s'asseoir à côté de lui.

Pendant ce temps, les marguilliers patrouillaient inlassablement les allées à la recherche du moindre siège libre. Quand l'un d'eux parvenait à en dénicher un, il faisait de grands gestes d'invitation vers l'arrière pour attirer l'attention d'un fidèle encore debout.

Finalement, le curé Gingras monta lentement l'allée centrale en compagnie de ses deux servants de messe. Au même moment, l'animatrice s'approcha du micro et invita les fidèles à se lever pour accueillir le prêtre. Les murmures de la foule s'éteignirent progressivement, cédant la place au recueillement.

La cérémonie fut sobre et les chants liturgiques, beaux. Le curé Gingras abrégea son homélie surtout à cause de la température élevée des lieux. Ceci n'empêcha toutefois pas le prêtre de déplorer le fait qu'il avait été impossible, en cette veille de Noël, et cela pour la première fois en quinze ans, d'avoir une crèche humaine. Aucun couple de Saint-Anselme avec un jeune enfant n'avait accepté de jouer le rôle de la sainte famille.

Lorsque les fidèles quittèrent l'église aux sons du *Minuit chrétien*, la neige s'était transformée en une petite pluie froide qui incita les gens à se précipiter vers leur véhicule.

Le curé Gingras et ses marguilliers furent les derniers à abandonner l'église en compagnie de Pierrette Marcotte qui avait sagement attendu son fils. Dans le stationnement maintenant pratiquement désert, on se souhaita «Joyeux Noël!» avant de se séparer et de rentrer à la maison.

Pierrette Marcotte, Céline et André se dirigèrent à pied vers le trottoir sous la petite pluie fine qui continuait à tomber.

– Allez-vous réveillonner? demanda Céline Lacombe à Pierrette et André.

– Non, c'est pas pour moi cette affaire-là, lui répondit la mère d'André. À mon âge, on mange plus aussi tard. On n'a plus l'estomac assez solide pour ça.

– Moi aussi, je mange plus comme avant, répliqua aimablement la veuve, mais ça m'a pas empêchée de faire quelques sandwiches et un gâteau au chocolat pour mon réveillon. Ce serait pas mal plus gai si vous veniez manger avec moi, offrit-elle.

Pierrette hésita un instant avant de dire:

— Si André y va, je vais me laisser tenter. Après tout, il y a juste un Noël par année.

— Je serais ben fou de refuser, dit avec bonne humeur André en se plaçant entre les deux femmes pour leur donner le bras.

Le trio traversa la rue Principale et se dirigea vers la maison de Céline Lacombe dont la grande fenêtre du salon était éclairée par une lampe demeurée allumée.

À la fin du réveillon, André proposa à sa mère et à son amie de se joindre à lui et son frère Claude, médecin célibataire de Saint-Cyrille, pour un souper au restaurant le soir de Noël.

— Je sais pas si je dois accepter, dit Céline, un peu hésitante. C'est une réunion de famille et...

— Faites donc pas de manières, dit Pierrette, un peu agacée. Ça va plutôt être un repas pour ceux qui sont pas attendus par personne. Moi, je suis toute seule. Claude et André aussi. Si personne de votre famille vous a invitée, venez donc.

— O.K., j'accepte, dit la veuve en reconduisant ses deux invités à la porte.

225

– Je viens te prendre à six heures, dit André, content qu'elle ait accepté son invitation.

– Oui, puis essaie de pas m'oublier, même si je suis moins belle que ton amie, rétorqua Pierrette, d'une voix un peu acide.

Chapitre 14

La mise en garde

Un climat étrange régna à Saint-Anselme durant toute la dernière semaine du 2ᵉ millénaire. Si certains de ses habitants étaient vaguement inquiets du «bogue» extraordinaire prédit par quelques pessimistes en mal de publicité, d'autres étaient saisis d'une sorte de frénésie qui les poussait à des achats inhabituels tant ils étaient désireux de célébrer dignement l'arrivée du nouveau millénaire. La SAQ n'avait jamais fait de si bonnes affaires et les bouteilles de champagne étaient devenues introuvables sur le marché.

Pour sa part, André Marcotte, après avoir résisté quelques jours à la tentation, avait fini par retourner à sa succursale de la Banque Nationale de Drummondville pour retirer un montant supplémentaire, au cas où...

– Pourquoi prendre inutilement des chances? avait-il dit à la caissière qui fit semblant de comprendre de quoi il parlait.

Si les banques ne pouvaient ouvrir leurs portes le 2 janvier, il serait prêt à faire face à la situation.

Trois jours après Noël, Céline Lacombe s'arrêta à l'épicerie Gagnon pour vider sa boîte postale et acheter du lait et du pain. De retour à la maison, elle découvrit deux lettres adressées à la fabrique de Saint-Anselme dans son courrier.

Ce courrier avait probablement été déposé intentionnellement dans sa boîte aux lettres par le postier parce qu'il savait qu'elle faisait partie de la fabrique et que le presbytère avait une nouvelle propriétaire.

Désœuvrée au début de l'après-midi, la veuve décida d'aller porter les deux missives chez Marc Riopel, le président de la fabrique. Évidemment, il était le seul marguillier habilité à dépouiller ce courrier et à répondre au nom de l'organisme paroissial.

Son intention première était de laisser ces lettres tout simplement dans la boîte aux lettres des Riopel et de revenir chez elle sans déranger personne, un trajet de quelques minutes en auto.

Lorsque Céline arrêta son véhicule devant la maison des Riopel, elle tomba nez à nez avec Brigitte et Nicole, la mère et l'épouse de Marc. Les deux femmes s'apprêtaient à faire quelques pas à l'extérieur pour profiter de la température clémente.

– J'ai deux lettres pour Marc, dit Céline Lacombe en tendant deux petites enveloppes blanches à bout de bras. Je voulais juste les laisser en passant.

— Sauvez-vous pas de même, lui dit la grosse Brigitte avec un bon gros rire. On vous mangera pas. Si vous êtes pas trop pressée, vous pouvez peut-être profiter avec nous autres du beau soleil. On s'en allait faire une petite marche dans le rang.

— Vous me tentez pas mal.

— Bon, arrivez. Vous avez juste à laisser votre char devant la porte. Les hommes sont partis faire des commissions à Drummondville; on va avoir la paix une bonne partie de l'après-midi.

— D'accord, je vous rejoins tout de suite.

Céline Lacombe entra dans la cour de la ferme et rangea sa voiture près de la maison. Elle s'empressa ensuite de rejoindre les deux femmes qui l'attendaient devant la boîte aux lettres. Toutes les trois se mirent ensuite en marche en direction de la petite maison blanche louée aux Paquette et de l'île Ouellet.

— Si je continue à venir me promener comme ça dans votre rang, dit Céline, je vais finir par mieux le connaître que les rues du village.

— C'est vrai que vous êtes venue nous donner un bon coup de main pour trouver ce pauvre Bruno, dit Brigitte. Mon beau-frère vous a écoutée, vous, quand vous lui avez proposé de le ramener à la maison.

— Comment va-t-il?

— Ma belle-sœur Aurore dit qu'il a de plus en plus souvent des petites pertes de mémoire et que ça lui arrive de chercher ses mots quand il veut parler. À part ça, ça a pas l'air de s'aggraver.

— Tant mieux! C'est déjà assez triste de vieillir.

— Allez-vous venir à la soirée des Riopel? demanda Nicole pour aborder un sujet de conversation plus agréable.

— Ton mari me l'a offert la semaine passée quand je lui ai dit que j'avais pas de projet pour le jour de l'An et que je le passerais probablement toute seule.

— Vous avez pas d'enfants? demanda Brigitte, curieuse.

— Oui, j'ai une fille et un petit-fils qui vivent en Californie. Cette année, ils pourront pas faire le voyage pour venir me voir dans le temps des fêtes.

— Bon, ben, restez pas toute seule, offrit généreusement Nicole. Allez pas croire qu'à la fête des Riopel, il y a juste la famille. Il vient du monde de partout.

À ce moment-là, les trois femmes passèrent devant la grosse maison à deux étages d'André Marcotte. L'imposante demeure recouverte de vinyle bleu-gris et égayée par les auvents bleus semblait isolée, au bout du petit chemin privé où elle se dressait. Elle semblait nichée dans un écrin de neige.

— Je veux pas avoir l'air de me mêler de ce qui me regarde pas, ajouta Brigitte en scrutant la maison, mais j'ai cru remarquer l'autre soir que vous vous entendiez plutôt bien avec André Marcotte. Ça vous tente pas de venir avec lui à la soirée organisée par mon beau-frère Alain ?

– Je lui en ai parlé, avoua Céline, mais…

– Mais il a trouvé une excuse pour pas venir, compléta Brigitte en riant. Il a oublié de vous dire que ce qui lui tentait pas, c'était peut-être de payer quinze piastres par personne pour la soirée. Je connais notre voisin depuis quarante ans. J'ai ben connu aussi son père et sa mère. Chez les Marcotte, l'argent, c'est ben important… ben plus important que n'importe quoi ! C'est pas pour rien que les Marcotte sont riches à craquer. Pierrette et Jocelyn Marcotte étaient durs en affaires et ils ont jamais laissé une chance à personne. Ben, André est un peu pareil. Il a jamais craché, lui aussi, sur un petit profit. Plus gratteux que ça, tu meurs !

– Madame Riopel, protesta Nicole, un peu gênée par la sortie de sa belle-mère, madame Lacombe va croire que vous aimez ça mémérer sur le compte des autres.

– Non, non, protesta faiblement Céline.

– Vous auriez raison, madame Lacombe, fit Brigitte. Mais allez surtout pas penser que je suis une langue sale. Il y a que j'ai ben connu Louise Marcotte, la femme d'André. C'était une sainte femme à qui Pierrette, son mari et André en ont fait voir de toutes les couleurs. Elle avait beau se désâmer du matin au soir à essayer de les satisfaire, ils étaient jamais contents de rien.

– Comment était-elle ? demanda Céline, soudainement très intéressée.

– Louise était la douceur même. Moi, j'ai jamais connu une femme aussi fine qu'elle. Toujours ben coiffée et ben habillée. C'était une belle femme, dévouée, toujours prête à rendre service, bonne cuisinière et bonne mère de famille. C'est ben simple, elle avait pas de défauts, cette femme-là.

– Voyons, madame Riopel, fit sa bru, elle l'a toujours ben planté là avec ses enfants pour aller vivre sa vie ailleurs. C'était sûrement pas une sainte.

– Elle est partie parce qu'elle en pouvait plus. En plus, elle a attendu que ses enfants soient assez grands pour se débrouiller tout seuls. Si je me souviens bien, leur Nicole était déjà partie pour Montréal.

– Comment son mari a-t-il pris ça? demanda Céline Lacombe qui avait ralenti le pas.

– On l'a jamais su exactement. André Marcotte a jamais été ben bavard et comme il a toujours été pas mal orgueilleux, il est jamais venu nous raconter ce qui se passait. Il y a des gens au village qui ont dit qu'il avait essayé de la regagner, mais que ça n'avait pas marché. Il paraît que Louise a jamais voulu revenir vivre avec lui.

– Il a dû trouver ça dur!

– On le sait pas. On sait pas plus ce qui s'est passé exactement. En tout cas, sa sœur Émilie, mariée à un Leclair de Drummondville, était ben amie avec sa femme et elle lui a jamais pardonné ça. Elle le fréquente pas. Elle vient voir sa mère à Saint-Anselme une fois par mois, mais jamais elle s'arrête chez Pascal pour voir son frère.

– Ça doit faire une drôle d'ambiance dans la famille, commenta Céline qui avait eu un aperçu de cette atmosphère lors du souper de Noël.

– Ça, c'est certain, dit Brigitte. Par contre, il faut reconnaître, par exemple, qu'André a jamais essayé de la remplacer, sa Louise. Mais ça a rien changé. Il a fait le vide autour de lui. Il y a juste Pascal qui est resté avec son père. La fille d'André est jamais revenue voir son père. Aujourd'hui, il lui reste juste la vieille Pierrette, son frère, le médecin, son garçon, sa bru et surtout la petite Corinne qu'il a l'air à ben aimer.

Arrivées à l'extrémité du rang, les trois femmes firent demi-tour ensemble.

– Écoutez, je vous ai pas dit ça pour le descendre, dit Brigitte qui regrettait un peu de s'être laissée aller à parler contre son voisin. Je suis certaine qu'il a été un homme ben malheureux. Ça explique juste un peu pourquoi c'est un homme qui vit tout seul, dans son coin.

– Disons que c'est pas l'homme le plus voisineux, ajouta Nicole. C'est pour ça qu'on a été ben surpris de le voir se démener comme il l'a fait quand mon oncle Bruno s'est perdu. On le connaissait pas de même. En plus, Marc nous a raconté tout ce qu'il a fait pour la guignolée.

– On se demandait justement s'il y avait pas une femme qui essayait d'en faire du monde, compléta Brigitte en se tournant vers Céline.

– Pensez pas mal, vous, dit la veuve à demi sérieuse. Je suis juste une amie, pas plus.

– En tout cas, on va ben voir si vous allez finir par être capable de le pousser à la dépense. Celle qui va y arriver va avoir droit à toute une médaille, je vous le garantis.

– Un homme peut changer, dit Céline.

– Oui, c'est ben possible, fit Brigitte avec l'air d'en douter, mais avec certains, ça peut devenir tout un job!

– Et si on rentrait prendre un bon café ben chaud, proposa Nicole. Le vent vient de se lever et on l'a en pleine face.

– O.K., Nicole, mais marche pas trop vite. Oublie pas que je suis vieille, moi.

– Voyons, madame Riopel, je pense qu'on a presque le même âge, fit Céline. On n'est pas encore des vieilles grands-mères qui se traînent avec une canne.

– Juste à vous voir, dit la grosse femme en affichant un air envieux, je me rends ben compte que je suis loin d'être en aussi bonne forme que vous. Il faudrait que je me mette à la diète encore une fois. Ça fait peut-être vingt régimes que je commence et, chaque fois, je le lâche après une couple de semaines. J'aime trop manger. Je deviens folle quand je me prive, pas vrai Nicole?

– C'est pas moi qui va vous dire le contraire, fit en riant la femme de Marc Riopel. La vie devient un enfer dans la maison quand vous vous mettez à suivre les Weight Watchers ou la méthode Montignac.

– Je comprends. J'ai beau manger presque rien, j'engraisse pareil. Pour moi, c'est mes glandes.

Pendant le reste de la promenade, les trois femmes comparèrent les mérites des différents régimes amaigrissants qu'elles avaient suivis.

Une heure plus tard, Céline Lacombe affichait une mine songeuse en rentrant chez elle. Elle avait beau clamer à qui voulait l'entendre qu'André Marcotte n'était qu'un ami, il était devenu tout de même un peu plus que ça. Elle avait fait des efforts méritoires pour amadouer André et sa famille, et elle était sensible à son charme.

Le souper de Noël au restaurant en compagnie de sa mère et de son frère Claude lui avait laissé une étrange impression. Aucune chaleur humaine ne semblait unir les trois êtres. Le médecin célibataire ne paraissait être venu que pour souscrire à une obligation familiale dont il avait hâte d'être débarrassé. Le repas n'avait donné lieu à aucune réelle détente et Céline avait dû briser à plusieurs reprises les longs silences qui s'établissaient entre les convives.

André avait de l'argent, c'était évident. Serait-il vraiment aussi avare que Brigitte Riopel l'avait laissé entendre ? Céline pensa à la Buick vieille d'une dizaine d'années et au costume un peu démodé porté par le sexagénaire le soir de Noël.

Elle se rasséréna soudainement en pensant à l'arrivée prochaine du jour de l'An. «Voilà bien un premier test!» de dit-elle. Elle allait bien voir s'il penserait à lui faire un petit cadeau. S'il oubliait, elle verrait à changer de comportement à son endroit.

Chapitre 15

La grande fête

Alain Riopel avait bien d'autres préoccupations, en cette avant-veille du jour de l'An, que le froid très vif qui s'était abattu depuis la veille sur une bonne partie de la province.

Le mince sexagénaire au crâne dégarni s'était dépensé sans compter durant les derniers jours pour faire de la fête familiale des Riopel un événement dont chacun se rappellerait avec plaisir. En réalité, il travaillait à son organisation depuis la fin du mois de septembre, si on ne tenait pas compte du fait qu'il avait déjà réservé la salle communautaire de Saint-Cyrille au début de l'année précédente.

Il était conscient que cette fête familiale annuelle prenait des proportions de plus en plus inquiétantes. Normalement, la famille Riopel, même élargie, ne représentait qu'une trentaine de personnes. Or, depuis quatre ou cinq ans, les organisateurs avaient ouvert la porte aux amis et aux amis des amis. Les résultats étaient prévisibles: les invités s'étaient multipliés. Pour quinze dollars par personne, on avait trouvé un endroit sympathique où célébrer l'arrivée de la nouvelle année. Par conséquent, l'organisateur avait dû prévoir un buffet pour cent personnes, tout en étant persuadé que ce nombre serait dépassé parce que certains se présenteraient à la porte de la salle communautaire sans avoir pris la peine de réserver.

Malgré tout, le gérant des ventes à la retraite n'avait rien perdu de son enthousiasme, que sa femme et sa fille étaient bien loin de partager.

Pour parler net, la mère et la fille préféraient leur club de bridge et leurs sorties culturelles à Montréal à toute soirée passée en compagnie de la famille Riopel. Elles ne se sentaient aucun atome crochu avec ces gens qu'elles jugeaient sans intérêt. C'est pourquoi Lise Joyal accompagnait le plus rarement possible son mari à leur maison du Carrefour des jeunes, préférant leur demeure plus confortable de Nicolet. Josée, leur fille unique de trente-quatre ans, était encore plus snob et méprisante que sa mère. Elle se servait de son travail de recherchiste à temps partiel à Télé-7 de Trois-Rivières pour regarder tout le monde de haut.

Quand Alain demanda leur aide en cette avant-veille du jour de l'An pour préparer la salle où la fête aurait lieu, Lise et sa fille poussèrent les hauts cris.

– Tu aurais pu engager quelqu'un pour faire ça! s'exclama sa femme encore en robe de chambre à onze heures. T'as voulu te charger d'organiser la fête; débrouille-toi. Nous, on a prévu autre chose cet après-midi.

– Aïe, sacrement! jura Alain. Ça fait vingt ans qu'on organise une fête au jour de l'An; c'est pas nouveau! On fait ça à tour de rôle dans la famille. Cette année, c'est notre tour, un point, c'est toute. Ça fait que vous pouvez oublier vos plans, dit-il en élevant un peu plus la voix. On peut tout de même pas demander toujours aux mêmes de l'organiser, cette fête-là!

– Pourquoi faut-il absolument que ce soit vous, papa? demanda Josée, l'air excédé.

– Pourquoi? Parce que je suis pas chanceux, répliqua Alain en persiflant. Parce que je suis tout seul, moi! J'ai pas d'enfant pour s'en occuper à ma place, moi! Ça fait deux fois que Clément Leroux prend la place de ton oncle Bruno. L'année passée, c'est Marc qui l'a organisée à la place de Cyrille. Mais moi, j'ai pas de garçon pour me remplacer. J'ai même pas de gendre.

– C'est tout de même pas ma faute si…, voulut se défendre la jeune femme.

– Quelle idée de faire ça à Saint-Cyrille aussi! s'exclama sa mère pour éviter que son mari recommence, une fois de plus, une dispute sur le comportement de leur fille. T'aurais pu louer une salle à Nicolet, il me semble, ajouta-t-elle en mordant dans un croissant.

– Imagine-toi donc que toutes les salles étaient déjà réservées depuis un an quand je suis allé voir en janvier. La salle de Saint-Cyrille était la dernière qui restait. Je me trouve même chanceux de l'avoir.

– Toute une chance! laissa tomber dédaigneusement Josée. Quel besoin de se ramasser tous ensemble dans une petite salle où ça va sentir la fumée et la sueur. On n'a rien de commun avec votre famille, papa.

239

– Aïe! toi! Descends de tes grands chevaux, torrieu! Pour qui tu te prends? Il serait peut-être temps que t'aies la tête un peu moins enflée, dit méchamment Alain à sa fille. À trente-quatre ans, t'es même pas encore capable de gagner ta vie et t'es pas mariée. Il faut que je t'aide encore à payer ton loyer. Je te ferai remarquer que tes cousins et tes cousines jouent peut-être pas au bridge trois fois par semaine, mais ils sont tous placés et ils se débrouillent, eux autres.

– Alain! s'exclama sa femme, choquée par la sortie brutale de son mari.

– Toi aussi, il faudrait peut-être que tu reviennes sur terre. Après tout, t'as été élevée sur une terre comme moi. Arrête donc de péter plus haut que le trou. J'ai besoin de vous deux pour décorer la salle cet après-midi et vous allez venir. Préparez-vous.

Les deux femmes accompagnèrent Alain à contre-cœur, arborant un visage boudeur pour bien marquer leur désapprobation.

À leur arrivée à la salle, Alain eut la surprise de découvrir son frère Cyrille et son petit-neveu Mathieu Leroux venus l'aider à préparer la salle.

– Vous étiez pas obligés de venir m'aider, dit Alain, reconnaissant.

– On le sait, fit Cyrille, mais on connaît aussi tout l'ouvrage qu'il y a à faire. L'année passée, t'es venu nous donner un coup de main. On te remet la politesse.

240

L'arrivée de cette aide inattendue ramena un semblant de bonne humeur chez Lise et Josée. Pendant qu'elles suspendaient des guirlandes et étendaient des nappes de papier sur chacune des tables, les hommes plaçaient les chaises et les tables, et gonflaient avec un minicompresseur loué des ballons multicolores qu'ils emprisonnèrent dans un énorme filet qu'ils suspendirent au plafond. Après avoir transporté à l'arrière de la salle les friandises achetées par Alain, ils se félicitèrent de ne pas avoir à se préoccuper de la bière et des boissons gazeuses. Chaque invité avait la responsabilité de s'approvisionner lui-même.

À l'heure du souper, il ne leur restait plus qu'à déposer plusieurs boîtes enrubannées sur une table placée sur la scène. Il s'agissait des surprises promises par Alain.

– On se revoit demain soir, vers huit heures, dit Cyrille en quittant Alain. Si t'as besoin de quelque chose, t'as qu'à appeler à la maison.

– Merci, fit Alain. Je pense ben que tout est paré. J'espère juste une chose : que le buffet commandé suffise.

***

Le lendemain soir, il faisait encore un froid sibérien. Le mercure oscillait autour de $-20\,°C$ et un vent glacial soulevait en tourbillons les quelques centimètres de neige tombés au début de la semaine.

Cette température polaire n'empêcha pas les invités de se présenter nombreux à la salle de Saint-Cyrille, un peu après sept heures. Ils se mirent à arriver les uns après les autres, pressés de se mettre à l'abri du froid. Pendant que les mères houspillaient leurs enfants, les pères peinaient, les bras encombrés d'une lourde glacière remplie de bouteilles de bière et de boissons gazeuses.

Dès son entrée dans la salle, chaque couple ou chaque famille s'arrêtait un instant devant la petite table où Alain Riopel l'accueillait avec le sourire. Le sexagénaire était assis devant la liste des invités. Il cochait le nom de ceux qui avaient déjà acquitté leur écot ou ajoutait les noms des nouveaux arrivants qui s'empressaient de lui tendre l'argent de leur cotisation.

Ensuite, chaque groupe se précipitait vers l'une ou l'autre des vingt grandes tables disposées le long des murs. En déposant sur l'une d'elles sa glacière ou ses sacs, on réservait son territoire pour la soirée. Après cette prise de possession sommaire, on allait tranquillement déposer manteaux et bottes dans la petite cuisine située au fond de la salle, cuisine transformée en vestiaire rudimentaire pour la durée de cette soirée.

Pendant que le couple responsable de l'animation musicale s'installait sur la scène, les enfants se familiarisaient avec les lieux en courant en tous sens et en laissant fuser des cris d'excitation. Pour leur part, les adolescents, curieux, regardaient autour d'eux à la recherche de visages amis. Les parents, libérés quelques instants de leur progéniture, entreprenaient un petit tour de salle, impatients de saluer les parents et les connaissances.

Les membres de la famille Lequerré arrivèrent presque tous en même temps. Aurore et Bruno s'empressèrent d'aller s'installer à la dernière table située au fond de la salle, le plus loin possible des haut-parleurs. Carole et Clément prirent place près d'eux après avoir suggéré à leurs fils de s'asseoir à la table voisine. Ces derniers ne se firent pas répéter l'invitation, peu soucieux de passer la soirée sous l'œil inquisiteur de leur mère. Quelques instants plus tard, Julien et Karine arrivèrent en compagnie de leur fille Anne, âgée de dix-sept ans.

De toute évidence, Anne traversait l'une de ses habituelles périodes de bouderie. L'adolescente alla embrasser sans aucun enthousiasme ses grands-parents, son oncle et sa tante, avant de se laisser tomber sans aucune grâce près de ses deux cousins qu'elle ignora ostensiblement.

Mathieu se pencha vers son frère pour lui chuchoter assez fort pour que leur cousine l'entende :

– J'ai l'impression qu'on va avoir un fun noir à soir si toutes les filles font la baboune de même.

– Énerve-toi pas, lui conseilla son frère, elles peuvent pas toutes être aussi pires qu'elle.

Les deux adolescents s'attirèrent un regard furieux qui les fit ricaner.

Durant quelques instants, l'arrivée de son fils Julien avec sa femme et sa fille procura une distraction à Aurore. Pendant quelques minutes, elle oublia sa principale inquiétude, soit les réactions de Bruno par rapport à toute l'animation et à tout le bruit de cette soirée familiale. La vieille dame était craintive et elle s'en était ouverte à son gendre et à ses frères Cyrille et Alain, la veille. Tous lui avaient promis de surveiller de près son mari durant la soirée.

Karine s'adressa à voix basse à sa belle-mère et à sa belle-sœur pendant que Clément racontait à Julien le type de travail qu'il faisait sur le chantier de la Beaver.

– Ma fille me fait assez honte! J'ose plus sortir avec elle.

– Voyons donc, protesta Carole, elle est pas si pire que ça.

– Non? Regarde-la! Des anneaux dans les sourcils, une pierre dans la narine, cinq boucles d'oreilles et une belle mèche de cheveux bleus! En plus, elle a l'air bête. Qu'est-ce que tu veux de plus?

– T'en fais pas avec ça, lui suggéra Aurore. On a vu pire. T'es maîtresse d'école. Tu dois savoir que ce genre de folie-là, ça finit toujours par passer. À cet âge-là, les jeunes cherchent juste à attirer l'attention.

– Vous devriez aussi raconter ça à votre garçon. Il a beau enseigner à des jeunes, il comprend pas plus que moi ce qui se passe avec elle. Jusqu'à l'année passée, c'était une vraie image. Jamais un mot plus haut que l'autre. Elle nous faisait honneur. Cette année, une vraie tête de cochon. Il y a rien à faire. Julien parle de plus en plus de la placer comme pensionnaire dans un collège privé. Le problème, c'est que ça coûte cher et qu'on n'est pas sûrs qu'elle serait acceptée avec les notes qu'elle a.

– Pourquoi elle boude? demanda Carole, curieuse.

– Mademoiselle voulait pas venir parce qu'elle pense que personne lui va à la cheville.

– Est-ce qu'elle essaie d'imiter Josée Riopel?

– Il manquerait plus que ça, s'empressa de répondre Karine qui n'avait jamais pu s'habituer au snobisme de la fille d'Alain Riopel.

– Occupe-toi pas d'elle, lui dit en souriant Aurore. Son air va ben finir par changer durant la soirée si on n'en fait pas de cas.

– Êtes-vous venus seuls, cette année? demanda Carole à sa belle-sœur pour changer de sujet.

– Non, on a deux couples d'amis de Trois-Rivières qui sont supposés venir et il y a aussi Stéphanie Éthier, une compagne de mon école qui passait sa soirée toute seule. Je lui ai offert de venir fêter l'arrivée du nouveau millénaire avec nous autres. Même si elle est timide, je pense qu'elle va venir.

Deux tables plus loin, Cyrille et Brigitte Riopel vinrent rejoindre leur fils Éric et sa femme Johanne, arrivés quelques minutes avant eux.

– Comment vont les gens de Montréal? demanda Cyrille au couple.

– On va ben, p'pa, dit Éric en serrant la main de son père après avoir embrassé sa mère. Êtes-vous tout seuls?

– Non, Marc et Nicole donnent un coup de main à ton oncle Alain en s'occupant du vestiaire. Ta sœur Sylvie, elle, viendra pas. Il paraît qu'elle avait un party réservé depuis des mois.

– Je pense qu'on l'a pas vue depuis le printemps passé, dit Johanne à sa belle-mère.

– On la voit pas tellement plus, nous autres aussi, dit tristement Brigitte. Depuis son divorce, elle se cherche.

Pendant ce temps, la salle se remplissait lentement. La plupart des tables étaient déjà occupées. Une dizaine de personnes faisaient la queue devant la table d'Alain, un peu débordé par toute cette cohue.

À un certain moment, le sexagénaire leva la tête et il aperçut devant lui Geneviève Biron occupée à retirer ses gants.

– Mais on a de la grande visite! s'exclama Alain en reconnaissant la propriétaire du Rona.

– Bonsoir, monsieur Riopel, le salua la jeune femme en lui souriant chaleureusement. Votre neveu Marc m'a dit la semaine passée que vous accepteriez n'importe qui à votre fête. J'aurais peut-être dû vous appeler pour vous demander si vous aviez de la place pour deux.

– Pour deux?

– Oui, je suis arrivée à persuader notre maire de venir aussi, dit Geneviève en tirant Luc Patenaude qui semblait se dissimuler derrière elle. Il était tout seul, comme moi, la veille du jour de l'An et…

– Il y a pas de problème, comme tu peux le voir, c'est pas deux de plus ou deux de moins qui vont faire une différence, lui dit Alain en lui montrant la salle déjà passablement peuplée. Il vous reste juste à vous trouver des places libres. S'il y en a pas, faites-vous en pas, on va monter une autre table.

Geneviève Biron et le maire allèrent déposer leur manteau et leurs bottes au vestiaire avant de se mettre à la recherche de deux chaises libres. Ils les découvrirent à la table occupée par Richard Bergeron, Jocelyne et leur fils Sylvain. La jeune femme s'empressa de leur demander s'ils pouvaient s'asseoir avec eux. Elle connaissait assez ce cousin de son oncle Pierre pour se sentir à l'aise en sa compagnie et en celle de sa femme et de leur fils.

– Vous êtes les bienvenus, fit Jocelyne avec un grand sourire.

– Mon Dieu, on doit pas être loin d'une centaine de personnes, fit Geneviève en s'assoyant en face de Richard et de sa femme. Les gens ont l'air de bonne humeur. Ça promet toute une soirée.

– Attends que le monde commence à danser; tu vas t'apercevoir que ça bouge pas mal, lui répondit Sylvain en changeant de chaise pour permettre à Luc Patenaude de s'asseoir près de la jeune femme. Là, les gens sont pas encore réchauffés.

Pendant que Geneviève s'entretenait avec les Bergeron, Luc Patenaude se demandait pour la centième fois depuis son arrivée dans la salle s'il avait bien fait d'accepter d'accompagner la jeune femme à cette soirée. Il craignait que cela laisse supposer entre eux des liens qui n'existaient pas. Il appréciait la vivacité d'esprit et le sens de l'humour de Geneviève, mais sa façon de s'imposer à lui le mettait un peu mal à l'aise. Il n'était pas stupide au point de ne pas s'être rendu compte de quelle manière elle avait manœuvré pour qu'il l'invite au restaurant le soir de Noël. Cette invitation avait alors ouvert la porte à cette soirée qu'elle lui offrait en retour. Bref, il avait un peu l'impression d'être tombé dans ses filets sans le vouloir.

Le maire jeta un coup d'œil à la jeune femme assise près de lui. Cependant, il n'y avait pas à en douter : elle était séduisante. Son épaisse chevelure noire bouclée et sa robe de soirée vert émeraude mettaient en valeur son teint pâle. Là n'était pas le problème. Ce qui lui faisait peur, c'était qu'elle était un peu trop sûre d'elle-même.

– On m'a dit que votre garçon a été pas mal malade, dit Geneviève en se tournant vers Jocelyne. Est-ce qu'il va mieux ?

– Je pense que oui, dit Jocelyne, après un instant d'hésitation. Il est resté à la maison un peu plus qu'un mois pour se remettre d'aplomb. Il est reparti chez lui, à Trois-Rivières, avant-hier. Il n'avait pas engraissé, mais il avait hâte de se retrouver dans ses meubles.

En effet, l'avant-veille, Jean-Pierre avait insisté pour retourner dans son appartement. Il se sentait en meilleure forme physique, disait-il. À bout d'arguments pour le retenir près d'elle, mais le cœur serré, Jocelyne avait dû accepter de le laisser partir en compagnie de Sylvain. Le jeune homme avait promis de l'appeler chaque jour pour lui donner de ses nouvelles.

Soudainement, les animateurs de la soirée s'emparèrent du micro pour saluer l'assistance avant de faire jouer la première pièce musicale. La soirée tant attendue commençait. Marc et Nicole quittèrent le vestiaire pour rejoindre leur famille, tandis qu'Alain rangeait la petite table derrière laquelle il avait été assis pendant plus d'une heure.

L'organisateur de la soirée repéra sa femme et sa fille assises toutes les deux à la première table, à droite, à l'avant de la salle.

– Je dois aller appeler le traiteur, leur dit-il en se frottant les mains. Si j'attrape pas la grippe après être resté une heure dans ce maudit courant d'air, je vais être chanceux. En tout cas, on est cent treize personnes, s'il arrive pas encore du monde… C'est sûr qu'on va manquer de nourriture. Je vais essayer d'en faire préparer un peu plus par Ulbric. J'espère que je suis pas trop tard.

– Pauvre Alain, tu vois bien que c'est rendu que ça n'a plus d'allure ce genre de soirée-là, dit aigrement Lise. On connaît même pas 10 % des gens qu'il y a ici.

– En plus, la plupart font dur, laissa tomber dédaigneusement Josée. Une bouteille de bière dans les mains et la cigarette au bec, c'est ce qu'on appelle avoir de la classe. Je pense que c'est pire que l'année passée.

– Laissez faire vos remarques, vous deux, dit abruptement Alain. Ils sont venus s'amuser et ils ont payé pour ça. Vous devriez faire le tour de la salle pour parler un peu au monde. Oubliez pas que c'est vous autres qui les recevez.

– Ben non, par exemple, s'insurgea Lise. Si ça t'amuse de le faire, fais-le. Moi, je passerai pas ma soirée à faire des sourires à du monde que je fréquente même pas d'habitude.

Alain leur jeta un regard mauvais avant de les planter là pour aller téléphoner à son traiteur.

En moins d'une heure, l'ambiance dans la salle se transforma. La température s'éleva de plusieurs degrés à cause de tous ces corps entassés et un épais nuage de fumée se mit à planer, nettement visible dans les faisceaux des lumières stroboscopiques installées par les animateurs. Le niveau sonore très élevé de la musique forçait les gens désireux d'entretenir une conversation à pratiquement crier. Alain eut beau aller demander aux responsables, à plusieurs reprises, d'abaisser le son, ce dernier revenait rapidement à son niveau initial.

Durant les premières heures, les animateurs, soucieux de faire danser aussi les personnes d'un certain âge, alternèrent les «sets carrés» et les «slows» avec les «danses en ligne» et la musique rock attendue impatiemment par les plus jeunes. Quand ils se rendirent compte que la piste de danse était de plus en plus abandonnée aux mains des jeunes, ils s'employèrent à satisfaire les exigences de ces derniers.

Pour permettre un renouvellement de l'air, on entrouvrit une ou deux fenêtres, ce qui eut au moins le mérite de permettre de dissiper une partie de la fumée. Peu à peu, les bouteilles vides de bière, de vin et de boissons gazeuses s'amoncelaient sur et sous les tables. Certains invités buvaient abondamment, autant pour se rafraîchir après avoir dansé que pour fêter.

Au milieu de la soirée, Sylvain Bergeron croisa une jeune femme à la sortie du vestiaire. Elle semblait être à la recherche de quelque chose.

– Est-ce que je peux vous aider? lui demanda-t-il.

– Je cherche un endroit où je pourrais acheter du 7 Up, dit la femme, une petite brune à la figure ronde.

– J'ai ben peur que vous trouverez rien à acheter ici, dit Sylvain.

– Si c'est comme ça, je suis condamnée à mourir de soif, fit-elle, avec un sourire désarmant. On m'avait pas avertie qu'il fallait que j'apporte ce que je voulais boire.

–   Votre mari ou votre ami y a pas pensé non plus d'après ce que je peux voir.

– Je suis venue seule.

– Attendez, dit Sylvain, beaucoup moins réservé qu'à l'ordinaire après avoir ingurgité quelques bouteilles de bière. Je suis spécialisé dans le sauvetage des femmes seules. Je peux peut-être faire quelque chose pour vous. Ah! j'oubliais. Je m'appelle Sylvain Bergeron et je viens de Saint-Anselme.

– Je m'appelle Stéphanie Éthier et j'habite à Trois-Rivières. Je suis une amie de Karine Lequerré…

– Mais je connais ben son mari! On a toujours été voisins. Venez jusqu'à ma table, j'ai toute une provision de 7 Up, de Coke, de bière et de vin. Je vous offre autant de verres de 7 Up que vous voulez.

– Écoutez, je veux pas avoir l'air d'une quêteuse, protesta Stéphanie.

– Vous en êtes pas une; vous me sauvez. Je m'ennuie à mourir, assis tout seul à côté de mon père et de ma mère, à endurer une musique qui me casse les oreilles.

Stéphanie Éthier, reconnaissant instinctivement quelqu'un dans la même situation qu'elle, lui adressa son plus beau sourire et le suivit jusqu'à sa table qui, par chance, était temporairement désertée. Luc Patenaude et Geneviève Biron dansaient. Richard et Jocelyne étaient allés s'entretenir quelques minutes avec les Riopel, assis à une table voisine.

Sylvain offrit une chaise et un grand verre de boisson gazeuse à Stéphanie. Il tenta de converser avec elle malgré le tumulte.

– Vous enseignez comme Julien et sa femme? lui demanda-t-il.

– Oui, mais moi, j'enseigne en 2e année, pas en 6e comme Karine.

– Vous aimez ça?

– Oui.

– Vous avez l'intention de faire ça toute votre vie ?

– Non. Je suis prête à m'occuper des tout-petits jusqu'à mon mariage. Après, je veux rester à la maison et élever mes enfants.

– Dites-moi pas que des femmes comme vous, ça existe encore ? fit Sylvain à demi sérieux.

– Ça en a tout l'air, dit Stéphanie en le regardant d'un air mutin. Je pense même qu'il y en a bien plus que vous le croyez.

– J'en reviens pas, dit le jeune homme. Est-ce que ça vous dérangerait ben gros si je vous servais de cavalier le reste de la soirée ? Oubliez pas que j'ai une ben belle qualité : j'ai encore deux grosses bouteilles de 7 Up.

– Là, vous me prenez par les sentiments. Je peux vraiment pas refuser une offre pareille, accepta Stéphanie, sans façon et en riant. Mais j'y mets une condition : on se tutoie. Attends-moi et surveille ta provision de 7 Up pendant que je vais dire deux mots à Karine pour qu'elle ne me cherche pas.

– Est-ce que je peux y aller avec toi si j'apporte avec moi ma provision ? demanda Sylvain, réjoui par l'humour de la jeune femme. Je voudrais pas que tu te trompes de table en revenant.

Quelques minutes plus tard, Sylvain Bergeron présenta Stéphanie Éthier à son père et à sa mère adoptive de retour à leur table avant d'entraîner la jeune enseignante sur la piste de danse.

— Je danse mal, s'excusa-t-il auprès d'elle, mais c'était le seul moyen d'échapper à l'enquête que la femme de mon père allait commencer.

— Ça tombe bien, fit Stéphanie, moi aussi, j'ai jamais su très bien danser.

Vers onze heures, au moment où Alain Riopel allait demander aux deux animateurs d'arrêter la musique pour procéder au tirage des cadeaux surprise disposés sur une table installée près d'eux, sur l'estrade, son frère Cyrille l'avertit que le traiteur venait d'arriver.

— Occupe-toi du tirage, dit-il à sa fille Josée en passant devant la table où elle était assise. T'as qu'à demander à des enfants dans la salle de tirer les billets que j'ai mis dans la boîte sur la table. Les gens ont dû garder l'autre moitié que je le leur ai donnée lorsqu'ils sont arrivés.

— Comment je dois faire? demanda la jeune femme, prise de court par la demande inattendue de son père.

— Voyons, maudit! C'est pas ben compliqué! On dirait que t'as les deux pieds dans la même bottine. Tout ce que t'as à faire, c'est de donner le numéro et de laisser le gagnant choisir le cadeau qu'il veut sur la table. Sers-toi du micro pour être ben entendue.

Sur ces mots, le père quitta sa fille et se dirigea vers le vestiaire où Cyrille, Bruno Lequerré, Pierre Bergeron, Marc Riopel et Clément Leroux aidaient déjà le traiteur à transporter les bols de salade et les plateaux de sandwiches, de fromage et de viandes froides qu'ils posaient sur le comptoir et sur des tables dans la petite pièce.

— Vous feriez ben mieux de vous habiller un peu, dit Alain. Vous allez attraper une pneumonie à aller dehors sans manteau, comme ça.

— Inquiète-toi pas, fit Cyrille. On a presque fini. Il reste juste à rentrer deux ou trois plateaux et les deux grosses cafetières.

Le gros Georges Ulbric, le traiteur de Drummondville, fut le dernier à entrer dans le vestiaire, les bras chargés.

— Avez-vous pu m'ajouter des sandwiches? lui demanda Alain, inquiet. Il est venu plus de monde que j'en attendais.

— Oui, des sandwiches, du fromage et même du dessert. Ayez pas peur, je pense même que vous allez en avoir de trop.

Alain le paya et Ulbric quitta les lieux avec la promesse de l'organisateur de la fête de lui rapporter ses plateaux et ses cafetières dès le lendemain du jour de l'An.

— On va souffler un peu, déclara Alain à ses aides. On mettra pas la nourriture sur les tables avant une heure du matin. J'ai demandé à Josée de s'occuper du tirage et on en a pour quelques minutes avant que la musique recommence. Ici, il fait pas mal moins chaud que dans la salle.

– Il y a pas à dire, fit Cyrille en s'assoyant sur le coin d'une table, il va falloir mettre des limites l'année prochaine. C'est rendu que ça a plus de bon sens. On va finir par plus trouver une salle assez grande pour mettre tout notre monde.

– On va y voir de bonne heure pour l'année prochaine, ajouta son fils Marc, qui organiserait probablement la fête de 2001. Qu'est-ce que vous diriez si on avertissait tout le monde dès ce soir qu'on ne pourra pas prendre plus que soixante-quinze personnes l'année prochaine? Comme ça, ceux qui tiennent à venir vont retenir vite leur place et il y aura pas de surprise.

– C'est plate à dire, mais c'est ce qu'il va falloir faire, consentit son oncle Alain. C'est de valeur qu'on soit obligé de couper. Il y avait de plus en plus de monde qui avait l'air d'aimer venir à nos soirées du jour de l'An.

– Il y en a peut-être à qui ça va donner l'idée d'en organiser dans leur famille, mon oncle, conclut Marc avec un certain bon sens.

Après cet échange, Marc et Clément Leroux quittèrent le vestiaire en disant vouloir assister à ce qui restait du tirage.

– S'il y a moins de monde, on aura peut-être aussi moins chaud, dit avec effort Bruno, qui n'avait pratiquement pas ouvert la bouche de la soirée.

– Je pense qu'on vieillit, fit son beau-frère Cyrille. Avez-vous vu qu'on est les seuls hommes à porter encore un veston et une cravate. C'est peut-être pour ça qu'on dégoutte, même si on danse pas.

– C'est sûr qu'on n'est plus des jeunesses, fit Pierre Bergeron; mais on n'est pas morts non plus.

– Vous savez à quoi je pense la veille de chaque jour de l'An? leur demanda Cyrille en changeant totalement de sujet. Je pense à la bénédiction paternelle.

– Moi aussi, dit son frère, nostalgique. Tu te rappelles comment p'pa était content quand on la lui demandait le matin du jour de l'An. Quand il nous regardait, à genoux devant lui, il avait toujours les larmes aux yeux.

– Moi, j'ai pas connu ça, fit Pierre Bergeron. Chez nous, c'était pas dans nos traditions.

– Remarque que c'était peut-être une tradition chez nous, fit Alain Riopel, mais ça ne nous a jamais empêchés de nous chicaner chaque matin du jour de l'An pour savoir qui demanderait la bénédiction. Nous autres, on voulait que ce soit Aurore: c'était la plus vieille. Aurore disait que c'était à Cyrille, le plus vieux des garçons, de la demander. Chaque année, c'était la même histoire. M'man était obligée de se fâcher et de nous menacer d'une punition pour arrêter ça.

– En tout cas, c'était une ben belle tradition, fit Alain.

– Ouais, une autre tradition qui est disparue, répliqua son frère avec une certaine amertume. Marc et Éric ont arrêté de me la demander à huit ou neuf ans, même si Brigitte y tenait. Quand j'ai vu qu'ils trouvaient ça niaiseux, j'ai plus voulu, moi non plus. J'ai peut-être eu tort.

– Moi, j'avais juste Josée, ajouta son frère. Lise ne croyait pas à ça. Elle disait que la mère pouvait donner cette bénédiction-là aussi ben que le père. Résultat : pas de bénédiction.

Pierre Bergeron et Bruno les écoutaient sans très bien saisir l'importance qu'avait cette bénédiction paternelle pour ces deux sexagénaires… mais pour des raisons bien différentes.

Dans la salle, la musique avait repris, signe que le tirage était terminé.

– Je pense qu'on est mieux de retourner dans la salle, dit Alain en consultant sa montre. Il va être minuit dans cinq minutes.

Les trois hommes rentrèrent dans la salle. Alain verrouilla la porte derrière lui, peu intéressé à ce que des invités viennent piller le buffet avant l'heure.

Au centre de la salle, une trentaine de danseurs se trémoussaient au rythme d'un «twist» endiablé des années 60.

– Est-ce que je peux m'occuper du filet plein de ballounes ? demanda Mathieu, venu rejoindre son grand-oncle Alain.

– Pas de problème, répondit le sexagénaire. Tu sais comment faire pour le détacher ? Tu l'as installé avec nous autres avant-hier.

Une minute avant minuit, la musique s'arrêta brutalement. Les conversations s'éteignirent progressivement.

258

Les enfants suspendirent un instant leurs poursuites folles entre les tables. L'un des animateurs s'empara alors du micro et il initia un compte à rebours en insistant sur le fait qu'il marquait la fin d'un siècle et le début d'un nouveau millénaire. Les gens se levèrent et entreprirent le décompte avec un enthousiasme croissant.

À minuit juste, le chahut devint indescriptible. Toutes les lumières s'allumèrent. Une centaine de ballons de toutes les couleurs tombèrent sur la foule, pour la plus grande joie des enfants. On lança des confettis. Les gens se précipitèrent les uns vers les autres, impatients d'échanger des vœux de bonne année.

Les personnes s'embrassaient, se serraient la main et se souhaitaient une bonne santé, la prospérité et du bonheur.

— On est aussi ben d'en profiter, dit Aurore à sa belle-sœur Brigitte en riant, parce que j'ai ben l'impression qu'il y a pas beaucoup de chance qu'on soit là pour fêter le prochain siècle.

À une extrémité de la salle, Geneviève Biron embrassa Luc Patenaude avec une tendresse qui émut le jeune maire. Tout près d'eux, Sylvain Bergeron, soudainement redevenu timide, eut un moment d'hésitation face à Stéphanie. Il ne savait s'il devait l'embrasser sur les joues ou sur les lèvres. La jeune femme trancha pour lui et posa ses lèvres sur les siennes. Le jeune cultivateur en fut tout retourné.

La musique reprit. Les enfants se lancèrent dans une course effrénée pour s'emparer des ballons que certains adultes s'amusaient à faire éclater. À plusieurs tables, on sortit des glacières et on déboucha les bouteilles de champagne apportées exprès pour célébrer ce moment exceptionnel: le passage au nouveau millénaire. On versa le vin pétillant dans des coupes en plastique et on trinqua bruyamment au nouveau millénaire qui venait de commencer. Certains s'empressèrent d'en offrir généreusement aux occupants des tables voisines.

Pendant ce temps, à une extrémité de la salle, une douzaine de bénévoles s'étaient mis à dresser les tables du buffet et à disposer sur elles les plateaux de nourriture livrés par le traiteur.

En quelques minutes, des dizaines de personnes se mirent en rang devant le buffet, impatientes de goûter à tous ces plats appétissants. Lorsqu'un resquilleur feignait d'ignorer la file et osait s'emparer d'un sandwich en passant, il soulevait un tel tollé de protestations indignées qu'il s'empressait de prendre la fuite. Finalement, Alain Riopel et sa femme invitèrent les gens à garnir leur assiette.

Ces derniers ne se firent pas répéter l'invitation. En quelques instants, ils prirent d'assaut le buffet. La plupart des invités avaient faim. Ils surchargèrent leur assiette de différentes salades, de sandwiches, de fromage, de viandes froides, de crudités et d'autres bonnes choses. Pour les taquiner, un parent ou un ami simulait parfois le geste de se servir au passage dans leur assiette au moment où ils entreprenaient leur retour périlleux vers leur table. Les cris de protestation du propriétaire de l'assiette étaient suivis par des éclats de rire moqueurs.

La vue de toute cette nourriture finit par avoir raison des derniers danseurs qui abandonnèrent la piste de danse pour prendre place dans la file des affamés qui attendaient leur tour avec une impatience grandissante.

Finalement, tout le monde parvint à se servir généreusement et il y eut très largement assez de nourriture pour tous. Durant de longues minutes, les invités purent profiter des joies de la conversation en buvant un dernier café sans avoir à supporter une musique tonitruante.

Pendant que quelques gourmands retournaient se servir au buffet, les animateurs de la soirée reprirent leur travail après s'être restaurés. Ils firent jouer leurs dernières pièces musicales. Toutefois, ils ne parvinrent à entraîner sur la piste que quatre ou cinq couples de jeunes infatigables.

Après le repas, il était bien évident que le rythme de la fête était brisé. La fatigue était soudainement apparente chez la plupart des gens. Si les personnes âgées avaient les jambes lourdes, pour leur part, beaucoup de jeunes enfants pleuraient à la moindre contrariété. Quelques-uns, épuisés, s'étaient même tout simplement endormis, appuyés sur leur mère.

Vers deux heures et demie, quelques personnes se mirent à rassembler leurs effets personnels avant de se diriger lentement vers le vestiaire pour récupérer leur manteau et leurs bottes. Ce fut comme un signal attendu. Il y eut alors comme un sursaut d'énergie. Des pères, chargés d'une glacière moins lourde qu'à l'arrivée, s'empressèrent d'aller démarrer l'auto pendant que leur femme pressait les enfants de s'habiller. Les invités les plus serviables oublièrent durant quelques minutes leur fatigue pour aider au nettoyage de la salle.

Pendant que les animateurs rangeaient leur matériel, quelques personnes, munies de sacs verts, se mirent à débarrasser chaque table des reliefs du repas qu'on venait d'y prendre. Lise, Aurore et Brigitte voyaient à ce que les restes du buffet ne soient pas gaspillés. L'épouse d'Alain partageait également cette nourriture en trois parts égales, nourriture qui formerait probablement l'essentiel des repas du jour de l'An dans les trois familles.

Peu à peu, la salle se vida. La plupart des invités prirent la peine de venir remercier les organisateurs de la fête avant de prendre congé.

À trois heures et demie, il ne resta plus dans la salle que la famille immédiate. Avant de se quitter, on se souhaita encore une fois une bonne année et surtout, une bonne journée de repos. Il allait de soi qu'on allait dormir de longues heures, mais après avoir fait le train.

Chez les Lequerré, Clément et ses deux fils persuadèrent facilement le vieux Bruno d'aller se coucher dès leur arrivée à la maison. Le père et ses deux fils attendraient encore une heure avant d'aller traire les vaches et les nourrir.

Chez les Riopel, Éric et Johanne avaient décidé de coucher chez leurs parents. L'acheteur des épiceries Métro tint absolument à aider son frère Marc à faire le train, permettant ainsi à son père d'aller enfin se coucher.

***

Richard et Jocelyne Bergeron rentrèrent seuls. Sylvain avait décidé d'aller conduire Stéphanie Éthier chez elle, à Trois-Rivières. La jeune femme s'était empressée de prévenir de cet arrangement le couple d'amis qui l'avait amenée à la fête. Au moment de quitter la salle, le jeune homme promit à son père d'être de retour à temps pour l'aider à soigner les animaux.

– On dirait que la petite Éthier lui est tombée dans l'œil, dit Jocelyne en pénétrant dans la maison.

– Faut pas aller trop vite; il vient de la rencontrer, dit Richard.

– En tout cas, c'est ben la première fois que je vois notre Sylvain manger une fille des yeux comme ça. À trente et un ans, moi, je trouve qu'il est temps qu'il sorte de la maison et qu'il cherche à se caser.

Richard préféra ne rien ajouter.

***

Quand Alain Riopel déverrouilla la porte de sa maison du Carrefour des jeunes, la fatigue lui tomba brusquement sur les épaules.

– Une chance qu'on n'a pas de train à faire, nous autres, dit-il à sa femme et à sa fille.

– Il manquerait plus que ça! s'exclama Lise en enlevant ses souliers à talons hauts avec un soupir d'aise. Il y a déjà bien assez qu'on va passer notre jour de l'An à la campagne.

– À la campagne? Réveille! On est à vingt milles de Nicolet. C'est pas un chalet, ici, c'est une maison confortable.

– Oui, je sais tout ça et j'ai pas le goût de discuter à cette heure-là, fit Lise. J'espère que t'as pas dans l'idée d'aller faire aujourd'hui le reste du ménage de la salle. Ça ferait tout un beau jour de l'An.

– On verra ça quand on se lèvera, déclara Alain en se dirigeant vers leur chambre à coucher.

– En tout cas, comptez pas sur moi pour vous aider si vous avez l'idée de faire ça aujourd'hui, dit Josée en retirant ses boucles d'oreilles. Je suis invitée à souper chez des amis.

***

Le 1er janvier de l'an 2000, le soleil se leva dans un ciel sans nuage. Le froid n'avait pas relâché son emprise. Il y eut bien peu de fidèles à la messe de neuf heures officiée par le curé Gingras.

Dans le village de Saint-Anselme, on ne vit vraiment les premiers signes de vie qu'au début de l'après-midi quand des jeunes, fatigués de s'amuser à l'intérieur, sortirent pour aller jouer au hockey sur la patinoire extérieure située derrière l'école.

Malheureusement pour Céline Lacombe, le premier jour de l'An du nouveau millénaire fut l'un des plus tristes et des plus solitaires de sa vie. Mis à part l'appel de sa fille au milieu de l'avant-midi, personne ne pensa à elle. Elle attendit toute la journée un signe de vie d'André Marcotte, mais il ne se manifesta pas. À l'heure du souper, elle refusa de s'apitoyer plus longtemps sur son sort. Elle mit sa plus belle robe, se maquilla avec soin et se coiffa avant de monter à bord de sa voiture. Elle partit pour Drummondville, bien décidée à découvrir un restaurant capable de lui servir un bon souper.

Chapitre 16

Un début d'année mouvementé

Le premier mois de l'an 2000 en fut un de grands vents, de froids intenses et de neiges abondantes. De mémoire, les plus vieux habitants de Saint-Anselme ne se souvenaient pas avoir connu un pareil mois de janvier.

Le tintamarre provoqué par le passage de l'une ou l'autre des deux charrues municipales était devenu quotidien.

À la fin du mois, il y avait longtemps que les dernières décorations extérieures des fêtes avaient disparu. L'excitation suscitée par le début d'un autre millénaire n'était plus qu'un vague souvenir. Tout semblait être enfoui sous la neige. Dans tous les foyers, on avait repris le train-train habituel dans la grisaille d'un hiver rigoureux.

Adrien Beaulieu était l'un des rares villageois à braver le froid et la neige tous les matins pour effectuer sa promenade quotidienne. La température inclémente n'avait pas incité le septuagénaire à en retrancher un seul pas. Chaque matin, on pouvait le voir longer les bancs de neige, la tête protégée par son casque de fourrure et les mains enfouies profondément dans les poches de sa canadienne grise. Il était invariablement le premier client du restaurant Cardin à venir prendre place sur l'un des six tabourets de moleskine rouge vin placés devant le comptoir en formica.

Quelques minutes plus tard, la vieille Dodge blanche de Gilles Gagné s'arrêtait devant le restaurant et son propriétaire s'empressait de venir se réchauffer à l'intérieur en compagnie de son passager, Richard Miron. Habituellement, Céline Lacombe était la dernière habituée à faire son apparition.

– C'est normal, disait Gagné pour la taquiner. C'est une femme et une femme, tout le monde le sait, ça a besoin de plus de temps pour se rendre présentable.

En ce lundi, 31 janvier, une épaisse couche de nuages empêchait les rayons du soleil de filtrer. L'atmosphère était plutôt morose. Il n'y avait que Daniel Cardin, le propriétaire, qui affichait son air jovial coutumier en servant le café et les rôties.

À l'entrée de Gagné et de Miron, l'ex-maire déposa devant lui sa tasse de café fumant.

– Dites donc, les petites natures, est-ce que vous avez peur de faire quelques pas dehors parce qu'on gèle? demanda-t-il narquois.

– C'est pas le problème, répliqua le grand Gilles Gagné. Il faut que je fasse tourner le moteur de ma Dodge tous les matins, sinon elle veut rien savoir de la journée pour partir. En plus, comme les trottoirs sont pas déneigés de l'hiver, j'ai pas envie de me faire ramasser par la charrue en marchant dans la rue, moi. Je tiens ben trop à ma peau.

— Même si elle est vieille, compléta Miron en faisant un clin d'œil à Adrien Beaulieu.

— Tiens, v'là ton chum qui arrive, dit Gilles Gagné à son voisin en désignant du pouce Aurèle Lupien qui venait dans leur direction après avoir abandonné la charrue devant le restaurant.

La porte du restaurant s'ouvrit sur le quadragénaire dont la longue moustache grise était toute hérissée.

— La porte! hurla Richard Miron en guise de plaisanterie.

Lupien ferma précipitamment la porte derrière lui.

— Salut la compagnie, dit le contremaître municipal en s'approchant du comptoir. Daniel, fais-moi donc des toasts et donne-moi un café, fit-il à l'adresse du gros restaurateur.

— Comment ça va, Aurèle? lui demanda Miron.

— Tu parles d'un maudit hiver de fou, fit Lupien.

— Ouais, dit Gagné. Il me semble que depuis qu'ils donnent à la météo le frette avec le facteur vent, c'est encore plus frette qu'avant.

– Ils ont raison de parler du vent, sacrifice! Depuis quinze jours, mon homme et moi, on est obligés de se lever à trois heures du matin pour aller ouvrir les chemins, qu'il neige ou pas. Le vent s'amuse à charrier la neige d'un bord à l'autre de la route. Je pense que depuis le commencement du mois, c'est presque toujours la même maudite neige qu'on repousse sur le bord du chemin.

– Ah! mais il y en a de la nouvelle aussi si on se fie à la hauteur des bordures, rectifia Miron.

– Ça, tu peux le dire. Ce que j'aime pas là-dedans, c'est que le monde est obligé de marcher dans les rues du village et avec les trucks qui travaillent au barrage, il y a quelqu'un qui va finir par se faire écraser.

– C'est surtout dangereux pour les enfants, dit Céline en levant les yeux du *Journal de Montréal* qu'elle était en train de lire, tranquillement assise à sa table habituelle.

– Le maire est encore allé se plaindre à l'ingénieur et il lui a demandé de parler aux conducteurs pour qu'ils modèrent leurs transports quand ils traversent le village, dit le contremaître municipal. À force d'y aller, il va peut-être finir par lui faire comprendre… On avait demandé à la SQ de venir surveiller un peu: ça a rien donné. En tout cas, avec ce qui est arrivé la nuit passée au jeune Rousseau, il va ben falloir que la police se réveille.

Toutes les personnes présentes se tournèrent vers Aurèle Lupien, curieuses de savoir ce qui avait bien pu arriver au garagiste du village.

269

– Qu'est-ce qui est arrivé à Rousseau? demanda Miron.

– La nuit passée, en revenant de gratter le rang Saint-Édouard, j'ai aperçu deux «skidoo» noirs devant les pompes de Rousseau. Il y avait deux gars en train de remplir tranquillement des dix gallons. Je me suis ben rendu compte que c'était pas normal. Le temps que je tourne dans le stationnement de l'église et que je revienne, les deux machines avaient pris le bord et descendaient la côte. Je pouvais pas les suivre avec la charrue. Du haut de la côte, je les ai vus traverser le pont et prendre le rang Saint-Édouard.

– Et après, qu'est-ce que t'as fait? demanda Gilles Gagné.

– Je suis revenu au garage municipal et j'ai appelé Rousseau pour qu'il vienne constater les dégâts. Je suis allé le rejoindre devant son garage. Je vous dis que le jeune était pas content. Les voleurs avaient arraché le cadenas qui barrait ses pompes et, en plus, ils avaient défoncé la petite porte du garage. D'après Rousseau, ils lui ont volé son gros coffre d'outils. Je vous dis que ça a pas traîné; il a appelé la SQ de Drummondville. La police a dû y aller à l'heure qu'il est.

– En tout cas, moi, j'ai rien vu, dit Gagné. Et vous, madame Lacombe? Vous restez encore plus près du garage que nous autres.

– Comment voulez-vous voir quelque chose avec la hauteur des bancs de neige qu'il y a sur le bord de la rue Principale? Quand on regarde par la fenêtre, on a

270

l'impression d'être dans une prison. En plus, j'ai pas votre âge, moi, monsieur Gagné; la nuit, je suis encore capable de dormir.

Gilles Gagné allait répondre par une remarque cinglante quand son voisin le devança.

– Je me demande si c'est pas… commença à dire Miron.

– Fais ben attention à ce que tu vas dire, le mit en garde son vieil ami Gagné.

– Si vous pensez à Léo Benoît et à son gars, vous pensez la même chose que Rousseau, poursuivit le contremaître municipal, peu soucieux de prendre des précautions oratoires. Quand je lui ai montré le chemin que les voleurs ont pris et que je lui ai parlé des «skidoo» noirs, il a tout de suite pensé aux Artic Cat des Benoît. Je serais pas surpris qu'il en ait parlé aux enquêteurs, s'il les a rencontrés.

– Il faut dire que ça surprendrait personne. On connaît tous les Benoît, fit Miron avec une grimace. Quand c'est pas le père qui est en dedans, c'est le garçon. Je suis certain que s'il y avait une enquête sur la dizaine de minounes entassées dans sa cour, on découvrirait que la moitié sont des chars volés.

– Il y en a qui pensent qu'ils vendent de la drogue, ajouta Gilles Gagné en baissant la voix. Il paraît que ça voyage pas mal dans le rang Saint-Joseph, la nuit.

Il y eut un bref silence qui ne fut brisé que par le bruit du grille-pain éjectant des rôties.

– Est-ce que quelqu'un va me raconter un jour ce qui s'est passé hier avec Jean-Guy Trudeau, demanda Daniel Cardin en changeant totalement le sujet de conversation.

Un tel éclat de rire général salua sa question que le gros restaurateur en resta sans voix, tant il fut surpris par la réaction de ses clients.

– Qu'est-ce qu'il y a de si drôle? demanda-t-il. Ça fait deux fois que j'en parle depuis hier et chaque fois, le monde se met à rire. Est-ce qu'il y a quelqu'un qui va finir par dire ce qui s'est passé?

– C'est un gros problème de moumoute, dit Gilles Gagné, pris d'un fou rire.

Jean-Guy Trudeau était tout un personnage. Il n'y avait pas un habitant de Saint-Anselme qui ne le connaissait pas. Ce quinquagénaire grand et maigre était vendeur de machinerie agricole à Nicolet. Il avait l'entregent et le bagout des gens qui exerçaient son métier. Partout où il allait, impossible de ne pas le remarquer. Jean-Guy parlait fort et cherchait à se rendre indispensable. Il faut reconnaître, en toute honnêteté, que l'homme était surtout connu pour se dépenser sans compter dans plusieurs organismes.

À dire vrai, son unique point faible apparent était sa vanité. Or, une calvitie précoce – calvitie qu'il n'avait jamais acceptée – l'avait incité, plusieurs années auparavant, à se procurer en catastrophe une affreuse perruque noire de très mauvaise qualité pour dissimuler son crâne dénudé.

Les gens ne s'étaient jamais tout à fait habitués à lui voir arborer cette prothèse capillaire beaucoup plus propre à attirer l'attention sur la calvitie de Jean-Guy Trudeau qu'à la dissimuler. Il faut mentionner que l'instrument – si on peut l'appeler ainsi – était constitué de cheveux que rien ne semblait capable de discipliner. Cette perruque présentait deux caractéristiques étranges: elle rebiquait toujours et surtout, elle avait une nette tendance à se déplacer aux moments les plus inopportuns, au grand dam de son propriétaire. Bref, ce dernier avait beau la lisser et en vérifier la position dix fois par heure, on sentait qu'elle l'inquiétait au plus haut point.

– Bon, tu connais Jean-Guy Trudeau, fit Gilles, bien décidé à satisfaire la curiosité de Daniel Cardin. Hier, c'est lui qui était chargé de l'animation pastorale de la messe. Après le sermon du curé Gingras, il s'est rendu compte qu'aucun fidèle s'était levé pour passer la quête du côté gauche de l'église.

– Ça fait que notre Jean-Guy s'est dépêché de quitter le chœur pour s'emparer du panier, continua Miron. Il s'est mis à présenter le panier aux paroissiens de ce côté-là de l'église. Malheureusement, on aurait dit qu'à un moment donné, il a eu peur de se laisser distancer par André Marcotte qui avait commencé avant lui de l'autre côté et il a précipité le mouvement lorsqu'il est arrivé aux derniers bancs de l'allée centrale.

– C'est probablement cette précipitation qui l'a poussé à rejeter brusquement la tête vers l'arrière à un certain moment, reprit Céline Lacombe qui avait quitté sa table et s'était rapprochée du comptoir pour participer au récit. J'ai tout vu. J'étais tout près. J'ai l'impression qu'il s'est jamais rendu compte que sa perruque venait de partir en vol plané pour atterrir sur les genoux de madame Demers qui a eu beaucoup de mal à s'empêcher de crier de surprise en apercevant cette affaire-là sur elle. Comme il n'était pas question qu'elle se mette à poursuivre monsieur Trudeau pour lui remettre sa prothèse, elle s'est contentée de la rejeter sur son banc avec une grimace de dégoût.

– Ouais! Tout aurait pu se passer sans histoire, poursuivit le grand Gilles Gagné, si la petite Letendre qui occupait le banc derrière celui de madame Demers n'avait pas tout vu. Sans prévenir, la petite fille a pogné la moumoute de Jean-Guy et, en la tenant à bout de bras, elle a traversé toute l'église jusqu'au chœur. Presque tout le monde l'a regardée aller en se demandant ce qu'elle tenait comme ça. Ça avait l'air d'un gros rat mort. En tout cas, rendue dans le chœur, elle l'a remise à Trudeau qui a jeté autour de lui des regards affolés avant de plaquer sa main droite sur son crâne nu comme une fesse.

– Il y a eu des «oh!» dans la foule, au point que le curé Gingras, qui avait rien remarqué, a fini par jeter un coup d'œil vers Trudeau, dit Richard Miron. Tu aurais dû le voir; il en faisait pitié. Il était rouge comme une pivoine. Il a fini par fourrer dans sa poche la maudite moumoute et il a continué son job. J'ai ben peur qu'il ait trouvé la messe pas mal longue.

Pendant que les hommes discouraient sur les réactions possibles de Jean-Guy Trudeau au lendemain de sa mésaventure, les pensées de Céline Lacombe prirent une tangente inattendue : André Marcotte.

**

Il lui avait fallu plusieurs jours pour avaler sa déconvenue et sa colère du jour de l'An. Elle avait même dû se faire violence pour ne pas lui téléphoner et lui dire ce qu'elle pensait de lui.

— Que le diable l'emporte, avait-elle fini par se dire. J'ai pas besoin de lui pour vivre.

Elle avait alors décidé de jouer l'indifférente. Elle ne lui avait plus donné signe de vie.

Une semaine plus tard, elle avait rencontré avec plaisir une Lucie Veilleux bronzée et transformée à l'épicerie Gagnon. Apparemment, son séjour en Floride lui avait fait le plus grand bien. Elle avait alors invité la jeune femme à venir bavarder quelques minutes à la maison après ses emplettes. C'est ainsi qu'elle avait appris tous les détails de ses vacances au soleil ainsi que l'humeur sombre de son beau-père.

— Je sais pas ce qu'il a, avait dit Lucie, mais il a toujours l'air bête depuis qu'on est revenu. Il ouvre la bouche juste pour critiquer. Savez-vous ce qui le travaille ?

— Ma pauvre Lucie, j'en ai pas la moindre idée. Je l'ai pas vu depuis la fin décembre, avait répondu Céline.

— En tout cas, j'espère que vous allez vous arrêter pareil à la maison pour venir jaser de temps en temps, avait dit

Lucie, réalisant subitement que son beau-père avait mis fin à ses relations avec la veuve.

– C'est certain, lui avait promis Céline, en la conduisant à la porte.

Mais le mois était presque terminé, et elle n'avait pas trouvé le temps d'aller rendre visite à la jeune femme. Elle ne tenait pas du tout à se retrouver face à face avec André Marcotte. Il y avait déjà assez des réunions de la fabrique paroissiale.

La semaine suivante, la marguillière était arrivée la dernière à la réunion mensuelle du conseil de fabrique qui, pour la première fois, se tenait au fond de la sacristie. Elle avait fait exprès de retarder le plus possible son arrivée pour ne pas être obligée de converser avec les autres avant la réunion. La veuve s'était assise au bout de la table, face au président et elle avait fait montre d'une bonne humeur communicative durant toute la soirée alors qu'André Marcotte avait à peine levé les yeux des papiers disposés devant lui.

Quand Lucien Proulx avait demandé des précisions sur la vente du presbytère, Marc Riopel avait déclaré que le contrat de vente avait été signé en retard parce que l'acheteuse possédait des commerces et qu'elle avait été surchargée de travail durant le temps des fêtes. Tout était rentré dans l'ordre. Ils étaient passés chez le notaire la semaine précédente et la nouvelle propriétaire devait déjà être en train d'emménager.

– La pauvre femme, avait fait le marguillier, elle a pas fini d'avoir peur, toute seule dans cette grande bâtisse.

– Inquiète-toi pas pour elle, lui avait dit Céline. Je lui ai parlé il y a trois jours et je te garantis qu'elle est pas du genre à avoir peur pour rien.

Céline Lacombe ne pouvait mieux résumer l'effet qu'avait produit sur elle la nouvelle propriétaire du presbytère, Johanne Therrien.

***

Ce matin-là, en revenant du restaurant Cardin, la veuve avait remarqué une fourgonnette bleu nuit stationnée devant l'escalier du presbytère. Le hayon arrière était levé et un homme en anorak rouge était en train de tirer de l'arrière du véhicule une grosse boîte qui semblait assez lourde.

Céline Lacombe se souvint alors qu'aucun marguillier n'était allé chercher les deux registres paroissiaux trouvés par Étienne Dubé lors de sa dernière inspection des lieux avant de laisser les clés à la nouvelle propriétaire. Le moment était peut-être bien choisi d'aller les récupérer.

La sexagénaire traversa la rue Principale d'un pas alerte et héla le déménageur d'un «Monsieur!» retentissant avant qu'il ait escaladé l'escalier. Ce dernier déposa la boîte qu'il s'apprêtait à transporter et il se tourna vers elle. À sa grande confusion, Céline se rendit compte que son déménageur était une femme.

– Excusez-moi, dit-elle, confuse. De loin, je vous ai pris pour un homme.

– C'est rien, fit l'autre, avec un large sourire. Je suis pas un petit modèle de femme.

En fait, cette précision était inutile. On ne pouvait imaginer deux femmes plus différentes l'une de l'autre. Il suffisait de la regarder pour se rendre compte que cette femme d'environ 1,76 m aux larges épaules n'avait rien de la faible femme. Lorsqu'elle retira un instant la tuque rouge dont elle était coiffée, Céline Lacombe s'aperçut que son interlocutrice avait des cheveux brun foncé très courts qui encadraient une large figure aux pommettes saillantes. Il se dégageait de toute sa personne une énergie indéniable.

– Je m'appelle Johanne Therrien. Je suis la nouvelle propriétaire de cette belle vieille maison-là, dit-elle en lui tendant une main qu'elle venait d'extraire d'un gant en laine.

Après s'être présentée à son tour, Céline formula sa requête. La nouvelle occupante du presbytère l'entraîna derrière elle après s'être chargée de la boîte qu'elle avait déposée un instant plus tôt.

On ne pouvait pas dire que la dame était mystérieuse, loin de là. Il suffit de quelques minutes de conversation avec elle pour que Céline Lacombe apprenne qu'elle était une célibataire de quarante ans propriétaire de deux boutiques de vêtements: l'une située à Victoriaville et l'autre qu'elle venait d'acheter à Drummondville.

L'achat du presbytère n'était que la réalisation d'un projet longtemps caressé. Elle avait toujours rêvé de rénover une vieille maison. Quand une voisine, parente du curé Lanctôt installé au Carrefour des jeunes, lui avait mentionné que le presbytère de Saint-Anselme était à vendre, elle avait soumissionné. Selon elle, cet achat allait lui permettre surtout d'habiter à mi-chemin entre ses deux boutiques. Elle avait beau avoir une confiance aveugle à ses deux gérantes, elle devait tout de même les superviser au moins une fois ou deux par semaine.

Lorsque Céline lui avait demandé si elle ne craignait pas de vivre seule, l'autre s'était esclaffée.

— M'avez-vous bien regardée? C'est pas les hommes qui me font peur... Ce serait plutôt moi qui fais peur aux hommes.

— En tout cas, avait conclu la veuve avant de prendre congé avec ses deux registres sous le bras, si vous avez besoin de quoi que ce soit, je demeure juste en face de chez vous, dans la petite maison en pierre et en brique, de l'autre côté de la rue. Ne vous gênez pas.

***

Le lendemain matin, Yves Camirand, appuyé au comptoir de l'épicerie, discutait avec Marthe et Louis Gagnon de l'arrestation de Léo Benoît et de son fils à la fin de l'avant-midi, la veille.

— Vous savez pas la meilleure, dit le quadragénaire, l'air important. Il paraît que quand la police est entrée dans leur cour, les deux Benoît sont sortis de la maison avec une carabine dans les mains.

— Ben, voyons donc! s'exclama Marthe.

— Oui, les policiers ont reculé vite en p'tit Jésus, et ils ont appelé des renforts. Ils ont attendu sur la route tant

279

que deux autres voitures de patrouille sont pas venues les rejoindre.

— Qu'est-ce qui est arrivé après ça? demanda Louis Gagnon.

— Ah! Ça a pas traîné. Comme les Benoît étaient rentrés dans la maison, il y a eu un policier avec un porte-voix qui leur a ordonné de sortir les mains en l'air. Ils sont sortis tous les deux sans faire de problème. Il paraît que les policiers les ont brassés un peu en les menottant. Après ça, ils ont fouillé la maison. Ils ont pas eu de misère à trouver le coffre d'outils du petit Rousseau. Il était dans leur garage.

— Bon, tant mieux, fit l'épicier en jetant un coup d'œil à la femme qui venait d'entrer dans son épicerie. J'ai l'impression qu'ils sont pas sortis de l'auberge tous les deux.

— Il faut pas croire ça, le reprit le boucher. Vous me croirez pas, mais ils sont déjà dehors. Ils ont payé leur caution et ils ont pas à se présenter en cour avant la mi-mars.

Comme la cliente ne semblait pas vouloir s'approcher du comptoir ou de la caisse, la conversation se poursuivit entre Camirand et les deux propriétaires de l'épicerie.

— En tout cas, j'espère que le juge va nous débarrasser de ce monde-là pour un bon bout de temps, fit Marthe Gagnon, acerbe. C'est de la racaille dont Saint-Anselme peut se passer facilement.

– Tout ça règle pas le problème de Rousseau, dit Camirand. Je l'ai rencontré hier soir. Il revenait, pas mal découragé, du poste de police de Drummondville où il a essayé de ravoir son coffre d'outils. Il a eu beau leur expliquer qu'il en avait besoin pour travailler, les policiers ont rien voulu savoir. Il paraît que c'est des preuves et qu'il ne les aura qu'après le procès.

– Si c'est vrai, conclut Louis Gagnon, il est pas près de revoir ses affaires et je…

– Excusez-moi, l'interrompit la cliente.

– Oui, madame, fit Louis Gagnon en se tournant vers l'inconnue qui était entrée dans son magasin quelques minutes auparavant.

– Je suis en train de m'installer dans votre ancien presbytère, fit Johanne Therrien.

– Bienvenue à Saint-Anselme, fit Marthe en affichant son sourire le plus engageant.

– Merci, madame. J'ai un petit problème et j'aurais besoin d'un menuisier. Est-ce que vous en connaissez un dans le village?

– Bien sûr, lui répondit Louis Gagnon. Il y a Frédéric Bergeron qui reste presqu'en face de chez vous. Sa maison, c'est la deuxième maison avant le garage, avant de descendre la côte. La petite maison blanche.

Johanne Therrien le remercia et elle quitta l'épicerie après avoir payé le litre de lait qu'elle venait de prendre dans le réfrigérateur. Elle alla frapper à la porte de la petite maison que les Cadieux avaient habitée pendant deux générations. Un quadragénaire vêtu d'un chandail ouaté vert bouteille et d'un jean vint lui ouvrir. L'homme l'invita à entrer avec une certaine réticence.

Le fils de Pierre Bergeron habitait le village depuis près de quinze ans et tout le monde s'accordait à dire que c'était un bon diable qui ne dérangeait jamais personne. En fait, l'ébéniste était un homme de taille moyenne timide et effacé qui n'avait qu'une véritable passion : le travail du bois. Cette passion ne l'empêchait cependant pas de se débrouiller très honorablement dans d'autres secteurs de la construction.

La nouvelle propriétaire du presbytère lui expliqua que l'une des marches de l'escalier extérieur avait brusquement lâché ce matin-là, ce qui rendait cet escalier particulièrement dangereux.

– Pourriez-vous venir réparer cela aujourd'hui, même s'il fait un froid de canard ? demanda-t-elle à l'artisan qui n'avait pas encore ouvert la bouche.

L'homme se passa une main dans ses cheveux châtains un peu clairsemés avant de répondre. Il ne semblait pas très à l'aise.

– Écoutez, madame, je suis surtout un ébéniste… Bien sûr, je serais capable de réparer ça, mais…

– Ça me rendrait vraiment service, dit Johanne sur un ton suppliant.

– Bon. D'accord. Je vais essayer de vous faire ça avant midi.

Moins d'une heure plus tard, Johanne Therrien vit la petite camionnette rouge qu'elle avait vue stationnée près de la maison de l'ébéniste se ranger devant l'ancien presbytère. Elle regarda l'ébéniste examiner avec soin chaque marche de l'escalier. Il prit des mesures à l'aide de son galon à mesurer avant de venir sonner à sa porte. Elle s'empressa de le faire entrer.

– Bon, je viens de regarder ça, madame, fit Frédéric Bergeron. Il y a trois autres marches qui sont complètement pourries. Je peux vous changer juste celle qui est brisée, si vous le voulez; mais les autres sont dangereuses.

– Pouvez-vous toutes me les changer aujourd'hui?

– Je vais essayer de vous faire ça avant le dîner, promit-il.

Bergeron sortit deux chevalets· et un madrier de sa camionnette. Il trouva une prise de courant pour brancher sa scie et il coupa trois marches identiques qu'il se mit en devoir de clouer après avoir arraché les marches défectueuses.

Il remettait ses outils dans sa camionnette quand Johanne Therrien ouvrit la porte pour l'inviter à venir se réchauffer à l'intérieur quelques instants.

Frédéric aurait préféré rentrer chez lui, mais comment refuser une telle invitation? Il gravit l'escalier une autre fois et il pénétra dans l'entrée.

– Enlevez vos bottes, monsieur Bergeron, et venez boire un bon chocolat chaud, lui cria la propriétaire déjà retournée dans la cuisine.

L'ébéniste enleva ses bottes, retira ses gants et sa casquette et il entra dans la cuisine où l'accueillit une bonne odeur de biscuits fraîchement sortis du four.

– Assoyez-vous sans cérémonie, l'invita Johanne.

Frédéric ne se fit pas prier, un peu gêné d'être un peu plus petit que son hôtesse. Pourtant, il devait admettre que sa figure avenante et ses manières franches étaient loin de lui déplaire.

– Vous êtes en plein barda, dit-il pour meubler le silence.

– C'est le moins qu'on puisse dire… et j'en ai pour un bon bout de temps.

– C'est une belle bâtisse bien construite, laissa tomber l'ébéniste, mais il y a pas mal de réparations à faire…

– Je vais en faire le plus possible moi-même, sinon ça va me coûter bien trop cher.

Frédéric lui jeta un regard étonné au moment où elle apportait sur la table une assiette couverte de biscuits chauds.

– Vous allez réparer vous-même? ne put-il s'empêcher de lui demander.

– Pas tout, c'est sûr; mais je suis capable d'apprendre. Par exemple, je pense pas que je serais capable de faire l'ouvrage du plombier ou du plâtrier, mais pour le reste, comme la peinture et le sablage, je peux faire ça.

— Pour le plâtre, je pense que vous seriez capable d'apprendre, hasarda Frédéric, surpris lui-même de son hardiesse.

— Vous pensez?

— Ben, je pourrais vous l'apprendre, si vous le voulez, proposa-t-il. Vous savez, c'est pas si compliqué que ça. Je pourrais aussi vous montrer comment préparer le bois avant de le teindre et de le vernir.

— Ce serait parfait, conclut Johanne Therrien, enthousiaste. Après avoir arraché les tapis et la tapisserie qui sentent le moisi, la première chose que je veux faire: c'est réparer le plâtre.

— Vous me ferez signe à ce moment-là, dit Frédéric en finissant d'avaler sa tasse de chocolat.

— Bon. Qu'est-ce que je vous dois pour les marches? demanda-t-elle en tendant la main vers sa bourse déposée sur le comptoir.

— On règlera ça plus tard, quand on s'occupera du plâtre, dit Frédéric Bergeron.

La commerçante l'accompagna jusqu'à la porte et elle le remercia chaudement pour son aide.

Pour sa part, en retournant chez lui, l'ébéniste se surprit à espérer que la propriétaire de l'ancien presbytère ne tarde pas trop à le rappeler. Il ressentait à l'endroit de cette femme simple et directe une étrange sympathie.

Chapitre 17

La Saint-Valentin

Au milieu de l'avant-midi du 14 février, le vent se leva et le ciel d'un gris uniforme se chargea de gros nuages noirs.

– Pas encore une autre! s'exclama Sylvain Bergeron à sa sortie de la grange en compagnie de son père. Maudit! Ça va être la troisième tempête dans la même semaine!

Richard Bergeron ne dit pas un mot. Le sexagénaire se contenta de regarder l'horizon menaçant avec une grimace significative. Son fils avait raison: il était tombé plus de quatre-vingts centimètres de neige en moins d'une semaine. C'était au point qu'il semblait que la neige n'avait pas cessé de tomber depuis le début du mois. Si ça continuait à ce rythme, ils allaient tous mourir ensevelis sous la neige avant la fin de l'hiver, pensa-t-il. Déjà, la neige obstruait la moitié des fenêtres du rez-de-chaussée de la maison et il restait encore plus d'un mois d'hiver.

– La neige, on peut toujours la souffler, laissa tomber le cultivateur, mais si on manque d'électricité, on va avoir l'air fin.

— Justement, p'pa, on pourrait peut-être téléphoner chez Robert pour savoir ce qu'ils niaisent avec notre génératrice neuve. Ça fait cinq semaines qu'il y a plus de danger de «bogue». Il serait peut-être temps qu'ils se grouillent de nous l'apporter. Avec une tempête comme il a l'air de s'en préparer une, on pourrait manquer d'électricité et là, on serait pris.

— Ouais, t'as raison, admit Richard. Va donc les appeler pendant que je vais aller jeter un coup d'œil au niveau d'huile du tracteur.

Sylvain tourna les talons et revint à la maison. À son entrée dans la cuisine, sa belle-mère parlait d'une voix inquiète au téléphone. Sylvain attendit qu'elle mette fin à sa communication pour s'informer.

— Est-ce qu'il y a quelque chose qui va pas?

— Jean-Pierre, dit Jocelyne au bord des larmes. C'était l'hôpital de Trois-Rivières. Guy Rondeau m'a appelée tout à l'heure. Jean-Pierre est encore rendu à l'hôpital. Il a été obligé de faire venir l'ambulance la nuit passée et ils l'ont transporté à l'Hôtel-Dieu de Trois-Rivières. La garde-malade m'a dit qu'on savait pas encore ce qu'il avait et qu'ils étaient en train de faire des tests.

— Bon. Mais avant de vous mettre à l'envers, vous feriez peut-être mieux d'attendre les résultats, non? C'est peut-être pas si grave que ça.

— Ce qui me fait de la peine, c'est qu'il est encore tout seul comme un chien.

287

– Rondeau va certainement aller le voir après sa journée d'ouvrage.

– Peut-être, mais c'est pas sa famille. C'est un pur étranger.

– Si ça peut vous calmer, m'man, et surtout s'il fait pas trop tempête, on ira le voir après le souper.

Jocelyne adressa à son fils adoptif un sourire reconnaissant pendant que ce dernier cherchait dans l'annuaire le numéro de téléphone de Génératrices Robert.

Quelques minutes plus tard, Sylvain apprenait la bonne nouvelle à son père: ils allaient recevoir leur appareil neuf avant la fin de la journée. Le gérant des ventes le lui avait promis. On devait livrer une génératrice à Sainte-Monique et on en profiterait pour leur laisser la leur en passant. Ensuite, le jeune homme informa son père de l'hospitalisation de Jean-Pierre à l'hôpital de Trois-Rivières et de l'inquiétude de Jocelyne.

– Qu'est-ce que tu veux qu'on y fasse? demanda Richard d'un ton bourru.

– Pas grand-chose, p'pa, mais j'ai promis à m'man de l'amener le voir après le souper.

– Si t'es capable de prendre le chemin, fit remarquer son père en lui montrant les gros flocons qui s'étaient mis à tomber en rangs de plus en plus serrés depuis quelques minutes. Je pense que ça va en être une bonne.

Sylvain ne répondit rien, mais il savait que l'unique raison qui l'empêcherait d'aller à Trois-Rivières en ce soir de la Saint-Valentin, ce serait que Transport-Canada annonce la fermeture du pont Laviolette.

Depuis la veille du jour de l'An, le cultivateur de trente et un ans était méconnaissable. Le jeune homme manifestait moins d'agacement réprobateur devant certaines décisions de son père. On aurait juré, à le voir, que son travail lui tenait moins à cœur. Mais pour un œil exercé, il était évident que Sylvain Bergeron était tout simplement amoureux, amoureux comme un adolescent… Après à peine cinq semaines de fréquentations, il ne rêvait plus qu'à sa Stéphanie et il attendait avec une impatience difficilement contenue les samedi et dimanche soirs, soirs où il pouvait venir rendre visite à la jeune institutrice.

Il ne faut surtout pas croire que Sylvain en était à ses premières amours. Plus jeune, il avait fréquenté Jasmine Lachance de Saint-Léonard durant quelques mois, puis Annie Saint-Pierre de Drummondville. Deux filles gentilles sans plus. Quatre ans plus tôt, il avait eu une liaison beaucoup plus longue et plus sérieuse avec France Thériault, la fille d'un routier de Saint-Cyrille. Il avait même été question de fonder une famille avec cette dernière quand elle l'avait subitement laissé tomber sous le prétexte qu'elle ne voulait, en aucun cas, aller passer sa vie sur une ferme à élever des enfants. Cette dernière expérience s'était avérée assez traumatisante. Il avait alors perdu une bonne partie de la confiance qu'il avait en lui.

La rencontre avec Stéphanie Éthier avait été providentielle jusqu'à un certain point. Dès leur première rencontre, ils s'étaient compris à demi-mots. À ses yeux, cette petite brune de vingt-sept ans avait un charme fou. L'enseignante de Trois-Rivières possédait le calme, l'intuition et le sérieux qu'aucune de ses conquêtes antérieures n'avait. Bref, il l'aimait et en aucun cas, il ne voulait rater cette soirée de la Saint-Valentin à ses côtés. Ils avaient si peu l'occasion de se voir durant la semaine.

Le petit bout de femme qu'était Stéphanie n'avait pas tardé à juger l'effet qu'elle produisait chez son amoureux et elle en avait profité pour imposer des règles strictes, même si ce dernier les trouvait démodées et inhumaines. Dès leur seconde rencontre, elle lui avait clairement fait comprendre qu'il était hors de question qu'elle fasse des sorties durant la semaine. Selon ses dires, son travail était si exigeant qu'elle avait besoin de ses soirées pour préparer ses classes et qu'elle ne pouvait se passer de ses huit heures de sommeil.

Ces dures restrictions n'empêchaient nullement la jeune enseignante de lui parler longuement au téléphone presque chaque soir. Lors de leurs sorties de week-end, elle était toujours chaleureuse et semblait apprécier Sylvain au plus haut point. Évidemment, il n'était pas question que ce dernier passe la nuit sous son toit, même s'il en mourait d'envie.

– J'ai des valeurs, avait-elle déclaré fermement à son amoureux lors de sa première tentative de s'incruster chez elle. Je sais que j'ai l'air ancienne, mais pour moi, on ne dort dans le même lit qu'après le mariage.

290

Sylvain n'avait rien trouvé à répondre de bien convaincant pour manifester sa mauvaise humeur.

– Remarque, avait-elle ajouté avec un sourire un peu triste, c'est peut-être pour ça que je suis encore une vieille fille et que je vais le rester.

Le jeune homme s'était contenté de l'embrasser avec fougue avant de la quitter, bien décidé, malgré tout, à arriver un jour à ses fins… Peut-être en ce soir de la Saint-Valentin.

Il lui restait tout de même à s'organiser pour voir Stéphanie après avoir laissé Jocelyne à l'hôpital.

***

Chez les Lequerré, la matinée s'achevait dans un calme plat. Clément Leroux était parti chez des clients de Drummondville au début de l'avant-midi, au moment où ses deux fils montaient, en rechignant, à bord de l'autobus scolaire qui allait les déposer à la polyvalente de Saint-Léonard.

Le vieux Bruno était dans son cellier du sous-sol depuis près de deux heures. Il triait et nettoyait des bouteilles de vin vides. Aurore, assise près de l'une des fenêtres du salon, avait demandé à Carole d'allumer le plafonnier tant le ciel gris apportait peu d'éclairage à la pièce. Après avoir longuement regardé tomber les gros flocons, la vieille dame avait repris son travail d'aiguille.

– Seigneur que cet hiver est long! se lamenta-t-elle. On dirait qu'on n'en finira jamais. Regarde-moi tomber ça.

On voit déjà plus ni ciel ni terre. Ça prend tout pour s'apercevoir qu'il y a un chemin. Les piquets de clôture sont disparus en dessous de la neige depuis la fin de novembre et on n'est pas prêt de les revoir.

— Voyons, m'man, c'est pas votre premier hiver, fit Carole pour encourager sa mère. C'est peut-être notre dernière tempête. Quand on va attraper le mois de mars, le beau temps va revenir vite, vous allez voir.

— On sait ben, fit Aurore, songeuse.

— En plus, on est ben, au chaud, avec tout ce qu'il nous faut. On fait pas de misère.

Il y eut un claquement de porte.

— Tiens, ton père en a enfin assez de faire du ménage dans son cellier.

— S'il permettait aux garçons de lui donner un coup de main, ça irait pas mal plus vite.

— Es-tu folle, toi? fit Aurore. Le jour où ton père permettra à quelqu'un de venir mettre son nez dans son cellier, il va faire chaud.

Quelques minutes s'écoulèrent avant que Carole ne fasse la remarque:

— Voyons! Qu'est-ce qu'il fait? Il monte pas?

Aurore sembla sortir de sa rêverie.

— Qu'est-ce que tu dis?

292

– Je me demandais pourquoi p'pa montait pas de la cave.

– C'est vrai ça. Qu'est-ce qu'il attend ? Va donc voir s'il a besoin de quelque chose.

Carole déposa le livre de recettes qu'elle était en train de consulter et ouvrit la porte qui donnait sur l'entrée et sur l'escalier de la cave. La porte extérieure était ouverte et la neige, poussée par le vent, s'engouffrait à l'intérieur.

– Veux-tu ben me dire… ? commença Carole en refermant violemment la porte.

Soudainement, elle réalisa que la porte ne s'était pas ouverte seule, que quelqu'un était entré ou sorti sans la refermer derrière lui. Elle s'arrêta, un pied posé sur la première marche de l'escalier qui conduisait à la cave, fit demi-tour et se précipita dans la cuisine pour regarder par les fenêtres. Elle ne voyait même pas les bâtiments tant la neige tombait maintenant à gros flocons.

– Qu'est-ce qui se passe ? demanda Aurore en laissant tomber son tricot.

– P'pa viens de sortir et je le vois pas. Il neige tellement que je sais pas s'il est parti à l'étable, dans le garage ou s'il a pris le chemin. Je m'habille et je vais aller voir.

– Mon Dieu ! s'exclama Aurore en se levant précipitamment, faites que ça recommence pas !

Pendant que la quadragénaire endossait en hâte son manteau et ses bottes, sa mère, angoissée, scrutait les environs par la fenêtre.

Dès sa sortie de la maison, Carole regarda avec soin si elle ne voyait pas des traces du passage de son père dans la neige. Elle descendit les trois marches qui conduisaient à la cour et, d'instinct, elle se dirigea vers la route déserte. Elle eut alors de la chance. Même aveuglée par les flocons poussés par le vent, elle aperçut deux empreintes de pas déjà à demi remplies par la neige.

Elle pressa le pas en direction de la maison des Riopel, penchée en deux, le souffle coupé par le vent. Elle allait demander l'aide à Marc et à son oncle Cyrille. Au moment où elle accélérait le pas, elle entra presqu'en collision avec son père qui marchait devant elle, au milieu de la route, tête nue et vêtu du mince coupe-vent qu'il mettait toujours quand il allait travailler dans son cellier, l'hiver. Il n'avait même pas chaussé ses bottes.

– P'pa! lui cria Carole, soulagée de l'avoir trouvé si vite. Où est-ce que vous allez de même? Vous allez attraper votre coup de mort.

Le vieux Bruno Lequerré s'arrêta et regarda sa fille sans donner l'impression qu'il la reconnaissait. Puis il se remit en marche sans tenir plus compte d'elle. Carole dut le saisir par un bras pour le forcer à s'arrêter.

– P'pa, où est-ce que vous allez?

– Par là, se contenta-t-il de dire finalement en montrant le chemin qui s'ouvrait devant eux.

– Venez donc avec moi, dit Carole. Il fait tempête. On va aller s'habiller pas mal plus chaudement pour aller marcher dehors. Vous avez besoin de bonnes bottes, de vos gants et surtout de votre casque. Venez! On n'en aura pas pour longtemps et on va être tellement mieux.

Après un long moment d'hésitation au milieu de la route, le vieil homme cessa de résister à la pression de la main de sa fille sur son bras. Il fit demi-tour et il la suivit en marmonnant des paroles incompréhensibles. À ses côtés, sa fille était morte d'inquiétude. Son cœur battait à tout rompre. Elle craignait par-dessus tout que son père se libère de son emprise et décide de rebrousser chemin.

À leur arrivée à la maison, Aurore ne dit pas un mot. Elle avait compris que son mari venait d'avoir une seconde crise. Elle se précipita vers lui en lui jetant sur les épaules une épaisse couverture de laine. Il s'assit au bout de la table de cuisine en prononçant des mots sans suite. Il ne cessait d'examiner ses mains en les bougeant dans tous les sens. Les deux femmes lui firent prendre ses médicaments et une tasse de café chaud auquel elles avaient ajouté un peu d'alcool.

– Où est-ce que je suis? demanda le vieil homme.

– Chez vous, p'pa, fit Carole, le cœur serré comme dans un étau.

– Chez moi, chez moi, répéta pensivement Bruno Lequerré. Mais alors, madame, qu'est-ce que vous faites dans ma maison? Et l'autre, là, qu'est-ce qu'elle fait là?

Carole jeta un coup d'œil affolé à sa mère qui venait de se figer en s'entendant appeler: «l'autre».

– On est là pour vous aider, finit par balbutier Carole, carrément dépassée par la situation.

Cette réponse parut satisfaire le vieil homme dont les pensées semblaient avoir brusquement bifurqué dans une autre direction.

Quelques minutes plus tard, le vieil homme sembla être moins agité. Il parut être brusquement en proie à une immense fatigue. Il se laissa alors conduire à son lit par sa femme sans protester.

Quand Aurore descendit de l'étage, elle se contenta de dire à sa fille, les yeux pleins d'eau:

– Je pense qu'il va falloir surveiller ton père pas mal plus que ça, sinon il va lui arriver quelque chose.

– On va le faire, m'man, inquiétez-vous pas, dit Carole pour la rassurer.

***

Ce jour-là, la tempête ne prit fin qu'un peu avant l'heure du souper, laissant derrière elle une quinzaine de centimètres de neige folle que de brusques rafales de vent déplaçaient au gré de leur fantaisie. Par conséquent, les routes demeurèrent enneigées et les déplacements, difficiles malgré le travail acharné des employés de la voirie.

Ainsi, l'autobus scolaire ne déposa Marco et Mathieu devant la maison qu'un peu après cinq heures et les deux adolescents furent étonnés de constater qu'aucune lumière n'était allumée dans l'étable. Ils comprenaient que leur père arrive en retard de son travail à Drummondville, mais ils se demandèrent immédiatement pourquoi leur grand-père n'avait pas commencé à traire les vaches.

En pénétrant dans la maison, ils aperçurent leur grand-père Bruno assis devant le téléviseur, dans le salon. Le vieil homme ne tourna même pas la tête pour voir qui entrait.

– Qu'est-ce qui se passe? demanda Marco à sa mère venue à leur rencontre.

– Il a eu une rechute. Il nous reconnaît plus, dit Carole à mi-voix, les larmes aux yeux.

Lors de son réveil au début de l'après-midi, l'état de Bruno Lequerré ne s'était pas amélioré. Il n'avait pas reconnu sa femme et sa fille. Il ne savait même pas où il était exactement. Il les appelait «Madame» et il parlait de retourner chez lui aussitôt qu'il n'y aurait plus de neige.

– Ça va se replacer, m'man, fit Marco, pour essayer de consoler sa mère.

– En attendant, on va aller faire le train et nettoyer la cour, déclara Mathieu. On n'est pas pour attendre que p'pa arrive de l'ouvrage pour commencer.

Les deux jeunes sortirent de la maison. Marco prit la direction du garage, tandis que son frère se dirigea vers l'étable.

***

Deux heures plus tard, chez les Marcotte, André sortit de sa chambre à coucher, endimanché et fleurant bon son eau de toilette. Lucie Veilleux, assise aux côtés de Corinne à la table de cuisine, cessa durant un instant de vérifier le devoir de cette dernière pour examiner discrètement son beau-père.

À la vue de ses sourcils froncés et de son air peu amène, elle se retint de lui faire la remarque qui lui brûlait les lèvres. Elle n'avait pas envie de commencer une dispute à la fin d'une pareille journée. Elle se contenta de jeter un coup d'œil à son mari qu'elle voyait par les portes ouvertes du salon, plongé dans la lecture de *La Presse*.

Sans adresser la parole à personne, le sexagénaire traversa la cuisine et se dirigea vers l'entrée. Il y eut un claquement de porte, suivi, deux minutes plus tard, par le bruit d'un moteur d'auto qui démarrait.

Pascal sortit à ce moment-là du salon.

– J'ai entendu un bruit de char. Y a-t-il quelqu'un qui arrive ici par un temps pareil? demanda-t-il à sa femme en se penchant pour regarder par la fenêtre.

– Ben non, fit Lucie. C'est ton père qui vient de partir. Je sais pas où il s'en va, mais je te dis qu'il était sur son trente et un.

– Il doit pas aller ben loin avec des chemins pas plus nettoyés que ça. Pour moi, il est allé voir Marc Riopel. Il m'a dit que c'était demain leur réunion de marguilliers.

– Je pense pas, moi, fit Lucie. Arrangé comme il était et un soir de Saint-Valentin, il doit y avoir une femme en dessous de ça.

– Voyons donc!

– Comme disait une de mes tantes: «Chaque torchon finit par trouver sa guenille».

– Tu sais ben que le père a passé l'âge.

– Il paraît qu'il y a pas d'âge pour ça. Je me demande qui est la chanceuse, dit Lucie Veilleux, sarcastique.

– Lucie, la prévint son mari en lui désignant leur fille qui ne perdait pas un mot de l'échange.

– J'ai rien dit.

Si Pascal et sa femme avaient deviné les tourments vécus par le sexagénaire depuis le jour de l'An, peut-être auraient-ils ressenti un peu de la pitié pour lui.

La sortie d'André Marcotte était l'aboutissement de longues heures de tergiversation et il n'avait pris une décision qu'un peu avant le souper.

Au volant de sa vieille Buick grise, il avait pris lentement la direction du village. Au milieu de toute cette blancheur et de ces tourbillons de neige, le conducteur avait le plus grand mal à maintenir son véhicule sur la chaussée. Heureusement qu'à la sortie du rang Sainte-Anne, il se retrouva derrière la charrue municipale qui se dirigeait vers le pont et le village. Il n'eut qu'à la suivre en maintenant entre son auto et le gros camion une distance respectueuse pour ne pas être aveuglé par l'épais nuage de neige que la charrue soulevait.

En arrivant au haut de la côte qui aboutissait sur la rue Principale, André n'eut à parcourir que quelques centaines de mètres avant d'immobiliser sa voiture devant la maison de Céline Lacombe qui disparaissait derrière un imposant banc de neige.

L'homme resta immobile durant un long moment dans son véhicule avant de se décider à s'en extraire. Il dut se frayer un chemin dans plusieurs centimètres de neige pour arriver à la porte d'entrée. Il prit une profonde respiration avant d'appuyer sur la sonnette.

André Marcotte dut attendre une ou deux minutes avant de voir s'allumer la lumière du porche au-dessus de sa tête. Il aperçut brièvement la figure de Céline Lacombe à la fenêtre du salon. Finalement, la porte s'ouvrit devant la veuve dont le visage n'affichait aucun plaisir particulier de le voir.

– Est-ce que je peux entrer une minute ? demanda André dont le malaise était apparent.

– Entre, fit Céline avec une certaine sécheresse. T'as pas fait tout ce chemin-là à une température pareille pour rester dehors, je suppose.

Comme la veuve ne semblait pas disposée à l'inviter à retirer son manteau, André Marcotte demeura debout, l'air emprunté, sur le paillasson de l'entrée.

– J'aimerais ça que tu m'écoutes, finit-il par dire après un court silence embarrassant. Si t'avais cinq minutes, ça ferait ben mon affaire.

– Du temps, c'est pas ce qui me manque, dit Céline. Enlève ton manteau et viens t'asseoir, finit-elle par lui offrir un peu à contrecœur.

Le cultivateur ne se fit pas répéter l'invitation. En un tour de main, il se débarrassa de ses bottes et de son manteau et il suivit son hôtesse dans le salon.

– Puis? demanda Céline Lacombe en s'assoyant en face de son invité. Elle était assez impatiente de connaître la raison de la visite d'André Marcotte.

Ce dernier se racla la gorge plusieurs fois avant de commencer à parler.

– Je voudrais t'expliquer ce qui s'est passé dans le temps des fêtes et…

– C'est passé et ça n'a plus d'importance, le coupa Céline.

– Non, c'est important. Il faut que tu saches, dit le sexagénaire en sortant un petit paquet maladroitement

301

enveloppé de papier rouge de l'une des poches de son veston… Il faut que tu saches que je voulais passer le jour de l'An avec toi.

– T'étais pas obligé, le coupa-t-elle avec une certaine rancœur.

– Je le sais, mais j'y tenais. Je pense que je commençais à être amoureux de toi. La veille, j'étais allé à Drummondville exprès pour t'acheter ce petit souvenir, dit André en lui tendant le paquet.

En fait, c'était un mensonge. Le cadeau qu'il venait de lui tendre avait été acheté près de vingt ans auparavant et il avait été destiné à Louise. Alors qu'il tentait de la reconquérir, il avait voulu le lui faire accepter, mais sa femme l'avait obstinément refusé, y voyant un moyen trop facile pour la contraindre à revenir à la maison.

À son retour chez lui, André Marcotte avait lancé l'objet avec rage au fond de l'un de ses tiroirs et il n'y avait plus repensé. Sa découverte durant la période des fêtes l'avait d'abord réjoui, puis assombri.

Dans un premier temps, il avait été heureux de n'avoir pas à dépenser pour acheter un cadeau à Céline. Ce petit bijou ferait amplement l'affaire. Ensuite, l'examen de l'objet et son emballage lui avait remis en mémoire des souvenirs cuisants et il s'était mis à revivre sa séparation et son divorce avec Louise, séparation et divorce dont il ne s'était jamais totalement guéri.

302

Ces souvenirs, remâchés seul dans sa maison, lui avaient enlevé toute envie de célébrer l'arrivée de la nouvelle année. Il s'était donc replié sur lui-même pendant plusieurs jours, ne quittant la maison que pour s'occuper de ses animaux.

Quand son fils, sa bru et sa petite-fille étaient revenus de leurs vacances, la semaine suivante, ils l'avaient trouvé en pleine dépression, dépression qui ne l'avait pas quitté depuis plusieurs semaines.

– Pourquoi t'es pas venu? Pourquoi tu m'as pas appelée pour m'expliquer? demanda Céline Lacombe en prenant le paquet, mais en se gardant bien de le développer.

Cette question sembla tirer André de ses pensées.

– Je suis pas venu parce que je me suis regardé tout à coup dans le miroir. J'avais l'air d'un vieux bouffon qui s'énervait comme un petit jeune quand il va voir sa première blonde. À soixante-trois ans, je trouvais que c'était niaiseux de tomber en amour et j'avais pas envie de faire rire de moi.

– Comment ça? demanda Céline, bouleversée par la confession maladroite de son ami.

– J'ai eu peur que tu te mettes à rire de moi si je te disais… que je t'aimais.

– Et t'as attendu un mois et demi avant de te décider?

– Ben, ça me gênait.

– T'aurais pu me le dire au téléphone.

– J'aurais eu l'air fin, dit André en esquissant son premier sourire de la soirée.

– Bon. O.K., c'est fini, déclara la veuve. Est-ce que je peux l'ouvrir, ce paquet-là?

– C'est pour ça que je te l'ai apporté.

Céline Lacombe défit le papier d'emballage et mit à jour une petite boîte bleue qu'elle ouvrit doucement. Elle découvrit une mince chaînette et un cœur en or au centre duquel était incrusté une toute petite améthyste.

– Mais c'est bien trop beau, André, je peux pas…

– Oui, tu le gardes, dit André Marcotte. Comme tu peux le voir, c'est ben plus un cadeau de la Saint-Valentin qu'un cadeau du jour de l'An. Tu trouves pas?

Céline se leva et s'approcha de lui. Elle posa sa main derrière la nuque de son amoureux demeuré assis et elle l'embrassa pour la première fois.

***

Ce soir-là, Sylvain Bergeron regrettait presque d'avoir promis à sa belle-mère de la conduire à l'hôpital de Trois-Rivières pour rendre visite à Jean-Pierre. Depuis leur départ de la maison, il avait toutes les peines du monde à maintenir sur la route la camionnette Ford secouée par les bourrasques de vent. Il lui fallut près de trente minutes pour traverser le pont Laviolette.

Partout, la chaussée partiellement enneigée et le vent rendaient les déplacements particulièrement lents et pénibles.

S'il n'y avait pas eu Stéphanie, il serait demeuré à la maison.

– J'espère qu'on arrivera pas trop tard pour les visites, dit Jocelyne en consultant l'horloge du tableau de bord.

– Inquiétez-vous pas, m'man; on est presque rendus, dit Sylvain, tendu.

Il y eut un long moment de silence dans la cabine avant qu'il ne reprenne la parole.

– Vous savez ce que je vais faire? Je vais vous laisser devant la porte de l'hôpital et je vais aller passer une heure chez Stéphanie. Après ça, je vais revenir voir Jean-Pierre et on rentrera.

Quelques minutes plus tard, le jeune cultivateur s'arrêta devant l'urgence de l'Hôtel-Dieu de Trois-Rivières et Jocelyne Bergeron descendit maladroite-ment de la camionnette.

À l'entrée, la préposée lui donna le numéro de la chambre occupée par son fils et elle lui indiqua où trouver les ascenseurs. Elle trouva la chambre 422 au bout d'un couloir du quatrième étage.

La quinquagénaire s'attendait à trouver son Jean-Pierre dans une salle commune ou, tout au moins, dans une chambre semi-privée. Or, il occupait seul une chambre.

Jocelyne poussa la porte de la chambre 422 et elle crut d'abord s'être trompée de chambre en découvrant au fond de l'unique lit placé au centre de la pièce un visage émacié et couvert de plaques. Puis, elle eut du mal à retenir un cri de surprise en reconnaissant son fils. Était-il possible qu'on puisse changer à ce point en six semaines? Son cœur était serré à l'étouffer et elle eut du mal à retenir ses larmes.

On aurait dit un vieillard avec ses cheveux plaqués par la sueur sur son crâne et ses yeux fiévreux qui semblaient lui dévorer la figure. La mère cacha tant bien que mal son désarroi derrière une bonne humeur forcée.

– Ma foi du bon Dieu! s'exclama-t-elle, t'es traité comme un roi, tout seul dans une grande chambre comme ça.

À la vue de sa mère, Jean-Pierre éteignit le téléviseur et il lui adressa un pâle sourire.

– C'est comme ça, m'man, quand on a des bonnes assurances.

– Es-tu sérieux? demanda Jocelyne en retirant son manteau et en le déposant sur le pied du lit.

– Non, m'man, c'est une farce. Ils m'ont donné la 422 parce que toutes les chambres sur l'étage sont pleines.

Puis, changeant brusquement de sujet, le malade dit:

– Vous auriez pas dû venir, m'man. Je regardais ça aux nouvelles. Les chemins ont l'air d'être dangereux avec

306

toute la neige qui est encore tombée. Vous êtes venue avec Sylvain ?

Jocelyne alla embrasser son fils avant de se laisser tomber sur l'un des deux petits fauteuils qui meublaient la chambre.

– Oui, avec Sylvain. D'après lui, les chemins étaient pas si mauvais que ça. Il est parti voir sa Stéphanie. Il va venir te voir tout à l'heure. Puis toi, qu'est-ce que t'as encore attrapé ? Ça peut pas être la suite de ta pneumonie.

– Non, il paraît que je suis ben guéri de ma pneumonie. Les docteurs savent pas encore ce que j'ai. Ils font des tests.

– En tout cas, t'as pas l'air ben rougeaud. Ça a pas d'allure comment t'es maigre. Manges-tu au moins ?

– Ben oui, m'man, répondit Jean-Pierre d'un ton un peu excédé.

– En tout cas, ça a pas l'air de te profiter. Attends que je m'occupe de toi quand tu vas sortir d'ici. T'auras pas cet air de déterré, je te le garantis. Je vais te remplumer, moi.

Jean-Pierre eut un sourire sans joie.

– Tu vas revenir t'installer à la maison quand ils vont te donner ton congé.

– J'aurais aimé ça, m'man, convint le malade, mais je pourrai peut-être pas. Le docteur m'a dit que je vais être obligé de suivre un traitement de je ne sais pas quoi pendant un mois ou deux.

– En tout cas, aussitôt que ce traitement-là va être fini, ta famille va prendre soin de toi.

Pendant ce temps, Sylvain Bergeron cherchait avec une impatience grandissante un emplacement où stationner. Il était interdit de laisser sa voiture sur la rue Notre-Dame où demeurait Stéphanie Éthier et les petites rues voisines étaient encombrées par les véhicules stationnées de façon anarchique contre les remblais de neige. Finalement, après plusieurs minutes de recherche, la chance lui sourit. Il put se glisser dans l'emplacement que venait de libérer une grosse voiture à l'entrée d'une petite rue transversale. Sylvain descendit et verrouilla les portières de sa camionnette après avoir pris sous le siège un paquet qu'il y avait dissimulé. Cinq minutes plus tard, le jeune homme sonnait à la porte de son amie.

La jeune fille fut surprise et ravie de voir son amoureux ce soir-là sur le pas de sa porte.

– T'es pas sérieux de prendre la route dans de telles conditions, lui reprocha-t-elle doucement en le tirant à l'intérieur.

Avant même de retirer son manteau, Sylvain lui tendit la boîte entourée d'un ruban rouge.

– C'est pas grand-chose, s'excusa-t-il, mais c'est de bon cœur. J'aurais surtout voulu t'amener souper au restaurant ce soir, mais j'ai eu un problème à la dernière minute.

– Quel problème? demanda Stéphanie en développant la boîte de chocolat Laura Secord apportée par son ami.

– Mon demi-frère a été hospitalisé d'urgence à l'Hôtel-Dieu de Trois-Rivières la nuit passée et il fallait que j'amène ma mère à l'hôpital. Elle était morte d'inquiétude.

– T'as bien fait. C'était bien plus important de rassurer ta mère que d'aller manger au restaurant. De toute façon, on pourra se reprendre en fin de semaine. Qu'est-ce qu'il a, Jean-Pierre? Tu m'avais pas dit qu'il était guéri?

Sylvain arbora un air embarrassé pendant qu'il enlevait son manteau.

– C'est drôle qu'un garçon de son âge soit si souvent malade, non?

– Ben...

– Qu'est-ce qu'il y a? demanda Stéphanie, soudain soupçonneuse. Est-ce que tu me caches quelque chose? Écoute, je veux pas me mêler de ce qui me regarde pas. Après tout, c'est pas de mes affaires.

Sylvain se rendit compte que sa discrétion avait blessé son amie. Il y eut un court silence, silence durant lequel il décida de tout lui raconter, en insistant sur le fait que ses parents n'étaient pas au courant du véritable état de Jean-Pierre.

Ses révélations firent disparaître le sourire heureux de Stéphanie. La jeune enseignante comprit l'ampleur du drame vécu par Jean-Pierre. Chez elle, il n'y eut ni réprobation, ni répulsion. Seulement une immense pitié.

Pour sa part, Sylvain découvrit avec étonnement que le fait de partager ce secret avec celle qu'il aimait le soulageait énormément. Il se sentait brusquement libéré d'un grand poids.

Stéphanie se leva brusquement du fauteuil où elle était assise.

– On y va, dit-elle d'un ton décidé en se dirigeant vers le porte-manteau placé dans l'entrée.

– Où ça?

– À l'Hôtel-Dieu. Tu penses tout de même pas qu'on va rester ici bien tranquilles pendant que ton demi-frère est à l'hôpital. Et ta mère? Tu penses pas qu'elle a besoin qu'on la soutienne.

– O.K., mais on lui dit rien, hein?

– Ça, c'est pas de nos affaires. Jean-Pierre t'a demandé de lui laisser choisir le moment de lui dire la vérité; il le fera quand il le voudra.

La compréhension et le cran démontrés par Stéphanie dans les circonstances ne firent qu'augmenter l'amour que Sylvain éprouvait à son égard.

Chapitre 18

Les sucres

Au moment où les gens commençaient à croire que l'hiver n'en finirait jamais, mars arriva et sema dans les cœurs des espoirs précoces en offrant trois journées de doux temps et de soleil resplendissant.

Au village, les enfants pataugeaient joyeusement dans les mares d'eau provenant de la fonte des neiges, et cela malgré les avertissements sévères des enseignantes et des parents. Au matin, c'était à qui serait le premier à fracasser la fine pellicule de glace qui recouvrait la moindre flaque d'eau. On vit même quelques propriétaires, comme le fromager Dupré, commencer à étaler à grands coups de pelle la neige accumulée durant l'hiver dans l'intention de la faire fondre plus rapidement au soleil.

Ces premiers signes de printemps donnèrent surtout un regain de vie aux cultivateurs qui possédaient des érablières. Même si la plupart d'entre eux savaient pertinemment qu'il était encore beaucoup trop tôt pour que les érables se mettent à couler, il n'en resta pas moins qu'ils interprétèrent l'arrivée de ces beaux jours comme un signal pour commencer le ménage de la cabane à sucre et surtout, le nettoyage du matériel.

**

Pour Pascal Marcotte, cette époque de l'année était de loin sa préférée et il l'attendait toujours avec une impatience fébrile. Son père lui avait abandonné la confection du sirop d'érable depuis une dizaine d'années et il s'y entendait à merveille pour produire un excellent sirop doré. Le jeune cultivateur aimait ce travail. Il y apportait le soin et la précision nécessaires. Le fils savait qu'il avait entre les mains l'une des belles érablières du comté et il avait à cœur de rentabiliser les investissements importants que son père et lui avaient consentis pour la moderniser au fil des années.

Dès le début de l'avant-midi du second jour de beau temps, Pascal se rendit à l'érablière des Marcotte avec Germain Ménard et Claude Demers, les deux jeunes employés de la ferme. Pendant que les deux hommes nettoieraient, il inspecterait une bonne partie de la tubulure qui reliait les érables à la cabane, testerait les pompes aspirantes et s'assurerait de posséder suffisamment de gaz pour commencer la saison. Bref, il voulait être certain de ne pas perdre une seule journée de la courte saison des sucres. Quand l'eau d'érable se mettrait à couler dans les tubes transparents dans une semaine ou deux, tout serait en place pour commencer immédiatement la cuisson.

Le fils d'André Marcotte ne perdit pas de temps. Dès qu'il eut ouvert la porte de la cabane à sucre, il s'empressa d'indiquer aux employés le travail qu'il désirait qu'ils fassent à l'intérieur du grand bâtiment flanqué de deux immenses bonbonnes de propane. Pour les Marcotte, il n'était plus question, depuis quelques années, de se taper la corvée du bois de chauffage. Le gaz, selon leurs dires, assurait une cuisson plus égale et un sirop de meilleure qualité.

L'endroit n'était éclairé que par trois fenêtres étroites couvertes de toiles d'araignée et de mouches mortes. Pascal alluma la lumière. La plus grande partie de l'unique pièce de la cabane était occupée par deux grandes cuves placées au-dessus des brûleurs. Près de l'une des fenêtres, on avait installé une sertisseuse moderne servant à sceller les boîtes de sirop. Au fond, on avait rangé sur des tablettes des seaux, des sections de tubulure, des chalumeaux, un vilebrequin et surtout de nombreuses caisses de boîtes de conserve neuves laissées là le printemps précédent.

— C'est sale en maudit, laissa tomber Claude Demers en fronçant le nez à la vue de toute la poussière qui s'était accumulée en un an.

— Si c'était propre, j'aurais pas besoin de toi, répliqua Pascal.

Après s'être assuré que les deux hommes s'étaient mis au travail, Pascal Marcotte sortit, chaussa des raquettes et il entreprit de faire le tour de la cabane pour aller vérifier le tuyau en plastique servant au transport de l'eau d'érable qui entrait dans le bâtiment.

313

Le cultivateur crut d'abord avoir mal regardé: pas de tuyau. Il s'avança péniblement dans la neige jusqu'au mur du bâtiment, persuadé que le raccord avait cédé sous le poids de la neige. Il ne le trouva pas. Il devait être sous la neige. Étonné, il suivit ce qu'il savait être la dernière section de tubulure de son système de ramassage de l'eau d'érable. Il était certain qu'il ne pouvait rien arriver à ce tuyau épais solidement arrimé.

Quelques années auparavant, les Marcotte, comme beaucoup d'autres acériculteurs, avaient eu à déplorer des dommages importants causés par les écureuils qui s'étaient découverts un appétit vorace pour ces tubes qui allaient d'un érable à l'autre… Mais tout cela n'était plus qu'un souvenir pénible! On avait trouvé la parade depuis longtemps pour tenir ces rongeurs à distance.

– Ah ben calvaire! jura le cultivateur en découvrant un bout de tuyau sectionné qui pendait mollement le long du tronc d'un arbre.

L'homme accéléra le pas aussi rapidement que le lui permettait ses raquettes en regardant en l'air. Partout où son regard portait, il ne voyait qu'une section sur deux ou trois…

– Germain! Claude! cria-t-il pour alerter les deux hommes demeurés dans la cabane.

La porte s'ouvrit sur un Germain Ménard intrigué par le cri de son patron.

– Arrivez tous les deux! Mettez les raquettes qui sont au fond de la cabane et venez me rejoindre.

Il suffit d'une heure aux trois hommes pour faire le bilan des dommages. Quelqu'un, armé d'un sécateur, d'une tronçonneuse ou d'une hache, s'était amusé à détruire la plus grande partie du système de collecte d'eau d'érable des Marcotte. De plus, on avait ouvert les robinets des deux bonbonnes de propane.

Quand son fils le mit au courant de sa découverte, André Marcotte demeura d'abord de longues minutes sans voix, en état de choc. Le sang avait reflué de son visage. Le coup était imparable. L'érablière était si isolée qu'il n'existait aucun moyen de la surveiller efficacement. Qui pouvait haïr assez les Marcotte pour faire une telle chose?

– Tu parles d'une bande de maudits malfaisants! finit-il par laisser tomber en proie à une rage impuissante.

Pendant un instant, le sexagénaire se demanda si le coup n'avait pas été fait par les planteurs de marijuana désireux de se venger d'avoir perdu leur récolte l'automne précédent. Il avait beau leur avoir remboursé l'argent qu'ils lui avaient donné, ils pouvaient avoir cru – à tort – qu'il les avait dénoncés.

– Si je tenais les enfants de chienne qui ont fait ça, dit Pascal encore plus furieux que son père, je leur ferais passer le goût du pain.

– Ben sûr, il y a pas moyen de trouver des traces? dit André.

– Ben non, p'pa. Ils ont dû faire leur coup avant les premières grosses tempêtes.

– Ça servirait à rien que vous vous arrachiez les cheveux, intervint Lucie en tendant l'annuaire téléphonique à son mari. Appelle donc la police pour faire constater les dégâts et après ça, tu pourras toujours appeler Jutras pour savoir combien les assurances vont nous donner.

– Ta femme a raison, fit André encore assommé par la nouvelle. Appelle la police. Quand ben même on se plaindrait jusqu'à demain matin, ça changera rien.

***

Deux patrouilleurs de la SQ se présentèrent chez les Marcotte vers trois heures. Lucie leur ouvrit après avoir prévenu de leur arrivée Pascal et son beau-père occupés à faire des comptes dans le bureau.

– Bonjour, agent Perreault de la Sûreté du Québec, se présenta un gros policier.

– Paul Delorme, dit l'autre en pénétrant dans la pièce.

– Une chance qu'il y avait personne en train de mourir, fit Lucie, acide, il aurait eu le temps de mourir cent fois avant que vous arriviez. On vous a appelés à onze heures ; il est presque trois heures.

– On nous a dit qu'il s'agissait seulement de constater du vandalisme, madame, fit sèchement l'agent Perreault, qui venait de reconnaître celle qui l'avait reçu plutôt fraîchement l'automne précédent.

– Oui, c'est correct, dit Pascal Marcotte d'un ton plus conciliant en entrant dans la pièce. Si ça vous fait rien,

316

on va aller voir tout de suite à la cabane à sucre parce que la noirceur va nous tomber dessus avant que vous ayez tout vu.

– Ah! c'est à votre cabane à sucre, dit l'agent Delorme en jetant un coup d'œil à son confrère. Je suppose que votre cabane est au bout de votre terre.

– C'est en plein ça, dit André Marcotte en sortant à son tour du bureau.

Connaissez-vous ben des érablières plantées devant les maisons ou sur le bord de la route, vous autres? demanda-t-il avec mauvaise humeur.

– On le sait, monsieur, rétorqua l'agent Perreault, agacé par le ton de l'homme. Ce que mon confrère voulait dire, c'est qu'on nous a pas dit qu'il faudrait transporter nos motoneiges pour aller constater les dégâts.

– Faites-vous en pas avec ça, dit Pascal. On a ce qu'il faut pour se rendre là-bas. On a deux «skidoo». P'pa, venez-vous? demanda-t-il en se tournant vers son père.

– C'est pas utile. Vas-y avec eux et montre-leur tout ce qu'il y a à voir. Pendant ce temps-là, je vais essayer de m'arranger avec Jutras.

Dès que la pétarade des motoneiges se fut éloignée de la maison, André Marcotte essaya pour la quatrième fois de la journée de rejoindre par téléphone Normand Jutras de Saint-Cyrille, son agent d'assurances depuis près de trente ans.

Par chance, l'agent était enfin de retour à la maison, ce qui permit à André Marcotte de lui expliquer les actes de vandalisme dont il avait été victime.

Normand Jutras ne perdit pas de temps à compatir aux malheurs du cultivateur. Il démontra même bien peu d'empressement à satisfaire son vieux client. Cependant, il finit par lui promettre qu'un évaluateur passerait probablement chez lui dans les quinze prochains jours, pourvu qu'il puisse se rendre facilement à l'érablière.

Le ton désinvolte de l'assureur fit monter la moutarde au nez d'André Marcotte.

– Écoute-moi ben, mon Jutras, fit-il d'un ton cassant. Je te le répéterai pas. Tu vas prendre cinq minutes de ton temps pour aller voir la quantité de polices d'assurances que j'ai pris avec toi et le montant que je te paye tous les ans depuis trente ans, O.K. ? Quand t'auras fait ça, tu vas te dépêcher à appeler la compagnie de broche à foin pour qui tu vends des polices et lui dire de m'envoyer son évaluateur dans la journée de demain au plus tard… sinon, ce sera la dernière fois que tu m'auras vendu une assurance. Est-ce que je suis assez clair ?

– Oui, monsieur Marcotte, balbutia l'agent d'assurances au bout du fil. Je vais faire mon gros possible pour…

– Laisse faire ton possible. Ce que je veux, c'est de voir un évaluateur demain.

Sur ce, André Marcotte raccrocha brutalement. Il consulta brièvement l'annuaire posé sur le comptoir et il signala le numéro de téléphone d'Équipements Laurin de Victoriaville dont les employés avaient installé tout le système de tubulure quelques années auparavant. Le cultivateur expliqua sa situation au responsable qui lui promit d'envoyer à son érablière une équipe de travailleurs dès le surlendemain si la température le permettait.

Moins d'une heure plus tard, Pascal rentra à la maison, toujours accompagné des deux policiers qui rédigèrent un rapport détaillé des dommages constatés dans l'érablière.

– On n'a presque aucune chance de trouver qui a fait ça, dit l'agent Delorme après avoir fait signer le rapport et en avoir remis un exemplaire à Pascal. Après un hiver complet, toutes les traces sont disparues. À moins que quelqu'un dénonce les coupables…

Les deux policiers se levèrent. Avant de quitter, l'agent Perreault ne put se retenir de dire à André Marcotte, avec un petit sourire entendu :

– On dirait, monsieur Marcotte, que vous avez pas que des amis dans le coin.

En l'entendant, Lucie leva les yeux au plafond en affichant un air découragé.

– C'est sûr, dit André. Des jaloux, il y en a toujours eu et il y en aura toujours. J'espère que ça vous a pas pris tout l'après-midi pour trouver ça.

Quand la voiture des policiers eut quitté la cour pour s'engager sur la route, Lucie ne put s'empêcher de dire :

– Voulez-vous ben me dire où est-ce qu'ils les prennent tous? On dirait qu'ils sont tous aussi niaiseux et épais les uns que les autres. Pas un plus brillant pour racheter les autres.

– On le dirait, dit André en tournant les talons pour retourner dans son bureau.

***

Chez les Lequerré, l'atmosphère n'était guère plus réjouissante, loin de là. L'état de santé de Bruno n'avait pas cessé de se détériorer depuis sa seconde rechute. La fébrilité qui s'était progressivement emparée du vieil homme grugeait l'énergie des siens.

Comme le septuagénaire ne dormait plus que deux ou trois heures chaque nuit, son gendre avait été obligé d'installer de nouvelles serrures aux deux portes de la maison, serrures qu'on verrouillait de l'intérieur chaque soir avant d'aller se coucher. C'était l'unique moyen d'empêcher le vieux cultivateur de sortir à l'extérieur. D'ailleurs, il ne se passait guère de nuit où ses allées et venues ne réveillaient pas Aurore ou Carole. L'une et l'autre avaient beau le ramener à son lit, il n'y restait que quelques minutes avant de reprendre ses déambulations sans but à travers la maison.

Clément, craignant que son beau-père ne finisse par tomber dans l'escalier qui conduisait à l'étage, tenta d'installer ses beaux-parents dans la chambre du rez-de-chaussée qu'il partageait avec sa femme. Ce fut peine perdue: Bruno Lequerré refusa d'y dormir. Ce n'était pas sa chambre.

Au début, Marco et Mathieu se réveillaient souvent au milieu de la nuit et allaient voir ce que faisait leur grand-père. Maintenant, ils se contentaient de verrouiller la porte de leur chambre pour éviter ses visites nocturnes.

De l'avis d'Aurore, le pire était que son mari avait pris l'habitude, depuis quelques semaines, de cacher un peu partout dans la maison de la nourriture qui finissait nécessairement par se gâter et sentir mauvais. Alors, elle se lançait à la recherche de la source des odeurs nauséabondes avec l'aide de sa fille. Elles finissaient par trouver au fond d'un placard ou sous un lit une banane, une pomme, un morceau de tarte et même des saucisses que le vieillard était parvenu à dérober dans le réfrigérateur.

Lorsque la température se fit plus clémente en ce début de mars, il fut, bien entendu, question de la saison des sucres chez les Leroux.

Bruno Lequerré n'avait jamais vraiment pris au sérieux sa petite érablière. Depuis son arrivée au Québec en 1955, il avait toujours préféré ses vignes aux érables. Il ne s'en était occupé que parce que son beau-père, François Riopel, et surtout sa femme y tenaient. La conséquence immédiate de cette absence d'intérêt du Français fut que son érablière avait toujours souffert d'un sérieux manque d'entretien. Si le peu de sirop produit était consommable, c'était dû aux efforts d'Aurore qui s'était toujours chargée de faire bouillir l'eau d'érable. Depuis son mariage, la cabane à sucre avait toujours été son domaine.

Mais cette année, la maladie de son mari posait un problème insurmontable. Elle ne pouvait, en aucun cas, envisager de passer ses journées à la cabane. Qui s'occuperait de Bruno? Carole ne pouvait s'en charger seule.

Ce matin-là, la question fut soulevée par Carole durant le déjeuner. Elle profitait du fait que son père était encore au lit pour en discuter avec les siens.

– Je pense ben qu'on va faire notre deuil de notre sirop d'érable cette année, dit-elle. C'est de valeur. On avait beau en faire juste une dizaine de gallons, c'était ben utile pour les desserts.

– Pourquoi on fera pas de sirop, m'man? demanda Marco.

– Parce que ta mère et moi, on sera pas capables de faire bouillir et surveiller en même temps ton grand-père, répondit Aurore à la place de sa fille.

– En tout cas, moi, fit Clément qui s'apprêtait à se lever de table, j'ai trop d'ouvrage au barrage pour ramasser l'eau d'érable. Ça prend déjà tout mon petit change pour donner un coup de main pour le train, matin et soir.

– En plus, fit Carole, qui va aller planter les chalumeaux et accrocher les chaudières? Il faudrait aussi nettoyer tout le fourbi et faire le grand ménage de la cabane.

Marco regarda brièvement son frère Mathieu avant de proposer:

– On pourrait peut-être s'arranger, m'man. Mathieu et moi, on pourrait prendre la journée pour aller planter les chalumeaux et accrocher les chaudières après les avoir nettoyées.

322

— Tu sais comment faire ça ? demanda son père.

— J'ai aidé grand-papa à le faire, l'année passée. C'est pas ben compliqué ; il y a juste à percer dans la cicatrice laissée par le chalumeau le printemps passé.

— C'est ça, mais ça nous avancerait pas à grand-chose, laissa tomber Aurore. Qui ramasserait l'eau ?

— On pourrait s'organiser, grand-maman. L'après-midi, en revenant de l'école, j'irais le faire une journée, tandis que le lendemain, Mathieu prendrait ma place. Comme ça, il y en aura toujours un pour aider au train. Quand ça coulera trop, on restera toute la journée à la cabane.

— Et ton grand-père dans tout ça ?

— Pendant que grand-maman ferait bouillir, je l'amènerais avec moi faire la tournée des chaudières. Je suis certain qu'il se souviendrait ce qu'il y a à faire.

Clément regarda sa femme et sa belle-mère avant de laisser tomber :

— Au fond, vous risquez rien à essayer. Si ça marche pas, on aura juste à tout ramasser. On se reprendra l'année prochaine.

— T'es sûr que ça vous fera pas trop mal au cœur de manquer l'école ? demanda Aurore, perfide.

— Voyons, grand-maman ! protesta Marco. C'est certain que ça nous fait pas plaisir de manquer des cours, mais pour rendre service…

323

– On sait ben, fit Carole en regardant ses deux fils. Je serais pas surprise que ça vous fasse pleurer. Mais comme on peut pas faire autrement, on va essayer.

Les deux adolescents ne se le firent pas répéter. Ils se précipitèrent dans leur chambre pour passer de vieux vêtements. Moins d'une demi-heure plus tard, après avoir chargé le traîneau d'une caisse de vieux chalumeaux, de produits nettoyants, de deux vilebrequins et de quelques outils, Marco et Mathieu montaient sur la motoneige et prenaient la direction de la petite cabane à sucre située au bout de la terre de Bruno Lequerré.

Les deux frères trouvèrent le petit bâtiment inchangé depuis le printemps précédent. C'était toujours la même vieille cabane en planches grises dont le toit peu élevé était surmonté d'une cheminée en tôle rouillée. Appuyé sur son mur de gauche, un appentis ouvert aux quatre vents contenait une quantité appréciable de bûches rendues grisâtres par les intempéries.

Après avoir jeté un coup d'œil à l'intérieur, les deux jeunes commencèrent leur journée de travail. Il fallait d'abord pelleter la neige qui encombrait les abords de la cabane avant de songer à percer les érables et y planter des chalumeaux. Plus tard, après le dîner, il leur faudrait trouver le temps de nettoyer à fond l'intérieur et les chaudières. Avant leur départ, leur grand-mère leur avait bien recommandé de ne pas accrocher ces dernières sous les chalumeaux tout de suite. Il faudrait attendre que les érables se mettent à couler.

Chapitre 19

La mort de Jean-Pierre

L'hiver n'allait pas desserrer son étreinte aussi facilement. Avant même la fin de la première semaine de mars, le mercure plongea à nouveau sous zéro. Quelques chutes de neige d'une blancheur immaculée firent disparaître les espoirs d'un printemps hâtif aussi rapidement que les amoncellements de vieille neige grisâtre en bordure des routes.

On remit avec mauvaise grâce son foulard, ses gants et sa tuque pour affronter le retour du froid. Il n'y avait rien à faire; il fallait supporter les derniers soubresauts d'un hiver qui n'en finissait plus.

Le mercredi après-midi de la seconde semaine de mars, vers trois heures, Jocelyne Bergeron reçut un appel urgent de l'Hôtel-Dieu de Trois-Rivières.

– Madame Bergeron? ici garde Lépine de l'Hôtel-Dieu de Trois-Rivières, fit une voix posée au bout du fil.

– Dites-moi pas que mon garçon est encore rendu à l'hôpital? demanda Jocelyne, alarmée.

– Oui, madame, depuis hier matin.

– C'est pas possible, dit la mère. Ça fait trois fois qu'il est hospitalisé depuis le début du mois de février.

En effet, après avoir reçu son congé de l'hôpital quelques jours après son hospitalisation à la mi-février, Jean-Pierre avait dû être traité à nouveau, une semaine plus tard, pour une infection virale.

– Oui, je sais, madame.

– Qu'est-ce qu'il a encore? Est-ce que c'est grave?

– Un instant, madame Bergeron.

Il y eut des chuchotements à l'autre bout de la ligne téléphonique durant quelques secondes avant que l'infirmière ne reprenne la communication.

– Madame Bergeron, vous comprendrez que je ne peux pas parler de son dossier médical au téléphone. Tout ce que je peux vous dire, c'est que le docteur Saint-Pierre traite votre garçon pour un problème de globules blancs.

– Est-ce que je peux parler au docteur?

– Malheureusement non, madame. Le docteur est déjà parti voir un autre de ses patients au troisième étage. C'est lui qui m'a demandé de vous appeler. Selon lui, l'état de votre fils s'est aggravé durant la nuit et il serait préférable que vous veniez le voir. Il occupe une chambre au quatrième étage.

– Aggravé! Qu'est-ce que vous voulez dire? demanda Jocelyne, au bord de la panique.

– Je ne veux pas vous inquiéter pour rien, madame Bergeron, mais son état est assez grave.

– J'arrive, dit Jocelyne d'une voix étranglée avant de raccrocher.

La quinquagénaire mit précipitamment son manteau et alla retrouver Richard et Sylvain dans le garage où, avec l'aide de Marc Riopel, ils étaient en train de réparer une pièce de la souffleuse. Les hommes peinaient à remettre la pièce en place depuis plus d'une heure.

– Qu'est-ce qu'il y a? demanda Richard avec brusquerie en voyant sa femme pénétrer dans le bâtiment.

– L'hôpital vient d'appeler. Jean-Pierre est encore entré d'urgence à l'Hôtel-Dieu de Trois-Rivières hier matin.

– Encore!

– Oui, mais cette fois, ça a l'air vraiment grave. Le docteur veut qu'on y aille.

Richard laissa tomber sa clef anglaise dans le coffre d'outils ouvert à ses pieds et il se pencha pour prendre un chiffon avec lequel il s'essuya les mains couvertes de cambouis.

– Je me change et on va y aller, dit-il en constatant l'énervement de Jocelyne.

– Tu vas rester pour faire le train, Sylvain et...

– Laissez donc faire le train, monsieur Bergeron, fit Marc Riopel. Mon père est capable de faire le nôtre tout seul. Je vais m'occuper de votre train.

– Ben, je sais pas trop…

– Allez-y tous les trois, je m'occupe du reste, fit Marc Riopel.

– T'es ben fin, fit Jocelyne. On te revaudra ça.

Une heure plus tard, les Bergeron franchissaient les portes de l'Hôtel-Dieu. Si Jocelyne et Sylvain connaissaient bien les lieux, il en allait différemment pour Richard qui n'était venu voir son fils adoptif hospitalisé qu'une seule fois. Le cultivateur continuait à ressentir une sainte horreur des hôpitaux depuis l'intervention chirurgicale qu'il avait subie vingt ans auparavant.

Lorsqu'ils se présentèrent au poste de garde du quatrième étage pour connaître le numéro de la chambre occupée par Jean-Pierre, une infirmière âgée d'une cinquantaine d'années se leva.

– Vous êtes les parents du malade? demanda-t-elle.

– Oui, répondit Jocelyne.

– Le docteur Saint-Pierre aimerait d'abord vous parler. Tenez, justement le voilà! dit l'infirmière en indiquant un gros homme chauve dont le sarrau blanc était ouvert sur une chemise bleu pâle. Un stéthoscope dépassait de l'une des poches du vêtement.

– Docteur Saint-Pierre, le héla l'infirmière, les parents de Jean-Pierre Bergeron viennent d'arriver.

Le médecin releva ses verres sur son front avant de serrer la main de chacun. Ensuite, sans dire un mot, le spécialiste tendit la main droite vers l'infirmière qui y déposa un dossier.

– Merci garde. Il y a un petit bureau libre à côté, dit-il aux trois visiteurs. Si ça vous fait rien, j'aimerais vous dire deux mots avant que vous voyiez votre garçon.

Le docteur Saint-Pierre les entraîna à sa suite dans une toute petite pièce voisine qui ne contenait qu'une table et trois chaises.

– On va vous trouver une chaise, dit le médecin à Sylvain en faisant le mouvement de sortir de la pièce.

– Laissez faire, docteur, dit Sylvain Bergeron, tendu; j'ai pas envie de m'asseoir.

Sylvain demeura debout, appuyé à la porte, pendant que ses parents et le médecin s'assoyaient. Le jeune homme aurait aimé rencontrer le docteur Saint-Pierre avant qu'il ne voie ses parents pour l'informer qu'ils n'étaient pas au courant de la véritable maladie de son demi-frère. Il aurait voulu éviter de causer une peine inutile à sa mère adoptive et à son père, mais tout était allé trop vite.

– Bon. Je sais que vous avez hâte de voir votre fils et que vous êtes inquiets de son état de santé. Je dois d'abord vous dire qu'à son arrivée à l'hôpital, hier avant-midi, il n'en menait pas large.

– Pourquoi on nous a pas appelés hier? demanda Jocelyne, vindicative.

– C'est votre fils qui nous a demandé de ne pas le faire. Il disait qu'il voulait se remettre d'aplomb avant de vous voir, pour ne pas vous inquiéter.

– Excusez-moi, fit Jocelyne.

René Saint-Pierre fit comme s'il ne l'avait pas entendue.

– On l'a soumis à une batterie de tests. Vous savez que nous l'avons traité pour une hépatite virale le mois passé. Mais cette fois-ci, c'est pas mal plus difficile. Il a des pertes de conscience, son cœur répond mal et on a des problèmes avec ses globules blancs. Jusqu'ici, il faut dire qu'il a assez mal répondu au traitement. Ses globules blancs ne se renouvellent pas assez vite et son organisme est trop faible pour combattre efficacement le nouveau virus qui l'attaque.

– Ça m'a l'air ben compliqué tout ça, dit Richard en interrompant le praticien. Qu'est-ce que vous voulez nous dire exactement?

Le docteur Saint-Pierre jeta un coup d'œil à Jocelyne, comme pour s'assurer qu'elle était en mesure de supporter le choc.

– Ce que j'essaie de vous dire, c'est que votre fils est entré dans le coma au début de l'après-midi malgré tout ce qu'on a fait pour stabiliser son état. Il est présentement aux soins intensifs.

– C'est pas vrai! hurla Jocelyne, en se levant, le visage devenu subitement blanc. C'est pas vrai! Il a juste vingt-

330

sept ans! Il a pas encore vécu! Ça se peut pas! Je veux le voir tout de suite.

– Calmez-vous, madame, dit le médecin d'un ton apaisant. Votre garçon est pas mort. Il se bat pour survivre. L'âge a rien à y voir. Si vous êtes croyante, vous devez savoir que Dieu vient en chercher de tous les âges. Je lui ai parlé vers onze heures ce matin, il était encore lucide. Il était au courant du sérieux de son état.

– Est-ce qu'il va nous reconnaître? demanda Richard, la gorge nouée par l'émotion.

– Non, dit le docteur Saint-Pierre en se levant. Je vous demanderais de vous plier aux demandes de l'infirmière responsable des soins intensifs. On ne peut admettre qu'une ou deux personnes à la fois. Garde Lépine va vous conduire au département des soins intensifs.

Tout le monde quitta le bureau et se rendit au poste de garde où le docteur Saint-Pierre confia les visiteurs à l'infirmière qui les avait accueillis.

– Allez-y avec elle, dit Sylvain à ses parents, j'ai deux mots à dire au docteur. Je vous rejoins tout de suite.

Richard et Jocelyne étaient trop perturbés pour attacher de l'importance au fait que Sylvain les quitte quelques instants. Ils suivirent l'infirmière sans un mot.

Dès qu'ils furent hors de vue, le jeune homme demanda au médecin:

– Est-ce qu'il peut encore guérir?

331

– J'en doute. Il faudrait un miracle. À mon avis, il n'en a plus que pour quelques heures.

En apprenant cette nouvelle, une impression d'étouffement s'empara du jeune homme qui, les yeux pleins d'eau, déglutit plusieurs fois avant de pouvoir reprendre la parole.

– J'avais beau m'y attendre un peu, c'est pas pareil... En tout cas, merci de n'avoir rien dit à mes parents pour le sida, trouva-t-il la force de dire au praticien.

– Écoutez, fit le docteur Saint-Pierre, compatissant. Votre frère m'a dit ce matin que vous étiez le seul au courant de sa maladie et il m'a demandé de faire l'impossible pour cacher la vérité à vos parents... J'ai fait ce que j'ai pu. Tant mieux s'il est parvenu à leur cacher la vérité jusqu'au bout.

– Ils vont ben avoir assez de peine comme ça, ajouta Sylvain, les yeux dans l'eau.

– Votre frère s'est donné bien du mal pour cacher son état. Si je me fie à ce que m'ont raconté les infirmières de son étage, il a même défendu à son ami de venir le voir pendant qu'il était hospitalisé.

Soudainement, Sylvain réalisa qu'il n'avait jamais rencontré Guy Rondeau à l'hôpital, même s'il était venu rendre visite à Jean-Pierre trois ou quatre fois en compagnie de Stéphanie lors de ses deux précédentes hospitalisations. La seule fois qu'il l'avait vu, c'était quand il avait ramené son demi-frère chez lui l'avant-veille du jour de l'An.

– Hier, d'après les ambulanciers, continua le docteur Saint-Pierre, votre frère n'a pas voulu qu'il monte dans l'ambulance avec lui… En tout cas, soyez sûr qu'on a fait l'impossible pour le sauver.

Sylvain se contenta de secouer la tête en se demandant qui cette pauvre comédie avait pu tromper. Il remercia encore le médecin qui le quitta, demandé par une infirmière. Avant de se diriger à l'extrémité du corridor, vers les portes battantes qui s'ouvraient sur le département des soins intensifs, le jeune homme demanda quelques précisions à l'infirmière-chef demeurée seule au poste de garde.

Quand Richard et Jocelyne arrivèrent au département des soins intensifs, ils aperçurent par la porte vitrée deux patients entourés de machines, séparés par un rideau et branchés à des appareils. Assise face aux deux malades, une infirmière veillait. Le couple était trop loin pour distinguer les traits des personnes alitées.

Garde Lépine dit aux deux visiteurs de l'attendre un instant. Elle entra silencieusement dans la pièce. Ils la virent se pencher à l'oreille de l'infirmière de garde qui tourna brièvement la tête vers eux. Elle acquiesça à ce que lui demandait l'autre et elle fit signe à Jocelyne et à Richard d'entrer.

– Garde Toupin, se présenta, à voix basse, la jeune femme en esquissant un sourire las. Vous pouvez vous approcher de votre fils. Faites juste attention de ne pas heurter l'un des appareils.

Richard et Jocelyne s'avancèrent sur la pointe des pieds en direction du patient qui occupait le lit de droite.

Le cœur de Jocelyne se serra brusquement à l'étouffer à la vue de son fils et elle sentit la main de Richard se crisper sur son bras.

Jean-Pierre n'avait plus que la peau sur les os. La peau de son visage avait pris une teinte grisâtre. Ses narines étaient pincées et ses lèvres exsangues. Il avait les yeux fermés et sa poitrine semblait se soulever avec beaucoup de difficulté.

Jocelyne s'avança un peu plus près de la tête du lit et elle mit sa main sur celle de son fils qui ne réagit pas au contact.

– Il a la main toute froide, dit-elle, désespérée, à l'infirmière qui les avait suivis dans l'alcôve.

– Est-ce qu'il souffre ? demanda soudain Richard.

– Non, on lui donne des doses massives de morphine depuis quelques heures.

Le couple demeura au chevet de Jean-Pierre une dizaine de minutes, jusqu'à l'arrivée de Sylvain qui, de l'extérieur, leur fit signe de venir le rejoindre.

Jocelyne abandonna à regret la main de son fils et, suivie par son mari, quitta la pièce.

– Je viens de parler à l'infirmière-chef, leur dit-il. Ils peuvent nous permettre de rester avec Jean-Pierre si on le veut. Ils veulent pas qu'il y ait plus qu'une personne à la fois avec lui et il faudra qu'on sorte chaque fois que l'infirmière ou le médecin viendra le soigner.

– J'aime mieux ça, fit Jocelyne, en tentant de se redonner du courage.

– De toute façon, maman, il faut pas s'énerver trop vite. Il paraît que même s'il a pas sa connaissance, son état peut rester pareil pendant des jours et même des semaines.

– Qu'est-ce qu'on fait ? demanda Richard, un peu perdu.

– On est pas pour le laisser tout seul comme un chien, déclara fermement Jocelyne.

– Ben non, m'man, la rassura Sylvain. On pourrait peut-être aller souper à la cafétéria et après le repas, on pourrait se remplacer toutes les heures. À la fin de la soirée, on décidera ce qu'on fera pour la nuit.

Le jeune cultivateur retourna voir l'infirmière-chef pour lui apprendre qu'ils avaient l'intention de veiller Jean-Pierre à tour de rôle.

– D'accord, dit-elle, compréhensive, pourvu que la personne demeurée au chevet du malade quitte la pièce chaque fois qu'il y aura des soins à lui dispenser.

– Merci, madame. Nous descendons souper à la cafétéria et nous allons revenir.

Ses parents le suivirent jusqu'à la cafétéria où chacun mangea du bout des lèvres.

À un moment donné, Sylvain quitta la table qu'ils occupaient au fond de la cafétéria et il alla téléphoner à Stéphanie pour lui apprendre la nouvelle. La jeune femme compatit et elle lui promit de venir le rejoindre à la cafétéria tout de suite.

La dernière bouchée difficilement avalée, Jocelyne tint absolument à être la première à aller au chevet de son fils. Richard et Sylvain la laissèrent quitter la cafétéria en lui disant que l'un d'eux irait la remplacer dans une heure.

Quelques minutes plus tard, Stéphanie Éthier arriva et s'installa près des deux hommes.

Au moment où Richard allait partir pour relever sa femme, il entendit qu'on l'appelait avec son fils par l'interphone. Le sexagénaire adressa d'abord un regard de parfaite incompréhension à Sylvain. Puis, en compagnie de Stéphanie, les deux hommes se hâtèrent vers l'ascenseur qui devait les déposer au département des soins intensifs.

Dès que les portes s'ouvrirent, ils aperçurent Jocelyne, en larmes, assise près du poste de garde.

— Il est mort! Il est mort! leur cria-t-elle, hystérique.

L'infirmière-chef s'approcha avec un verre d'eau et deux comprimés.

— Prenez ça, madame, et pas de discussion, ordonna-t-elle à la mère. Ça va vous faire du bien.

Stéphanie s'approcha de la belle-mère de Sylvain pour la soutenir.

– Qu'est-ce qui s'est passé? demanda Richard.

– Son cœur a lâché tout d'un coup. Il s'est battu tant qu'il a pu, dit le docteur Saint-Pierre qui sortait de la chambre en remettant dans sa poche son stéthoscope.

– Maudit que la vie est mal faite, dit le sexagénaire, avec une rage mal contenue.

– Il n'y a pas de règle, monsieur Bergeron. La maladie frappe n'importe qui.

– Est-ce qu'on peut le voir? demanda Sylvain.

– Oui. Allez-y.

Richard et son fils entrèrent silencieusement dans la chambre. L'infirmière responsable avait déjà tiré le rideau de l'alcôve. On avait recouvert entièrement le corps de Jean-Pierre avec un drap. L'infirmière, en les voyant arriver, se leva et les accompagna. Elle écarta le rideau, s'approcha du lit et rabattit le drap de manière à découvrir le visage du défunt.

– Regardez comme il a l'air libéré et détendu, leur dit-elle tout bas en guise de consolation. Il a fini de souffrir.

L'infirmière se retira discrètement pour les laisser seuls.

Richard et Sylvain, bouleversés, ne dirent pas un mot. Ils demeurèrent debout durant une minute auprès de celui qui n'était plus, incapables de détacher leur regard de son visage. Ils firent un effort surhumain pour se retourner et adresser un dernier remerciement à l'infirmière.

Pendant que Sylvain allait remplir les documents officiels, Richard alla prendre possession de la petite valise en tissu bleu de Jean-Pierre. Une aide-soignante avait déjà ramassé à la hâte les possessions du disparu dans la chambre qu'il avait occupée et elle les avait rangées dans la valise qu'il avait apportée la veille.

— Mes condoléances, monsieur, fit garde Lépine en lui tendant le maigre bagage qui avait été déposé derrière son bureau.

— Merci, madame.

L'infirmière prit une enveloppe sur son bureau et elle la tendit à Richard.

— Nous avons trouvé, cette enveloppe sur la table de chevet. Elle est adressée à son frère Sylvain. Peut-être pourriez-vous la lui remettre?

— Oui. Merci.

Quand Sylvain aperçut son père sortant de l'ascenseur dans le hall de l'hôpital, il eut l'impression qu'il avait brusquement vieilli de dix ans.

Sans un mot, Richard lui tendit l'enveloppe. Sylvain comprit qu'elle venait de son frère et il s'éloigna du groupe de quelques pas pour prendre connaissance de son contenu.

– C'est son testament et une lettre, dit-il à voix basse en revenant vers Stéphanie et ses parents. Il veut pas être exposé plus qu'un soir. Il demande que sa tombe reste fermée. Il écrit qu'il a déjà pris les arrangements avec Duchesne de Saint-Cyrille et que tout est déjà payé.

– Voyons donc, protesta sa mère. Comment ça se fait qu'il avait déjà tout arrangé? Pourquoi il nous a jamais dit qu'il était si malade que ça?

– Ça sert à rien de se poser ces questions-là, lui dit Richard avec beaucoup de bon sens. L'important, c'est qu'il a fini de souffrir. Nous autres, on a juste à faire ce qu'il a demandé qu'on fasse.

– Oui, mais juste un soir! protesta Jocelyne. Ça a pas d'allure. En plus, on pourra même pas le voir, dit-elle avant d'éclater encore en sanglots.

– Je pense, p'pa, que le mieux est qu'on retourne à la maison, dit Sylvain. On a encore le temps de s'arrêter chez Duchesne en passant; il va savoir quoi faire.

Stéphanie embrassa chacun des membres de la famille en leur souhaitant beaucoup de courage. Elle assura Sylvain qu'elle viendrait lui tenir compagnie au salon funéraire dès qu'il lui communiquerait le soir où son frère serait exposé. Avant de la quitter, Sylvain lui promit de venir la chercher ce soir-là.

Une heure plus tard, le jeune homme laissa ses parents à la maison et poursuivit son chemin jusqu'au salon funéraire Duchesne de Saint-Cyrille.

Il fut reçu par André Duchesne, un grand homme âgé d'une cinquantaine d'années au visage glabre et aux manières chaleureuses. Il était le fier représentant de la quatrième génération de Duchesne qui gérait cette entreprise funéraire. Il suffit d'une dizaine de minutes pour que tous les détails soient réglés. Il fut entendu que le corps serait exposé dès le lendemain soir, de sept heures à dix heures. Sylvain n'aurait qu'à communiquer au salon l'heure et l'endroit des funérailles.

Dès son arrivée à la maison, Sylvain appela Pierre Bergeron, le cousin de son père, pour lui apprendre la triste nouvelle. Diane, la femme de Pierre, lui promit de se charger de prévenir la parenté et les connaissances. Pour sa part, le curé Gingras, rejoint à son presbytère de Sainte-Monique, trouva bien un peu précipité de célébrer les funérailles du jeune Bergeron dès le surlendemain, mais Sylvain lui expliqua que son demi-frère ne voulait être exposé qu'un soir. Il fut donc convenu que le service funèbre aurait lieu le vendredi matin, à dix heures.

Le lendemain soir, aucun étranger ne se présenta au salon Duchesne avant sept heures. Comme le voulait l'usage, on laissa d'abord les membres de la famille saluer le disparu et tenter de juguler leur douleur à la vue du cercueil. Puis, peu à peu, les gens arrivèrent pour offrir leurs condoléances à la famille éprouvée.

Il n'y eut pas foule parce que Jean-Pierre Bergeron, parti depuis près de dix ans de Saint-Anselme, ne comptait pas beaucoup d'amis dans la région. Cependant, un bon nombre de parents et de voisins tinrent à venir le saluer une dernière fois pour manifester leur soutien à sa famille éprouvée.

Stéphanie Éthier apparut peu après sept heures et demie et elle se tint au côté de Jocelyne durant toute la soirée pendant que Richard et Sylvain allaient d'un groupe à l'autre pour remercier les gens de s'être déplacés.

Le grand sujet des conversations tenues à mi-voix était la raison qui avait poussé la famille à exposer le corps de Jean-Pierre Bergeron dans un cercueil fermé. Le jeune n'était pourtant pas mort dans un accident de voiture qui l'avait défiguré… Qu'est-ce que cela cachait? Les gens avaient beau scruter la grande photo du disparu déposée sur la tombe, au milieu des gerbes de fleurs, pour essayer de deviner la réponse, ils ne trouvaient aucun indice. Quelques commères de Saint-Anselme, dont le principal loisir consistait à visiter les deux salons funéraires de la région, obtinrent une réponse de Nicole Riopel.

– La maladie l'avait tellement magané, dit-elle aux curieuses, que c'est lui-même qui a demandé d'être exposé le cercueil fermé. Sa mère m'a dit qu'il était pas reconnaissable.

Peu avant l'arrivée du curé Gingras, Sylvain Bergeron vit un homme au large visage carré s'agenouiller devant la dépouille de son demi-frère. L'homme de taille moyenne portait son manteau sur son bras. Il mit un instant à l'identifier: Guy Rondeau, l'ami de Jean-Pierre. Quand le quadragénaire aux tempes grises se leva, Sylvain s'avança vers lui.

341

– Monsieur Rondeau? demanda-t-il, encore incertain.

– Oui, fit l'autre, les yeux rougis par l'émotion. Vous êtes Sylvain. On s'est vus rapidement au mois de décembre.

– Oui, je me rappelle.

– Vous savez, j'avais pas abandonné votre frère. C'est lui qui voulait pas me voir près de lui à l'hôpital. Il avait peur que ça fasse jaser.

– Oui, je le savais.

– Avez-vous le testament de Jean-Pierre? Il m'avait demandé de toujours le laisser dans la valise qu'il apportait à l'hôpital.

– Oui, la garde-malade l'a trouvé en ramassant ses affaires.

– Tant mieux, c'est ce qu'il voulait. Vous avez pas idée de tous les efforts qu'il a faits pour mettre toutes ses affaires en ordre avant de partir. On aurait dit qu'il savait qu'il ne reviendrait pas à la maison, cette fois-là.

– Voulez-vous que je vous présente à ma mère et à mon père?

– Oui. J'aimerais leur présenter mes condoléances.

Sylvain entraîna l'ami de Jean-Pierre et il les présenta à ses parents avant de s'avancer vers le curé Gingras qui entrait dans le salon au même moment que l'ex-curé

Lanctôt. Quelques minutes plus tard, toute l'assistance se recueillit dans la récitation d'une dizaine de chapelet.

Le lendemain avant-midi, peu de gens assistèrent aux funérailles du jeune homme. Les porteurs de la maison Duchesne laissèrent le cercueil à l'avant de l'église de Saint-Anselme. Quand le curé Gingras se mit en marche derrière eux en compagnie de ses deux servants, il ne fut suivi que par une trentaine de proches et de voisins qui prirent place dans les premiers bancs. Comme Sylvain se sentait incapable de parler devant l'assemblée pour adresser un dernier salut à celui qu'il avait toujours considéré comme son frère, le prêtre trouva des paroles de circonstance pour apaiser la douleur des parents.

Après avoir accompagné la dépouille jusqu'au charnier situé au fond du cimetière, la maigre foule se dispersa.

***

La semaine suivante fut marquée par l'arrivée officielle du printemps. Fait étonnant, ce fut exactement le 21 mars que les grands froids et la neige plièrent bagages. Les gelées du matin ne résistaient plus aux premiers rayons de soleil. Le temps doux avait l'air de vouloir s'installer définitivement.

Une aussi belle température avait incité les vieux à sortir de leur maison où plusieurs s'étaient enfermés dès le début de l'hiver. Il n'était pas rare d'en voir trois ou quatre réunis devant l'épicerie Gagnon ou à la

343

fromagerie, en train de discuter de la température avec le plus grand sérieux.

– C'est pas bon, disait l'un, la neige fond trop vite.

– Il y a pas de danger, rétorquait un autre, il gèle encore la nuit.

– S'il continue à faire aussi doux, la rivière va pourtant nous jouer un tour.

– Moi, je pense pas. La glace a au moins encore deux pieds et demi d'épaisseur.

– Il faut pas oublier non plus, ajoutait un troisième larron, qu'il y aura pratiquement pas de sucres si ça refroidit pas un peu. La sève va monter trop vite dans les érables.

– Le plus grave, concluait le quatrième, c'est que si ça continue à fondre à cette vitesse-là, vous allez voir que tout va être inondé. Avec la quantité de neige qu'on a eu cet hiver…

Et la discussion repartait dans une autre direction, alimentée par les souvenirs de l'un ou de l'autre.

***

Chez Richard Bergeron, la vie quotidienne avait repris tant bien que mal son cours normal. Supportée par Richard, Sylvain et quelques voisines, Jocelyne vivait son deuil et apprivoisait peu à peu sa douleur. Pour leur part, Richard et son fils avaient déjà accroché les chaudières aux chalumeaux plantés dans les érables de leur petite érablière et ils avaient commencé à faire bouillir l'eau d'érable depuis quelques jours.

Un jour nuageux et froid où les érables ne coulaient pratiquement pas, Richard et Sylvain décidèrent de rentrer à la maison plutôt que de rester à ne rien faire à la cabane.

– As-tu l'intention de commencer à régler les affaires de ton frère bientôt ? demanda Richard en enlevant son manteau.

– J'ai déjà commencé, p'pa, répondit Sylvain. Je suis les conseils donnés dans le petit livret donné par le salon funéraire. La plupart des papiers ont été remplis et j'ai fait les demandes nécessaires.

– Bon, tant mieux, approuva Richard Bergeron, la mine sombre.

– Au fond, j'ai pas grand-chose à faire. Il faut dire que Jean-Pierre avait presque rien. Son compte de banque était vide. Il avait pas de placements. Tout ce qu'il avait, c'était une petite assurance et une grosse partie du chèque va surtout servir à payer ses funérailles.

– Comment ça se fait qu'il avait pas plus d'argent que ça ? demanda Jocelyne qui venait d'éteindre le téléviseur.

– M'man, le salaire de vendeur de Jean-Pierre, c'était pas le Pérou. En plus, il travaillait plus depuis presqu'un an : il était trop malade. Je pense qu'il a dû prendre tout le vieux-gagné pour payer sa part de loyer et son manger.

Les yeux de Jocelyne se remplirent d'eau à l'évocation de la fin de vie misérable de son fils unique. Sylvain s'empressa d'orienter différemment la conversation.

– Justement, comme il y a rien de spécial à faire aujourd'hui, j'ai envie d'appeler Guy Rondeau pour lui demander si je peux aller le débarrasser des affaires de Jean-Pierre.

Richard et Jocelyne ne soulevèrent aucune objection et Sylvain n'eut besoin d'évoquer aucune des raisons qu'il avait préparées pour refuser leur aide puisqu'ils ne la lui offrirent pas. En aucun cas, il n'aurait voulu que son père ou sa mère se rende compte que Guy Rondeau était plus que le colocataire de Jean-Pierre.

Joint au téléphone, Rondeau accepta avec empressement sa visite. Durant tout le trajet de Saint-Anselme jusqu'à Trois-Rivières, le jeune homme se demanda comment se comporter avec l'ancien ami de cœur de Jean-Pierre. Des gens comme lui le mettaient mal à l'aise.

Vers deux heures, il sonna à la porte de l'appartement du deuxième étage du boulevard des Forges que son frère avait partagé ces dernières années avec Guy Rondeau. L'endroit était d'une propreté méticuleuse.

Rondeau, vêtu d'un jean et d'un chandail bleu marine, l'accueillit sans faire de manières et il le fit passer dans le salon sobrement meublé.

– J'ai fait du café, en voulez-vous une tasse? demanda-t-il.

— Je veux pas vous déranger trop longtemps, fit Sylvain, mal à l'aise.

— J'ai tout mon temps, répondit Rondeau. Je travaille pas aujourd'hui.

L'homme d'une quarantaine d'années disparut dans la cuisine un court instant et il revint avec un cabaret sur lequel il avait déposé deux tasses de café fumant, un pot à lait et un sucrier.

— Comme je vous l'ai dit au téléphone, j'essaie d'en finir avec la succession de mon frère, fit Sylvain. J'ai apporté son testament et…

— Vous avez pas à me le montrer, je le connais par cœur. Jean-Pierre me l'a montré avant de le faire enregistrer chez le notaire, l'été passé. Il m'en a même remis une copie.

— Comme ça, vous savez qu'il laisse à ma mère une petite horloge…

— Attendez, dit Guy Rondeau.

Il sortit du salon, traversa le couloir, ouvrit la porte d'une pièce voisine et il revint emportant une boîte de carton.

— J'ai enveloppé l'horloge pour qu'elle se brise pas dans le transport.

— Merci. Il y a aussi une montre que Jean-Pierre voulait laisser à mon père.

— Elle est aussi dans la boîte, fit Rondeau en tirant de la boîte un écrin vert foncé. C'est une Bulova.

347

– Pour le linge…

– J'ai tout placé dans des sacs.

– Est-ce que je pourrais vous les laisser? demanda Sylvain. À moi, il y a rien qui va me faire. À vous non plus, je pense. Peut-être que vous pourriez le donner à la Saint-Vincent-de-Paul.

– Pas de problème.

– Il y a des livres qu'il me donnait.

– Oui, il y en a une pleine boîte. Je vous l'apporte.

– Non, je vous les laisse si vous les voulez. Moi, j'ai pas grand temps pour lire. Pour dire la vérité, j'ai jamais aimé ben ça.

– Ça me ferait plaisir de les garder comme souvenirs, dit Rondeau.

– Il reste un album de photos et une bague, ajouta Sylvain avant de replier le testament de son demi-frère.

Rondeau se pencha au-dessus de la boîte qu'il avait déposée à ses pieds et il en tira un petit écrin de velours rouge et un épais cartable. Sylvain jeta un coup d'œil à l'album avant de le remettre dans la boîte avec l'horloge destinée à sa mère et la montre Bulova.

Ensuite, il ouvrit l'écrin d'où il tira une simple bague en or blanc sans aucune inscription. Le jeune homme la regarda durant un instant.

– Je la lui avais offerte l'année passée pour sa fête, dit Guy Rondeau d'une voix étranglée.

Sylvain regarda le bijou, le replaça lentement dans son écrin qu'il referma et il le tendit au compagnon de son frère décédé.

– Je vous la laisse. Je me contenterai de l'album comme souvenir.

Au moment de quitter l'appartement quelques minutes plus tard, Sylvain Bergeron fut embarrassé durant un court moment. Finalement, il tendit gauchement la main à l'ami de son frère et il le remercia d'avoir pris soin de lui durant sa longue maladie.

Quand il démarra à bord de sa camionnette, le jeune homme jeta un regard navré sur le contenu de la boîte déposée à côté de lui, sur le siège du passager. C'était tout ce qui restait de son frère. C'était tout ce que Jean-Pierre avait laissé aux siens. Bien peu de choses…

De retour à la maison, le jeune homme s'empressa d'aller changer de vêtements pour aller aider son père déjà occupé à faire le train. Après le souper, il alla chercher la boîte laissée dans la camionnette. Sans un mot, il tendit à sa mère la petite horloge, une espèce de mécanisme d'horlogerie doré placé sous un globe vitré. Ensuite, il remit à son père la Bulova dans son écrin. L'un et l'autre, émus, ne firent aucun commentaire.

Pendant que Richard allait ranger dans un tiroir de sa chambre à coucher la montre dont il venait d'hériter, Jocelyne installa son horloge sur le buffet de la cuisine.

Lorsqu'elle fut satisfaite de l'emplacement choisi, elle se tourna lentement vers Sylvain qui l'avait regardée chercher le meilleur endroit de la pièce pour y déposer son horloge.

Elle jeta un coup d'œil vers la chambre à coucher, comme pour s'assurer de ne pas être entendue par son mari avant de demander à demi-voix à Sylvain:

– Est-ce que c'est tout ce que Jean-Pierre a laissé?

– Oui, m'man. Il y avait un peu de linge et trois ou quatre livres que j'ai laissés à son colocataire. Il va les envoyer à la Saint-Vincent-de-Paul.

– Lui, Rondeau, il va bien? Il est pas malade comme ton frère l'était?

– Je le sais pas, m'man. Je lui ai pas demandé, répondit Sylvain, le souffle coupé par la dernière question de sa belle-mère.

Sur ces mots, Sylvain s'empressa de monter à sa chambre pour cacher son trouble. Qu'est-ce que Jocelyne venait de lui demander? Pourquoi? Était-il possible qu'elle ait appris la vérité au sujet de l'homosexualité de Jean-Pierre? Depuis quand le savait-elle? Comment avait-elle fait pour feindre l'ignorance aussi longtemps? Était-ce pour permettre à Jean-Pierre de sauver la face ou pour éviter que Richard refuse de le recevoir sous son toit? Après tout, peut-être n'avait-elle que deviné… Peut-être allait-elle à la pêche pour essayer de connaître la vérité… En tout cas, si elle apprenait la vérité un jour, ce ne serait pas de lui.

350

Chapitre 20

La porcherie

En quelques jours, l'épais manteau de neige qui couvrait les champs se mit à fondre à une vitesse étonnante. Dans la campagne, on vit peu à peu la tête des piquets de clôture pointer sous leur couverture blanche et les cernes autour des arbres devinrent de plus en plus profonds et grands. Partout, on entendait courir l'eau sous la glace qui crevait çà et là.

Déjà, les fossés ne suffisaient plus à contenir toute cette eau de fonte qui venait de partout. À certains endroits, elle envahissait la route et dévalait la moindre pente sans aucune entrave. Ici et là, on pouvait apercevoir quelques plaques de sol mis à nu dans certains champs.

Comme chaque année, les riverains de la Nicolet commencèrent à jeter des regards inquiets à la rivière. Même si les travailleurs au barrage affirmaient bien haut que les glaces étaient encore très épaisses et que la débâcle ne se produirait pas avant plusieurs jours, beaucoup d'Anselmois n'accordaient aucune foi aux dires de ces étrangers qui n'y connaissaient rien.

L'expérience leur avait appris depuis longtemps que leur rivière était absolument imprévisible au printemps. Ils savaient fort bien qu'elle ne supporterait pas encore très longtemps la quinzaine de centimètres d'eau qui couvrait la glace. Cette dernière allait bientôt éclater.

Pour bien montrer leur scepticisme, les habitants du village les plus âgés effectuaient, depuis trois jours, leurs deux promenades quotidiennes jusqu'au haut de la côte, jusqu'à l'endroit où ils pouvaient jouir d'une vue dégagée du pont et du barrage en construction situé à environ cinq cents mètres en amont. Comme leurs pères avant eux, ils se rassemblaient à cet endroit, la mine grave, pour supputer les dégâts que causeraient les glaces s'il se formait un embâcle.

Par ailleurs, la plupart des cultivateurs propriétaires d'une érablière ne se plaignaient pas de la douceur de ces premiers jours de printemps. En ce début d'avril, le mercure tombait encore sous le point de congélation chaque nuit et il remontait bravement au-dessus dès le lever du soleil. En fait, la saison des sucres de l'année 2000 laissait présager une production de sirop d'érable remarquable tant par sa qualité que par sa quantité.

André et Pascal Marcotte étaient peut-être les plus heureux des acériculteurs de la région. Toute leur installation avait été réparée à temps pour commencer la cueillette de l'eau d'érable en même temps que les autres. La compagnie d'assurances – par chance inouïe – n'avait pas hésité à payer les dommages causés par le vandalisme dont ils avaient été victimes. L'eau d'érable était si abondante qu'ils avaient même dû engager

Alfred Léger, un agriculteur de soixante-treize ans à la retraite, pour aider à l'érablière. Le vieil homme savait non seulement bouillir, mais encore, il enseigna même la recette d'un beurre d'érable succulent à la femme de Pascal.

À propos de Lucie, il faut noter que son caractère se modifiait lentement, pour la plus grande joie de son mari et probablement de sa fille Corinne. Il ne faut pas comprendre par là qu'elle était devenue une femme délicate et douce. Ce type de miracle n'existe qu'au cinéma. Non, mais Lucie était moins brusque et ses sautes d'humeur étaient moins nombreuses. Selon Pascal, ce changement pouvait être imputable à deux faits intimement reliés.

D'une part, depuis un mois, son père disparaissait sitôt son souper avalé et on ne le revoyait qu'à l'heure du train le lendemain matin. De toute évidence, André Marcotte était heureux. Il ne s'enfermait plus dans de longs silences butés et ses critiques cinglantes se faisaient de plus en plus rares. Il ne fallait pas être grand clerc pour deviner où le sexagénaire passait ses nuits. Beaucoup d'habitants du village avaient dû aussi remarquer depuis longtemps la vieille Buick grise souvent stationnée au petit matin dans l'allée asphaltée près de la maison de Céline Lacombe. En tout cas, Pierrette Marcotte, elle, l'avait remarquée et elle ne s'était pas gênée, comme à son habitude, pour porter un jugement sévère sur le comportement de son fils. Le «mon pauvre André, t'es encore en train de te laisser entortiller par la première femme qui passe, comme avec ta Louise» n'avait provoqué chez son fils qu'un vague haussement d'épaules. En tout cas, le fait de se retrouver plus souvent et plus longtemps seule avec son mari et sa fille semblait plaire à Lucie.

D'autre part, Céline Lacombe avait entrepris de dégrossir, si on peut dire, Lucie avec beaucoup de délicatesse et de doigté. Les deux femmes se voyaient au moins une fois par semaine et il semblait s'établir entre l'orpheline et la femme plus âgée une sorte de relation mère-fille qui lui faisait le plus grand bien. S'il se fiait à ce qu'il voyait, Pascal devait reconnaître que sa femme devenait plus féminine et surtout, moins brusque avec les gens. Elle avait même commencé à se maquiller, ce qu'elle avait toujours refusé auparavant en alléguant qu'elle n'avait pas plus à le faire que les hommes. Elle n'avait probablement pas abandonné sa lutte pour la libération de la femme, mais son mari aurait juré qu'il assistait à un changement radical de stratégie.

Pascal ignorait ce que l'avenir réservait à sa famille, mais il profitait avec joie de l'atmosphère plus détendue qui régnait dans la maison depuis la mi-février.

***

En ce début de soirée du 4 avril, Geneviève Biron rangeait rageusement tout ce qu'elle avait utilisé pour son souper solitaire après sa journée de travail à la quincaillerie. Ça ne se passerait pas comme ça! Ce soir, on allait bien voir à la réunion du conseil municipal si Rosaire Caron allait avoir le droit de gâcher la vie d'une partie des résidents du rang Saint-Édouard.

354

La fille de Paul Biron était à cran. Depuis plus d'un mois, rien n'allait comme elle le désirait. On aurait dit qu'un mauvais sort s'acharnait sur tout ce qu'elle touchait.

Tout d'abord, elle n'arrêtait pas d'éprouver des difficultés avec la compagnie Beaver qui respectait de moins en moins le délai légal de trente jours pour acquitter ses factures de camionnage et de creusage. De plus, en deux occasions, les chèques lui étaient revenus pour insuffisance de provisions. Elle avait alors défendu à son gérant, Antoine Rivard, de contacter les responsables des deux compagnies de transport de la région qui travaillaient aussi pour la Beaver pour savoir s'ils étaient payés plus régulièrement qu'eux. Il n'était pas question qu'on la sente fragile et prête à renoncer au contrat qui la liait au chantier.

Par contre, elle n'avait pas hésité à rencontrer Cook, l'ingénieur en chef, à ce sujet. Il lui avait conseillé de s'adresser à un certain Paul Morowitz au siège social du boulevard De Maisonneuve, à Montréal. Le gestionnaire à l'accent indéfinissable lui avait d'abord fait de belles promesses avant de finir par la prendre de haut et par lui suggérer d'annuler le contrat qui les liait si elle était insatisfaite.

Les patrons de la Beaver se doutaient bien qu'elle avait dû emprunter une grosse somme d'argent pour acheter ses deux camions neufs dans le but de rencontrer leurs délais.

– Ma petite madame, avait osé dire Morowitz, plein de morgue, quand on veut jouer dans la cour des grands, il faut en avoir les moyens.

Lorsqu'elle avait demandé à rencontrer les propriétaires du futur barrage pour établir une politique de paiement, elle s'était entendue répondre qu'ils ne pouvaient se laisser déranger pour une chose aussi insignifiante.

Bref, depuis la fin de janvier, la jeune femme d'affaires était sur la corde raide. Elle avait tout le mal du monde à régler à temps ses traites et le salaire de ses chauffeurs. Elle devait faire des miracles pour ne pas perdre sa réputation de solvabilité. Elle regrettait presque d'avoir signé ce contrat au début de l'automne précédent. Bien sûr, il lui permettait de tirer profit de toute la machinerie dont elle disposait durant des mois où les contrats étaient très rares, mais pour que l'entente soit rentable, il fallait qu'elle soit payée… et dans des délais raisonnables.

De plus, ses amours avec Luc Patenaude n'avaient pratiquement pas progressé depuis le début de la nouvelle année. Après un week-end à Québec passé en amoureux, à la mi-janvier, on aurait dit que l'intérêt du maire à son endroit s'était refroidi. Oh! il était toujours aussi gentil et attentionné, mais tout indiquait qu'elle n'en ferait jamais un amoureux passionné, loin de là. Sa réserve naturelle l'agaçait de plus en plus. Elle se lassait d'être toujours celle qui faisait les premiers pas. Il ne prenait jamais d'initiative et il proposait rarement des sorties. Quand elle ne lui téléphonait pas, il pouvait laisser passer plusieurs jours sans donner de ses nouvelles. Il lui arrivait même parfois de s'excuser de ne pas venir la voir, alléguant être retenu par ses obligations à la mairie. En somme, Geneviève Biron était aussi insatisfaite de sa vie sentimentale que de ses affaires.

Pour compléter le tableau, voilà qu'arrivait cette histoire de porcherie, comme si elle n'en avait pas assez à supporter depuis le début de l'année.

Tout avait commencé au début du mois de mars...

***

Un mardi matin, à son arrivée à la quincaillerie, la patronne avait trouvé Antoine Rivard en grande conversation avec deux autres employés devant la porte encore verrouillée.

– Respirez à fond, leur conseilla Rivard, parce que l'air est à la veille de changer dans le coin, c'est moi qui vous le dis.

– Ce sera pas si pire que ça, protesta la jeune Dompierre, caissière à la quincaillerie depuis quatre ou cinq ans.

– C'est ce que tu penses, ma petite fille, affirma le quadragénaire. Moi, je viens de Sainte-Perpétue et à côté de chez nous, il y en avait une. Maudit que ça sentait mauvais. Le cœur nous levait. On s'est jamais habitué à l'odeur.

– De quoi tu parles ? demanda Geneviève à son gérant en s'approchant pour déverrouiller la porte. Es-tu en train de dire qu'il va se construire une autre porcherie à Saint-Anselme ? Ça me surprendrait pas mal. Il y a déjà celle des Camirand dans le rang Saint-Louis. Le monde qui reste là arrête pas de se plaindre de la senteur de purin depuis une vingtaine d'années. Je suis certaine qu'on donnera pas un permis d'en construire une autre dans la municipalité.

357

– C'est pas ce que dit Tit-Louis Caron, en tout cas, laissa tomber le gérant.

Geneviève s'arrêta brusquement dans l'entrée de sa quincaillerie. Laissant passer devant elle les deux employés, elle retint Rivard par la manche.

– Qu'est-ce que Tit-Louis Caron vient faire là-dedans?

– Ben, il raconte à tout le monde que son père est fin prêt à construire une grosse porcherie sur sa terre.

– Mais sa terre, c'est à côté de ma maison! s'exclama la jeune femme. Il peut pas en installer une là.

– Sans vous offenser, je vois pas pourquoi il aurait pas le droit. C'est zoné agricole.

– Ils permettront jamais ça, tenta de se rassurer Geneviève.

– Je veux pas vous énerver pour rien, mais le monde du rang Saint-Louis disait ça aussi en 80, et Victor Camirand a eu quand même son permis. Le pire, continua Rivard en suivant sa patronne qui se dirigeait lentement vers son bureau vitré, le pire est que ce sera pas une pouponnière comme celle des Camirand. Tit-Louis m'a dit que son père va prendre soin des mères porteuses.

– Quelle différence?

– Toute une, madame Biron. L'odeur est pas mal plus forte.

– De toute manière, je connais Rosaire Caron. Il est toujours plein de projets, mais ils aboutissent jamais à rien parce qu'il a pas une cenne qui l'adore.

– D'après son garçon, l'argent pose pas de problème. La construction de la porcherie et les installations vont être toutes payées par une grosse compagnie. Elle paie même la nourriture des cochons. Il paraît que ça marche un peu comme l'élevage des veaux.

Comme sa patronne ne disait plus rien, Antoine Rivard se retira, la laissant seule en train d'enlever son manteau qu'elle suspendit dans le placard situé derrière la porte de son bureau. Ensuite, la jeune femme se laissa tomber dans son fauteuil, en proie à toutes sortes d'idées noires.

Ça n'avait aucun sens. On ne pouvait pas laisser construire une autre grosse porcherie dans Saint-Anselme… aussi proche de sa maison. Avec les odeurs, sa maison serait invivable et surtout, invendable. Même la quincaillerie n'y échapperait pas.

Un appel téléphonique à Luc lui apprit que la rumeur était fondée et que la municipalité ne pourrait pas s'opposer à ce qu'on accorde un permis à Rosaire Caron parce que la MRC avait le dernier mot dans ce domaine. Pour bloquer le projet, il fallait qu'un nombre important de citoyens le rejette.

– Si je comprends bien, dit Geneviève, furieuse, avant de raccrocher, le maire et le conseil ne servent strictement à rien.

Ce matin-là, la femme d'affaires prit de longues minutes pour retrouver son calme. Elle avait l'habitude de régler les problèmes qui se présentaient en gardant la tête froide. Il devait sûrement exister une solution logique au problème de la porcherie de Rosaire Caron.

Le gros homme de près de cent quarante kilos n'était pas d'un abord facile, du moins pour une Biron. Depuis trois générations, ces voisins n'entretenaient pas des relations très chaleureuses. Il n'y avait jamais eu de franche dispute, mais on sentait une sorte d'hostilité sourde entre les deux familles. Même s'il n'y avait jamais eu de «chicane de clôture», on ne s'aimait guère. Au snobisme des Biron, propriétaires du moulin à scie, du clos de bois, du Rona et de la petite flotte de camions; les Caron, de petits cultivateurs, avaient toujours opposé un mépris mêlé d'envie. On achetait au Rona, mais on faisait en sorte de toujours payer l'achat rubis sur l'ongle pour bien montrer qu'on n'était pas des «quêteux».

Tout cela pour dire que la décision de Geneviève Biron d'aller voir son voisin cet avant-midi-là pour tirer les choses au clair avait exigé de sa part un sérieux effort de volonté.

Une heure plus tard, la jeune femme sonna à la porte de la vieille maison à un étage recouverte de déclin de bois à la peinture blanche écaillée des Caron. Aline Caron, une petite femme sèche à la tenue négligée, vint lui ouvrir.

– Ah ben, de la grande visite! s'exclama l'épouse de Rosaire Caron, sans grande chaleur, en lui faisant signe d'entrer.

– Bonjour, madame Caron. Est-ce que je peux dire deux mots à votre mari ?

De toute évidence, la femme de Rosaire Caron s'apprêtait à sortir. Elle avait endossé une épaisse chemise à carreaux rouge et noir déchirée à l'épaule droite. Sa casquette à oreillettes conférait à son visage étroit une drôle d'allure. Le fait qu'elle ne portait pas ses prothèses dentaires n'aidait pas non plus à améliorer son apparence.

– Rosaire, c'est pour toi ! hurla la femme en se tournant vers l'intérieur de la maison.

– Crie pas comme ça, bout de viarge ! je suis pas sourd, fit une voix venant de l'étage.

– Il sera pas long, dit Aline Caron. Moi, je dois aller à l'étable.

Aline Caron planta là la jeune femme et sortit, laissant Geneviève debout dans le portique encombré de bottes sales et de vieux manteaux sentant l'étable.

Une minute plus tard, elle vit son voisin descendre les marches de l'escalier en serrant sa ceinture de pantalon sur son imposante bedaine.

Rosaire Caron avait une grosse tête dotée d'une couronne de cheveux poivre et sel et ses petits yeux rusés étaient surmontés de gros sourcils broussailleux.

– Jésus-Christ, le ciel va ben me tomber sur la tête ! s'exclama le gros homme en voyant sa visiteuse. Ça doit être grave pour que tu viennes me voir. Qu'est-ce qui se passe ? Est-ce qu'il y a le feu aux bâtiments ?

Geneviève fit un effort pour afficher une bonne humeur qu'elle était loin d'éprouver.

– Non, monsieur Caron. Je suis juste arrêtée pour vérifier quelque chose.

La jeune femme aurait bien apprécié qu'on lui offre un siège, mais il semblait bien que les bonnes manières ne faisaient pas partie de l'éducation de Rosaire Caron.

– Ah Oui! Quoi? demanda le gros homme d'un air narquois.

– J'ai entendu dire que vous aviez l'intention de faire construire une porcherie. Est-ce que c'est sérieux?

– Ben sûr. Engraisser des cochons, c'est devenu ben plus payant que de soigner des vaches. C'est vrai que tu connais pas ça, toi; t'es dans le commerce.

– Avez-vous pensé à vos voisins, monsieur Caron? Les cochons, ça sent mauvais et en plus, les propriétés autour vont perdre pas mal de leur valeur si vous construisez une porcherie.

– Voyons donc, protesta Rosaire Caron en élevant la voix. Tout le monde va s'habituer, comme ceux du rang Saint-Louis se sont habitués à la porcherie des Camirand. Jusqu'à maintenant, j'ai pas entendu dire que quelqu'un en était mort.

– C'est vrai que personne en est mort, mais je pense pas que les gens se soient habitués à l'odeur. En plus, la porcherie des Camirand est une pouponnière, et c'est pas ce que vous vous préparez à installer, d'après ce qu'on m'a dit.

– Ça prouve que t'es pas mal ben informée, ma belle, dit Rosaire Caron, sarcastique.

– Est-ce que je peux vous demander où vous allez l'installer?

– Je pense qu'on va construire ça à côté de la grange. C'est la meilleure place parce que mon puits est pas trop loin, dit Caron avec un sourire malveillant.

– Mais c'est tout proche de ma maison. Les fenêtres de mon solarium vont donner en plein dessus!

– Ça, j'y peux rien. Ta maison est pleine de fenêtres tout le tour. C'est sûr qu'il y en a qui vont donner sur ma porcherie.

– Pourquoi vous faites pas comme Victor Camirand a fait en la faisant bâtir au bout de votre terre? demanda courageusement la jeune femme.

– Aïe, bout de viarge! As-tu pensé à la longueur du chemin à entretenir et à toute la tuyauterie qu'il me faudrait pour amener l'eau du puits jusqu'au bâtiment? En plus, ça me coûterait une fortune pour amener l'électricité jusque-là. Non, non, la place que j'ai choisie, c'est la meilleure place.

– Si je vous proposais de payer une partie de l'installation de l'électricité et de la tuyauterie, suggéra Geneviève, à bout d'arguments pour persuader son voisin.

– Ben non, m'installer là serait pas pratique pantoute. Écoute. Je suis jamais allé dire à ton père où construire son magasin sur son terrain, moi. Pourquoi tu viendrais me dire quoi faire chez nous?

– Allez-vous au moins planter une rangée d'arbres? demanda Geneviève Biron.

– Pourquoi?

– Pour bloquer une partie des odeurs.

– J'ai lu les règlements. Il y a rien qui m'oblige à faire ça. Pourquoi je dépenserais mon argent pour une niaiserie pareille?

– Bon, j'étais venue pour essayer de m'entendre avec vous, mais ça a tout l'air que j'ai perdu mon temps, conclut la jeune femme en saisissant la poignée de la porte.

– C'est ben de valeur, mais on le dirait, avait conclu Rosaire Caron avec une mauvaise foi évidente avant de refermer la porte derrière elle.

Depuis ce matin-là, Geneviève Biron n'avait pas ménagé ses efforts. La MRC, le ministère de l'Agriculture et un avocat de Drummondville lui avaient tous donné la même réponse: il n'y avait pas grand-chose à faire si le demandeur de permis d'exploitation satisfaisait aux exigences. La seule chose qui pouvait faire reculer l'administration – et même cela n'était pas certain – c'était une pétition de la population contre le projet. Cependant, la suggestion n'était pas tombée dans l'oreille d'une sourde.

Dès lors, Geneviève Biron s'était accrochée à ce dernier espoir. Elle avait consacré quotidiennement de longues minutes à contacter les habitants du rang Saint-Édouard et ceux des rangs voisins qui pourraient être dérangés par les odeurs émises par une porcherie dans le but de les persuader de signer sa pétition.

Lorsqu'elle eut fini la tournée des personnes visées par le projet de Rosaire Caron, elle les rappela une à une pour leur donner rendez-vous à la réunion du conseil municipal pour faire connaître de vive voix leur opposition. Elle allait se battre jusqu'à la dernière minute pour ne pas être obligée de vendre sa maison à perte. Elle avait beau connaître deux maisons à vendre à Sainte-Monique, elles étaient tout de même beaucoup moins belles et surtout, elles étaient situées à douze kilomètres de sa quincaillerie.

***

Ce soir-là, à son arrivée devant l'hôtel de ville, Geneviève Biron fut au moins heureuse de constater le grand nombre de voitures et de camionnettes stationnées des deux côtés de la rue Principale. Cela ne pouvait que signifier une assistance nombreuse à la réunion du conseil en ce premier lundi d'avril.

La jeune femme d'affaires ne s'était pas trompée. Plusieurs personnes fumaient à l'extérieur, devant les portes de l'hôtel de ville. À son entrée dans la petite salle surchauffée, une cinquantaine d'habitants de Saint-Anselme s'y entassaient déjà et le bruit des voix était assourdissant. Il y avait une conversation générale ponctuée de rires et d'interpellations. La jeune femme regarda autour d'elle pour trouver un siège.

– Il y a une chaise libre ici, lui cria son oncle, Pierre Bergeron, en lui indiquant un siège près du mur.

Geneviève se glissa entre les chaises et elle s'assit après avoir remercié son oncle. Elle s'informa de la santé de sa tante Diane qu'elle avait rencontrée la semaine précédente et qui lui avait dit avoir du mal à vaincre une grippe tenace.

Quelques minutes plus tard, la propriétaire du Rona ne vit pas le signe discret que lui adressa le maire en prenant place à la table placée sur l'estrade à l'avant de la salle. Luc Patenaude aurait aimé qu'elle s'approche de la table du conseil avant le début de la rencontre.

Tournée vers son oncle Pierre, Geneviève ne remarqua rien et elle eut à peine le temps de donner des nouvelles de ses parents installés en Floride avant que le maire donne un coup de maillet pour indiquer le commencement de la réunion.

Comme d'habitude, les membres du conseil et l'assistance se levèrent pour un court moment de recueillement avant que la secrétaire municipale passe à la lecture des trois sujets à l'ordre du jour. Lorsque Micheline Létourneau en arriva au *varia* qui clôturait, comme il se doit, la liste, Geneviève se leva.

– J'aimerais ajouter les porcheries, dit-elle d'une voix forte et claire.

– Tiens! On va avoir du fun en maudit à soir! fit une grosse voix venue du fond de la salle.

Geneviève reconnut sans mal la voix de Rosaire Caron. En se tournant à demi vers l'arrière, elle l'aperçut, assis en compagnie de son fils surnommé Tit-Louis, un jeune homme d'une vingtaine d'années à la taille à peine moins imposante que celle de son père.

Il y eut un murmure dans la salle. Le maire se contenta de lui faire un bref signe de tête avant de demander:

– Y a-t-il autre chose que quelqu'un aimerait ajouter à l'ordre du jour?

Le silence se rétablit. Luc Patenaude fit signe à la secrétaire de lire le premier point.

– Le comité chargé des améliorations locales propose qu'une piste cyclable soit aménagée dès ce printemps, lut la secrétaire.

– Où ça? demanda Gérard Poulin du rang Sainte-Marie, sans se donner la peine de demander la parole.

– Si je me fie au projet remis par le comité dirigé par Jacques Camirand, la piste ferait le tour des rues du village et presque toute la longueur du rang Saint-Édouard.

– Dans ce comité-là, ils sont brillants en baptême, laissa tomber Poulin. Comme s'il y avait pas d'autres places plus importantes où dépenser l'argent de nos taxes.

367

– Monsieur Poulin! voulut l'interrompre le maire.

– À part ça, quelle sorte de bicycle va être capable de passer à travers tous les trous qu'il y a dans les rues du village?

– Monsieur Poulin! répéta Luc Patenaude en élevant la voix d'un ton.

– En plus, avec les maudits trucks qui travaillent pour la Beaver et qui roulent en fous, c'est ben le temps de penser à une piste cyclable. Tout ce qui va se passer, c'est qu'il y en a qui vont se faire écraser.

– Monsieur Poulin, les membres du comité ont étudié avec soin les implications du projet.

– Laisse faire tes mots savants, mon beau, fit le cultivateur avec humeur à l'adresse du maire, un peu désarçonné par cette opposition inattendue. C'est pour quoi cette piste-là?

– Pour attirer les touristes, intervint Jacques Camirand, un conseiller aussi placide que son maire.

– Voyons donc, Camirand! Faut pas rêver en couleur! Qui va venir à Saint-Anselme pour faire du tourisme? Pour voir quoi? Le barrage? Nos vaches? Notre belle nature? Faut pas prendre le monde pour des niaiseux! Les touristes vont aller à Drummondville pour visiter le Village Québécois d'Antan, pour aller voir le Mondial des cultures ou les légendes fantastiques. Mais quel maudit nono va venir se perdre à Saint-Anselme? Votre histoire de piste cyclable, c'est juste pour garrocher notre argent par les fenêtres.

Il y eut quelques approbations bruyantes dans la salle, approbations dont le maire prit bonne note. De toute évidence et contrairement à ce que le comité avait cru, l'idée d'une piste cyclable ne ferait pas l'unanimité.

– De toute manière, ajouta Luc Patenaude pour calmer le jeu, il ne s'agit encore que d'un vague projet. La population de la municipalité va être consultée à ce sujet, en temps et lieu.

Il fit signe à la secrétaire de passer au second point.

– Les appels d'urgence à la police et aux pompiers, lut la secrétaire sans donner plus de détails.

Luc Patenaude consulta ses notes déposées devant lui avant de reprendre la parole.

– J'ai assisté la semaine passée à une réunion de la MRC. Vous savez qu'on va continuer à dépendre de Saint-Cyrille pour le service d'incendie et du poste de la SQ de Drummondville pour le service de police. On peut rien contre ça. Mais il va falloir se rappeler que chaque appel va nous être facturé et je vous garantis que ces services-là sont pas donnés. Le 9-1-1 est pas gratuit. Par exemple, quelqu'un a utilisé le 9-1-1 le mois passé pour signaler un feu pris derrière la fromagerie. Cinq minutes plus tard, on s'est aperçu que ce n'était qu'une boîte de carton qui brûlait. Eh bien! même si les pompiers n'étaient pas encore partis de Saint-Cyrille, on a dû payer presque sept cents dollars de frais parce que les pompiers volontaires avaient déjà reçu l'appel et s'étaient rendus aux camions d'incendie.

– Il y a pas moyen d'annuler ce compte-là? demanda l'ex-maire Adrien Beaulieu qui ne manquait jamais une réunion du conseil.

– Non, monsieur Beaulieu. À la MRC, on m'a répondu que Saint-Cyrille était dans son droit. C'est pourquoi le conseil a décidé de faire parvenir à chacun des administrés des précisions sur les coûts de ces services pour éviter qu'il y ait des abus. Y a-t-il des questions? demanda Luc Patenaude en regardant la salle.

– Juste une suggestion, fit Claude Thivierge du rang Saint-Joachim. On pourrait peut-être acheter un camion de pompier usagé et s'organiser un groupe de pompiers volontaires. À la longue, ça nous coûterait peut-être moins cher.

– On a étudié sérieusement ça au conseil, l'année passée, monsieur Thivierge. C'était bien trop cher pour nos moyens. Les règles fixées par le gouvernement et par les compagnies d'assurances nous obligeraient à envoyer nos bénévoles suivre un cours. De plus, il faudrait compter l'entretien du camion et du matériel. Il y aurait aussi des assurances spéciales à payer pour nos bénévoles. Quand on avait tout calculé, ça nous revenait, si je me souviens bien, à cinq fois plus cher que payer Saint-Cyrille.

Le maire laissa parler les gens durant deux ou trois minutes avant d'assener quelques coups de maillet sur la table pour rétablir le silence. Quand le calme fut revenu, il fit signe à madame Létourneau de lire le troisième point.

– L'hôtel de ville a reçu de nombreuses plaintes depuis la mi-mars concernant des odeurs venant de certaines fosses septiques de la rue Desmeules.

– C'est vrai que ça sent mauvais en sacrifice! s'exclama Normand Beaudoin, un grand bonhomme, conducteur d'un camion de livraison des Camirand et demeurant dans l'un des bungalows de cette rue parallèle à la rue Principale.

Adrien Beaulieu demanda la parole et l'obtint.

– Pour pas remarquer que ça sent la merde dans notre rue, il faudrait avoir le nez bouché, dit le vieil homme d'entrée de jeu. Ce que je comprends pas, par exemple, c'est pourquoi on a ces odeurs-là quand on sait que le plus vieux bungalow de la rue a à peu près quinze ans. Ça veut dire que ces maisons-là doivent avoir des fosses septiques réglementaires avec des champs d'épuration.

Albert Côté, l'un des conseillers membre du comité d'urbanisme de la municipalité, prit la parole.

– Je pense que madame Létourneau a vérifié ça cette semaine. C'est pas aussi simple que ça en a l'air, fit le petit homme en se tournant vers la secrétaire municipale.

La quinquagénaire prit en main ses lunettes qui pendaient au bout d'une chaînette sur sa poitrine et elle les posa sur son nez pour consulter rapidement une feuille déposée devant elle.

371

– Il y a cinq bungalows qui ont été construits à l'endroit où étaient de vieilles maisons auparavant, dit-elle d'une voix posée. Les nouveaux propriétaires ont profité des droits acquis concernant les fosses septiques. On sait pas si les fosses septiques installées là sont conformes et on sait encore moins s'il y a des champs d'épuration. Les six dernières maisons à avoir été bâties sur cette rue ont des installations conformes aux exigences du ministère de l'Environnement.

– Ça sert à rien de tourner autour du trou, fit une voix flûtée au fond de la salle. S'il y a cette odeur, c'est qu'une fosse déborde quelque part et que ça s'en va dans le fossé.

– C'est probable, fit le maire après avoir jeté un coup d'œil interrogateur à Aurèle Lupien.

– Alors, reprit la même voix, il y a qu'à envoyer notre inspecteur municipal vérifier de quelle maison ça vient exactement et donner un avis de quarante-huit heures à son propriétaire pour qu'il fasse vider sa fosse.

– Et s'il refuse? demanda Lupien, assis en retrait sur l'estrade.

– Je suis certain que ses voisins vont trouver le moyen de le convaincre de faire vite, conclut Adrien Beaulieu.

Un éclat de rire salua la réplique de l'ex-maire.

– Bon! je suppose que le sujet est clos. On enverra un avis au propriétaire concerné cette semaine, conclut le maire.

Il y eut des «C'est ça» dans la salle.

– Avant de passer au *varia*, suggéra le maire, nous pourrions faire une courte pause d'une dizaine de minutes.

Sur ce, sans consulter plus avant l'auditoire, Luc Patenaude se leva, imité par ses conseillers et la secrétaire.

Il y eut des raclements de chaises et une dizaine de personnes se dirigèrent vers l'entrée de la salle en sortant déjà un paquet de cigarettes et un briquet de leur poche ou de leur bourse.

Même s'il était fatigué de cette réunion dans une salle surpeuplée et surchauffée, le maire se dirigea vers Geneviève Biron qui n'avait pas bougé de sa chaise. Il se passa rapidement un mouchoir de papier sur le front pour essuyer la sueur qui y perlait.

– Madame Biron, dit-il à mi-voix, est-ce que je peux vous voir une minute dans mon bureau? Ce sera pas long.

Geneviève le suivit sans prononcer un mot, persuadée qu'il ne voulait la rencontrer que pour lui demander de ne pas faire d'esclandre.

Dès que la porte de son bureau fut refermée, Luc Patenaude se tourna vers son amie.

– Je pense avoir une bonne nouvelle pour toi, lui dit-il avec un léger sourire.

– Ah oui! fit Geneviève, un peu étonnée. Vite, annonce-moi ça. Les bonnes nouvelles sont plutôt rares ce temps-ci.

– Après la réunion à la MRC cet après-midi, j'ai demandé des nouvelles du permis demandé par Rosaire Caron.

– Puis?

– Il paraît qu'il y a deux gros problèmes. Le premier vient de la compagnie qui doit lui avancer l'argent pour la construction de la porcherie. Le ministère de l'Agriculture vient d'ouvrir une enquête sur elle. Il y aurait eu des irrégularités dans des contrats qu'elle a fait signer et dans l'installation de fosses à lisier. Les normes ont pas été respectées. En tout cas, tout ce qui la concerne est gelé jusqu'à la fin de l'enquête. Le deuxième viendrait de ton ami Caron.

– Comment ça? demanda Geneviève qui se sentait revivre.

– Le fonctionnaire à qui j'ai parlé est pas entré dans les détails. À ce que j'ai cru comprendre, c'est à propos du lisier. Le Ministère exige la présentation de contrats d'épandage de lisier dûment signés. Il y a des normes strictes. Tant de lisier par arpent. D'après ce qu'on m'a dit, Rosaire Caron aurait eu trop de lisier et pas assez de voisins prêts à accepter son fumier de porc. Camirand est passé avant lui depuis longtemps. Bref, au lieu de demander un délai pour trouver d'autres débouchés, il aurait présenté quelques papiers pas trop francs. Il paraît qu'ils ont pas aimé trop ça au ministère et, entre toi et moi, il se pourrait que son affaire soit pas prête à aboutir.

– Ouf! exhala Geneviève, réellement soulagée. Tu peux pas savoir à quel point tu m'enlèves un poids. J'ai l'impression de revivre.

– Oui, mais l'histoire des papiers pas trop francs, c'est entre toi et moi, lui intima le maire. Il faudrait pas que ça se sache.

– Ne t'inquiète pas.

– J'ai essayé de te prévenir avant la réunion, mais t'as pas vu le signe que je t'ai fait. Qu'est-ce qu'on fait pour le *varia* que t'as ajouté à l'ordre du jour?

– Évidemment, je vais partir avant que la réunion reprenne. T'as qu'à attendre une deux minutes que j'avertisse ceux qui sont venus juste pour ça. T'auras qu'à dire que le point à discuter vient de tomber à cause de mon absence. Qu'est-ce que t'en penses?

– Parfait. De cette façon-là, j'aurai pas à gêner Rosaire Caron en donnant des détails.

Geneviève Biron oublia soudainement tous ses griefs à l'endroit de son amoureux trop réservé et elle l'embrassa passionnément avant de quitter son bureau.

Avant de rentrer chez elle, la propriétaire du Rona annonça à voix basse la bonne nouvelle aux Anselmois qui n'avaient assisté à la réunion que pour marquer leur opposition à la construction d'une porcherie près de chez eux. L'information fit rapidement le tour des personnes intéressées et la plupart d'entre elles, aussi soulagées que Geneviève Biron, décidèrent de rentrer à la maison sans attendre la fin de la réunion.

Quelques minutes plus tard, Luc Patenaude reprit sa place à la table en compagnie de ses conseillers. Près de la moitié de l'assemblée avait profité de la pause pour s'esquiver.

Le maire donna un coup de maillet pour rétablir le silence dans la salle.

– Nous en sommes maintenant au *varia*. Je crois que madame Biron voulait parler de porcheries, ajouta Patenaude, hypocritement, en faisant semblant de chercher la jeune femme des yeux dans la salle.

– Elle est partie, fit une voix.

– Comment ça, elle est partie? demanda Rosaire Caron en la cherchant à son tour.

– Voyons, Rosaire, fais pas le fendant! dit Adrien Beaulieu en se tournant vers le gros homme. Au fond, t'es ben content qu'elle ait pas eu la patience d'attendre.

– Ça, c'est toi qui le dis, mon Beaulieu, laissa tomber Caron.

– Messieurs, les interrompit le maire, l'assemblée est levée.

Chapitre 21

L'embâcle

Le lendemain matin, la nature donna raison aux vieux habitants de Saint-Anselme qui avaient prédit que les glaces de la rivière lâcheraient avant quarante-huit heures, quoi qu'en disaient les travailleurs du barrage.

Au réveil, les Anselmois découvrirent un ciel lourd et gris. Une petite pluie froide tombait depuis la fin de la nuit et un léger brouillard stagnait au-dessus des champs.

Deux heures plus tard, pour la première fois depuis plusieurs années, la Nicolet n'alerta personne au moment de se débarrasser d'une partie du lourd carcan de glace qui l'emprisonnait depuis le début de l'hiver. Il n'y eut aucun bruyant éclatement et personne n'entendit les chocs sourds annonciateurs de la débâcle.

L'épaisse couverture de glace céda d'abord près des piliers du pont, sans signe annonciateur. Alors, des blocs de toutes les dimensions entreprirent leur lente et majestueuse dérive en aval, vers les eaux qui se libéraient peu à peu. L'étroit chenal dégagé au centre de la rivière sembla s'élargir progressivement au fur et à mesure que les quartiers de glace, poussés par le courant, se frayaient un chemin et grugeaient sournoisement ce qui était encore attaché à la terre ferme.

En amont, à la hauteur du barrage de la Beaver, on ne remarqua d'abord rien. Les ouvriers travaillaient avec leur lourde machinerie sur la berge au creusement des fondations de la minicentrale qui serait édifiée dans le prolongement du barrage. Ce dernier, encore prisonnier de son coffrage dans sa partie supérieure, était incomplet. Il restait une section de la partie centrale dont le ciment ne serait coulé que dans deux ou trois semaines si l'échéancier prévu par l'ingénieur Cooper n'était pas perturbé. L'important était que les deux sections prenaient solidement appui sur les rives de la rivière. L'ensemble pouvait être protégé par d'énormes ballons gonflables fixés temporairement au coffrage. Ces derniers avaient pour rôle d'écarter les glaces de l'ouvrage et de les soulever, leur permettant ainsi de franchir le barrage et de basculer dans le vide des chutes, de l'autre côté.

Vers dix heures, un contremaître s'aperçut que des fissures s'ouvraient dans la glace au centre de la rivière et il vit les premières masses de glace se détacher. Alors qu'il s'interrogeait sur la conduite à suivre, il entendit les chocs des premiers blocs qui venaient heurter la section du barrage sur laquelle il travaillait avec quatre ouvriers.

En quelques minutes, la situation changea du tout au tout. La masse de glace immobile, couverte d'une trentaine de centimètres d'eau, sembla être soulevée brusquement par une main géante d'une force irrésistible. Des quartiers de glace de toutes les tailles, mais de près d'un mètre d'épaisseur, cherchèrent à franchir en même temps l'obstacle que représentait le barrage. Même si le niveau de l'eau était particulièrement élevé, de nombreux îlots de glace ne purent passer par-dessus le barrage. Ils vinrent s'entasser les uns par-dessus les autres contre l'ouvrage en produisant des craquements sinistres lorsqu'ils heurtaient de plein fouet le coffrage qui le protégeait.

Le contremaître héla l'ingénieur Cooper, un petit homme maigre et nerveux coiffé d'un casque protecteur blanc. Il lui montra la Nicolet.

– On ferait mieux d'enlever la grue et les hommes de là. C'est devenu trop dangereux.

– O.K., sors-les de là, accepta l'ingénieur en s'approchant pour mieux juger de la situation.

– Partout où j'ai travaillé, continua le contremaître en se rapprochant de son patron, on dynamitait ou on gonflait les ballons pour éviter que les glaces viennent faire un embâcle.

– Ben là, il est déjà trop tard, fit l'ingénieur. Si on dynamitait, le coffrage résisterait pas. Pour les ballons, c'est aussi trop tard. Là, il y a plus assez d'espace pour les déployer. Mais ça va peut-être s'arranger.

Cooper regarda attentivement en amont et en aval avant de poursuivre :

– Je prends le truck et je vais aller jeter un coup d'œil sur la rivière un peu plus loin. Si c'est vraiment bloqué plus loin, je vais appeler le ministère de l'Environnement pour qu'on nous envoie la «grenouille». Mais comme je connais les patrons, ils vont attendre à la dernière minute pour la demander.

– Pourquoi?

– Parce qu'ils seraient obligés de payer s'ils le faisaient. Avant d'en arriver là, tu peux être certain qu'ils vont appeler le maire pour le décider à la demander lui-même de manière à ce que ce soit la municipalité qui paie.

Sur ces mots, Cooper tourna les talons et se dirigea vers la modeste cabane en contreplaqué qui lui servait de bureau. Il prit ses clés laissées sur un classeur et il ressortit. Une minute plus tard, il quittait le chantier à bord de la camionnette jaune de la compagnie.

Au lieu de se diriger en amont, vers le rang Sainte-Marie, là où la rivière était plus étroite et obstruée par de nombreux quartiers de roc, il prit la direction du pont qui enjambait le cours d'eau à la sortie du village. Il s'arrêta à l'entrée du pont et il descendit de son véhicule.

Aussi loin que son regard pouvait porter, il n'y avait aucun embâcle en vue en aval du petit pont. Si l'ingénieur avait mieux connu la Nicolet, il aurait pris la direction opposée ou il aurait suivi Aurèle Lupien, l'inspecteur municipal, qui venait de le croiser au volant du camion bleu de la municipalité.

La secrétaire du maire appela ce dernier au même moment sur son cellulaire.

– Monsieur Lupien, Normand Massé, du rang Sainte-Marie, vient de me téléphoner. Il paraît que l'eau de la rivière est montée sur le chemin devant chez lui. Voulez-vous aller voir ce qui se passe?

– Tout de suite, madame Létourneau. J'espère que Massé se trompe parce que si ce qu'il dit est vrai, ça doit pas être beau à voir au Carrefour des jeunes.

Sur ce, l'inspecteur municipal mit fin à la conversation et prit la direction du rang Sainte-Marie. Tout en conduisant prudemment, le quinquagénaire pensait à la chance des cultivateurs de ce rang dont les ancêtres avaient eu la sagesse de construire leur maison et leurs bâtiments sur les terres hautes, à la gauche du chemin. Ainsi, ils échappaient toujours aux méfaits d'une crue subite des eaux quand il s'en produisait une au printemps. En fait, dans ce rang, il n'y avait que le Carrefour des jeunes dont une partie des résidences n'était pas à l'abri de ce fléau parce que plusieurs d'entre elles étaient érigées sur la rive droite de la Nicolet, sur les anciennes terres basses de Girouard.

Le camion conduit par Lupien parcourut tout le rang Saint-Édouard qui surplombait et longeait la rivière avant de tourner dans le rang Sainte-Marie, le dernier rang de la municipalité. À cet endroit, la rivière bifurquait brusquement à gauche et se faisait plus étroite. Son cours plus accidenté et parsemé de petites chutes et de morceaux de roc lui conférait une apparence plus vivante.

L'inspecteur ne put parcourir que la moitié du rang avant d'être obligé d'immobiliser son véhicule devant la ferme de Massé. Sur près de deux mètres de hauteur, la route était occupée par un amoncellement de blocs de glace abandonnés là par les eaux de la rivière.

L'homme sortit de la cabine de son camion et debout sur le marchepied, il regarda devant lui et à sa gauche. Partout, il ne voyait que de l'eau. Les champs en bordure de la rivière disparaissaient sous une importante nappe d'eau, ce qui donnait à l'ensemble l'allure d'un immense lac.

Seuls plusieurs embâcles sur la Nicolet pouvaient expliquer cette crue subite. Le courant, grossi par les eaux de fonte et par la pluie qui n'avait pas cessé depuis plusieurs heures, s'était frayé un chemin hors du lit de la rivière en entraînant avec lui les glaces.

Lupien se rassit dans son camion et il appela Claude Dumais, son employé, occupé à tester la qualité de l'eau des deux puits du village de Saint-Anselme.

– Claude, tu laisses tout tomber et tu vas aller bloquer le rang Sainte-Marie du côté de Sainte-Monique. Apporte des barrières et des panneaux pour défendre la circulation. La rivière a débordé et il y a de la glace partout sur le chemin. Après, essaie d'avancer le plus possible dans le rang, je vais faire la même chose par ce bout-ci. On va tenter de voir les dommages.

– Pas de problème, répondit Claude Dumais. Voulez-vous que j'avertisse madame Létourneau avant de partir ?

– Non, laisse faire. Il faut que je l'appelle pour lui dire de prévenir la sécurité publique et le maire. Bon! Je t'attends.

Ensuite, toujours assis dans son camion, Lupien logea un appel au bureau de la secrétaire municipale.

– Madame Létourneau, je suis au milieu du rang Sainte-Marie. Le chemin est coupé par l'eau et par les glaces. Je vais fermer le chemin et demander à Massé d'essayer de tasser la glace avec son gros tracteur. D'après ce que je peux voir, il doit y avoir pas mal de dommages au Carrefour des jeunes. Je sais que la plupart des chalets sont fermés pour l'hiver, mais il y a la maison du curé Lanctôt et des Dubé et aussi celle de… Voyons…

– Vous voulez dire la maison d'Alain Riopel?

– Oui, celle-là, la grosse maison en pierre des champs. Savez-vous s'il y a du monde dans ces deux maisons-là? Il faudrait les prévenir.

– Pour la maison du curé Lanctôt, il y a pas de problème, monsieur Lupien. Il est parti en voyage avec les Dubé avec le club de l'âge d'or. Pour la maison d'Alain Riopel, je vais d'abord appeler là et si ça répond pas, je téléphonerai à son frère Cyrille du rang Sainte-Anne.

– O.K., je ferme le rang et Dumais va faire la même chose à l'autre bout. Si vous avez besoin de moi, je suis ici.

Aurèle Lupien rangea son cellulaire et il prit une barricade dans la benne du camion. Il l'installa au centre de la route. Ensuite, il alla à la rencontre de Normand Massé, un mince quadragénaire énergique, qui sortait son gros tracteur Massey-Ferguson de son garage.

Pendant que le cultivateur commençait à repousser avec la pelle de son tracteur les blocs de glace qui encombraient la route, Aurèle Lupien décida d'aller voir plus loin s'il y avait d'autres obstacles abandonnés sur le chemin par les eaux.

– On dirait que l'eau a déjà commencé à baisser, dit Massé d'une voix assez forte pour couvrir le bruit du moteur de son mastodonte. Il y en avait plus épais que ça tout à l'heure.

Lupien lui fit un signe de la main et il se mit en marche dans une vingtaine de centimètres d'eau. Le quinquagénaire n'avait pas fait deux cents pas qu'il fut rejoint par cinq ou six curieux qui venaient d'immobiliser leur véhicule près de la barricade qui interdisait toute circulation dans le rang.

Lupien les salua sans s'arrêter d'avancer pour autant. Les autres lui emboîtèrent le pas en commentant abondamment ce qu'ils voyaient. Parvenu à l'entrée du chemin qui conduisait au Carrefour des jeunes, à sa droite, Aurèle Lupien se rendit compte qu'il n'avait pas rencontré d'autres accumulations de glace sur la route. L'eau stagnait bien dans les champs en contrebas et elle avait laissé à certains endroits d'imposants quartiers de glace; mais tout indiquait qu'elle était en voie de retourner dans le lit de la rivière. C'était une bonne nouvelle. Cela ne pouvait signifier qu'une chose: l'embâcle avait lâché.

Brusquement, le bruit du moteur d'une camionnette fit lever la tête à l'employé municipal. Il aperçut quatre véhicules venant lentement vers lui. Lupien fit signe aux conducteurs de s'arrêter.

– Comment ça se fait que t'es passé? demanda-t-il avec humeur à Marc Riopel, le premier conducteur qui descendit de sa camionnette.

– Ben, la secrétaire municipale nous a téléphoné pour nous demander s'il y avait quelqu'un dans la maison de mon oncle parce qu'il y avait une inondation. On est venus voir. Massé a fini de pousser la glace avec son tracteur. Quand j'ai vu qu'il y avait juste un peu d'eau sur le chemin, je me suis dit que j'essaierais de me rapprocher le plus possible de la maison de mon oncle. Il y a peut-être plus de glace sur la route plus loin.

– Ça, on le sait pas encore, dit l'inspecteur municipal. Je suis en train de vérifier.

– Si vous le voulez, je peux aller voir avec mon père jusqu'au bout du rang avec mon truck et revenir vous dire s'il y a quelque chose.

– Ouais, c'est une bonne idée, fit Lupien. Vas-y, mais fais attention.

– Inquiétez-vous pas, dit Marc, tout fier de la mission dont il venait d'hériter.

Il remonta dans sa camionnette blanche pendant que les autres automobilistes stationnaient leur véhicule le long de la route et en descendaient. Un à un, ils vinrent

385

rejoindre l'inspecteur municipal et ils attendirent avec lui le retour de Marc Riopel.

Moins de cinq minutes plus tard, Marc revint et se rangea sur le côté de la route.

– Puis ? demanda l'inspecteur municipal.

– Peut-être un arpent après la ferme de Dupuis, il y a quatre fois plus de glace sur le chemin qu'à ce bout-ci du rang.

– Tant que ça ?

– D'après moi, fit Cyrille Riopel, un tracteur suffira pas. Il va falloir une grosse pépine pour nettoyer ça.

– Vous avez pas vu Dumais ?

– Oui, il est là. Il s'en vient à pied dès qu'il aura installé une barrière.

– Bon, il reste juste à aller voir les dégâts faits aux maisons et aux chalets, en bas, sur le bord de la rivière. J'ai idée que ce sera pas beau à voir.

– C'est pour ça qu'on venait, dit Cyrille Riopel en attachant son manteau et en relevant le col de ce dernier pour mieux se protéger de la pluie fine qui n'avait pas cessé de tomber. Mon frère Alain est parti passer un mois en Floride et je vais jeter un coup d'œil sur sa maison de temps en temps.

– C'est une bonne précaution, approuva Lupien en se mettant en marche.

– Peut-être, ajouta Marc, mais je pense que mon oncle a fait une maudite belle gaffe quand il a échangé ses deux lots proches de la maison du curé pour deux autres, plus bas, sur le bord de la rivière. O.K., il a un beau bord de l'eau pour son quai et son bateau durant l'été, mais sa maison est mal placée quand il y a un coup d'eau.

– Pas plus mal que ben des chalets, laissa tomber son père, en prenant soin de marcher bien au centre de la route.

– En tout cas, fit Lupien en regardant autour de lui après avoir inutilement essuyé ses verres souillés par la pluie, j'ai l'impression que l'embâcle a lâché. L'eau baisse déjà. Le chemin a beau descendre et il y a pas plus que trois à quatre pouces d'eau dessus.

– Vous avez raison, fit Marc. Mais regardez-moi ça, fit le jeune homme en montrant le spectacle désolant qui s'offrait à leur vue.

Devant Lupien, les Riopel et la poignée de curieux qui les avait suivis, la rivière offrait un spectacle fascinant. La largeur de son lit avait triplé et elle charriait des glaces à une vitesse folle.

Au coin de la route – appelée par les usagers la route du curé – la rue Girouard, la rue Principale longeait la rivière. Cette dernière disparaissait, elle aussi, sous l'eau. Toutes les habitations des deux côtés de la rue Principale semblaient des îlots perdus au milieu d'un lac. Même s'il était impossible d'examiner de près chacune d'elles, on pouvait se rendre compte au premier coup d'œil que les dégâts étaient impressionnants.

Deux ou trois petits chalets avaient été bousculés par les glaces jusqu'à la route. Il y en avait même un qui avait été tout simplement renversé sur le côté. Ici, des glaces avaient enfoncé le solage d'un chalet. Plus loin, un balcon en bois traité était allé rendre visite à la cabane de jardin d'un voisin.

La maison du curé Lanctôt, le petit restaurant du Carrefour des jeunes et quelques maisons d'été semblaient avoir échappé aux glaces et au pire de la crue des eaux parce qu'ils étaient érigés sur des lots surélevés, sur le côté droit de la rue, face à la Nicolet. Tout indiquait que leurs propriétaires en seraient quittes pour une bonne corvée de nettoyage de leur terrain et peut-être de leur sous-sol, pour les plus malchanceux. Selon toutes les apparences, le vieux curé et les Dubé, ses locataires et amis, allaient être du nombre.

Tout le monde demeura sagement sur la rue Girouard et personne ne songea à s'approcher de la rivière, de peur de perdre pied.

À première vue, les pires dégâts étaient réservés à la vingtaine de chalets et à la maison d'Alain Riopel parce qu'ils étaient situés en contrebas, sur le bord de la rivière, sur les lots les plus courus lors de la vente du curé Lanctôt, vingt ans auparavant. Si ces gens avaient su tous les ennuis que la Nicolet leur réservait, ils se seraient établis ailleurs. Aucune habitation n'avait été épargnée... et la plus touchée semblait être la maison de Riopel.

– Ah ben, Jésus-Christ! laissa échapper Marc Riopel en voyant la maison de son oncle. Avez-vous vu ça, p'pa? L'eau monte jusqu'aux trois quarts des portes. Ça doit être beau à voir là-dedans! Tous les meubles doivent flotter.

En effet, le rez-de-chaussée de la grosse maison en pierres des champs d'Alain Riopel disparaissait presque complètement sous l'eau et un énorme bloc de glace, prisonnier de la piscine creusée, pointait vers le ciel.

– Et encore, on peut pas voir les dommages faits du côté de la rivière, fit Cyrille. Ça sert à rien de s'en faire avant le temps. Quand l'eau va s'être retirée demain, on viendra voir ce qu'on peut faire. En attendant, tu vas appeler ton oncle en Floride pour lui dire ce qui s'est passé. Il va probablement vouloir revenir le plus vite possible.

Quand le groupe eut atteint l'extrémité de la rue, il rebroussa chemin en pataugeant et revint aux véhicules stationnés le long du rang Sainte-Marie où d'autres personnes venaient d'arriver, impatientes de constater les dégâts.

– Si vous avez l'intention de descendre au Carrefour des jeunes, leur dit Lupien, vous êtes mieux d'avoir des bonnes bottes dans les pieds et faites attention, il y a encore des plaques de glace sous l'eau.

Pendant que quelques braves s'engageaient précautionneusement sur la route du curé, d'autres se contentaient de la description imagée offerte par les accompagnateurs de l'inspecteur municipal avant de remonter à bord de leur voiture et de quitter les lieux.

Aurèle Lupien monta avec les Riopel qui le laissèrent près du camion de la municipalité, au bout du rang. Lorsque Dumais lui apprit au téléphone que la route n'était pas encore dégagée de toute la glace qui y avait été déposée par la crue, l'inspecteur remit en place la barrière déplacée par les curieux et il plaça son camion de manière à interdire l'accès du rang Sainte-Marie. Il ne quitterait l'endroit que quand la route serait entièrement dégagée.

À la fin de l'après-midi, la pluie cessa enfin. Sous un ciel demeuré gris, l'eau s'était retirée et la rivière était définitivement rentrée dans son lit.

L'inspecteur municipal ne quitta l'hôtel de ville qu'après avoir fait un long rapport de ce qu'il avait vu au maire et à un responsable de la sécurité publique venu, en retard, constater les dégâts.

Au même moment, Marc Riopel parvenait à rejoindre son oncle Alain à Hollywood. Bouleversé, le sexagénaire promit de revenir s'occuper de sa maison le plus tôt possible. Son principal problème consisterait à trouver un siège d'avion libre.

***

Le lendemain matin, la nouvelle éclata dans Saint-Anselme avec la force d'une bombe. Une partie du barrage était disparue durant la nuit!

C'est l'ex-maire, Adrien Beaulieu, qui l'avait annoncé avec un plaisir non déguisé aux habitués du restaurant Cardin.

– Connaissez-vous la nouvelle ? leur demanda-t-il en se laissant tomber sur un tabouret.

– Non, mais comme on te connaît, tu vas finir par la sortir, le taquina Gilles Gagné.

– Ben, imaginez-vous qu'en faisant ma marche à matin, je suis descendu jusqu'au pont.

– Tiens ! C'est nouveau ça, constata Richard Miron. Depuis quand descends-tu jusque-là ?

– Du haut de la côte, j'avais aperçu une drôle d'affaire proche d'un pilier du pont et je me demandais ce que c'était.

– Bon. Après ? s'impatienta le grand Gagné.

– Ce que j'ai vu, c'était des grandes plaques de fer tordues sur des blocs de glace. Je me suis demandé d'abord d'où ça pouvait ben venir. Puis en y pensant, je me suis dit que ça pouvait venir que du chantier de la Beaver. Ça m'a pris une minute pour réaliser ce qui s'était passé.

– Bon Dieu, vas-tu accoucher ! s'exclama Gilles Gagné, pour rire.

– Bon, tenez-vous ben, les mit en garde le vieil homme. On dirait qu'il y a plus de barrage. Les glaces ont l'air de l'avoir emporté. Est-ce que c'est assez fort pour vous autres, ça ?

– Arrêtez donc ! fit Daniel Cardin, incrédule. C'est pas possible !

391

– Si, c'est possible. Leur maudit barrage est disparu, je te dis, affirma un Beaulieu triomphant. Je suis remonté et je suis allé voir à partir de la boucherie pour être sûr. On dirait qu'il reste plus grand-chose de leur patente. Pis, je vais te dire une affaire : je pleurerai pas. Ben bon pour la Beaver !

– Il faut que je voie ça, dit Gagné en se levant.

– Moi aussi, dit Miron en l'imitant.

– Moi, je ferme le restaurant un petit quart d'heure. Ça vaut la peine d'aller voir ça, dit à son tour le gros restaurateur avec enthousiasme.

– Tu devrais avoir honte, ingrat, fit Gagné en affichant un air sévère. Il me semble que t'as fait assez d'argent avec les travailleurs de la Beaver depuis l'automne passé pour pas avoir l'air content quand il leur arrive malheur.

– Ça paraît pas, monsieur Gagné, mais je suis ben triste… Mais je garde tout ça par en dedans, fit Daniel Cardin avec un faux air contrit. En plus, je pense ben gros à eux autres et je me dis que s'ils doivent rebâtir le barrage, ils vont avoir de l'ouvrage plus longtemps.

Malgré l'heure matinale, le petit groupe d'hommes grossit au fur et à mesure qu'il progressait vers la boucherie Camirand, sur la rue Principale. La grande cour arrière du commerce surplombait le barrage et était le meilleur endroit du village pour évaluer l'importance des dommages que l'ouvrage avait subis. Aurèle Lupien, Claude Dumais et Frédéric Bergeron se joignirent au groupe en cours de route.

Jean Camirand, occupé à garnir les présentoirs de sa boucherie avec l'aide de deux employés, sursauta en voyant arriver la petite troupe. Quand Adrien Beaulieu le mit au courant de la nouvelle, le boucher fut le premier à entraîner tout le monde dans la cour arrière pour constater l'étendue des dommages.

– Vous avez raison, monsieur Beaulieu, fit le quadra-génaire. On dirait qu'il reste presque plus rien de leur barrage. Dites-moi pas qu'on a enduré des mois de dynamitage pour rien!

– Ça ressemble à ça, laissa tomber l'ex-maire avec un sourire satisfait.

En fait, le septuagénaire sautait un peu rapidement aux conclusions. Peut-être prenait-il ses désirs pour la réalité. Le barrage avait subi de sérieux dommages, mais il n'était pas disparu, loin de là.

Dès le milieu de l'avant-midi, les grands patrons de la Beaver, deux ingénieurs, quelques évaluateurs et des représentants du ministère de l'Environnement enva-hirent le chantier. On discuta fort à certains moments et surtout en anglais dans la cabane en contreplaqué qui servait de bureau à l'ingénieur Cooper, responsable du projet.

À la fin de l'après-midi, ils retournèrent un à un à leurs occupations habituelles, ne laissant sur le chantier que les ouvriers et le contremaître.

On n'apprit la vérité que deux jours plus tard par Clément Leroux, toujours électricien sur le chantier. Il apprit à Adrien Beaulieu, rencontré par hasard à l'épicerie Gagnon, que Cooper avait été remercié de ses services et qu'on avait engagé un autre ingénieur pour continuer le projet.

– Comment ça, continuer? demanda l'ex-maire, pris au dépourvu par la nouvelle. Le barrage est tout démoli.

– Ben non, monsieur Beaulieu, il est juste un peu magané. La glace a arraché le coffrage et une partie du dessus du barrage. Il y a aussi des petites fissures dans deux sections. Le nouvel ingénieur a dit qu'on va réparer ce qui est fissuré. Pour le dessus, on va refaire des formes et couler du ciment. Ce sera pas plus compliqué que ça. Il paraît que tout ça va coûter un ou deux millions de plus et qu'on va avoir trois mois de retard. Toujours d'après le nouvel ingénieur, le barrage va être pas mal plus solide une fois qu'on va avoir fini de faire tout ça.

– Maudit! Tu parles d'une malchance! s'exclama avec humeur le septuagénaire. Moi, j'étais certain qu'on était débarrassé de cette cochonnerie-là.

– Voyons, monsieur Beaulieu, un barrage, c'est le progrès.

– Aïe, le jeune! Viens pas me faire suer avec ton progrès! Moi, j'appelle pas ça un progrès une affaire laide comme ça qui nous enlève nos chutes et qui rapportera jamais une maudite cenne à la municipalité.

Sur ces mots bien sentis, Adrien Beaulieu tourna les talons et sortit de l'épicerie.

– On dirait qu'il a mordu dans un citron, fit Clément Leroux à l'adresse de l'épicier qui se contenta de hocher la tête.

***

Cet après-midi-là, Alain Riopel, arrivé de Floride au début de la nuit précédente, immobilisa sa Chrysler noire dans la cour de son frère Cyrille. Le sexagénaire fut accueilli par tous les Riopel qui venaient de finir leur repas.

Après avoir embrassé sa belle-sœur Brigitte et Carole, la femme de son neveu Marc, le vieil homme, les traits tirés, se laissa tomber sur la chaise qu'on lui offrait, sans prendre la peine de retirer son manteau.

– T'as ben l'air fatigué, constata Brigitte.

– Ben, ça fait deux jours que j'ai pas fermé l'œil. On a eu de la misère à trouver des billets d'avion… Pour achever le plat, voilà que le frère de Lise qui devait venir nous chercher à Dorval a eu un accrochage. On a été obligés de louer un char pour revenir à Nicolet. On est arrivés à trois heures du matin.

– Ma tante Lise est pas venue avec vous, mon oncle? demanda Carole, seulement à moitié surprise de constater que la snob de Nicolet n'ait pas voulu se salir en venant constater les dégâts causés à sa maison par la crue.

– Ben non, elle était trop fatiguée.

Brigitte tendit à l'invité une tasse de café dans laquelle Cyrille versa une bonne dose de cognac.

— Tiens, prends ça. Je pense que tu vas en avoir besoin, dit son frère en poussant vers lui la tasse de liquide brûlant.

— Est-ce que c'est si pire que ça? demanda Alain en guettant le moindre signe d'encouragement de son frère et de son neveu.

— C'est pas beau à voir, mon oncle, dit Marc en secouant la tête. Avant-hier, l'eau a fini par s'en aller. On est allé voir les dommages. On n'a pas pu rien faire en dedans, et vous allez comprendre pourquoi tout à l'heure. Pour le dehors, on a cloué des feuilles de plywood pour que la pluie vienne pas empirer les affaires.

— Vous avez été ben fins de vous occuper de ça, fit Alain, reconnaissant.

— Oh! on n'a pas été tout seul. Clément et ses gars sont venus nous donner un coup de main à la fin de l'après-midi, hier. Et dans la journée, Pierre et Richard Bergeron sont venus nous aider, eux aussi.

— Bon, mais ça sert à rien de traîner. Je vais aller voir ça avant d'appeler les assurances, fit Alain en se levant péniblement de sa chaise.

— On y va avec toi, dit son frère.

Tout le monde s'engouffra dans la Chrysler qui prit la direction du rang Sainte-Marie.

— Une chance que la pluie s'est arrêtée et qu'il fait plus chaud, dit Cyrille pour meubler le silence qui régnait dans la voiture. Comme ça, les chemins ont séché un peu. Il y a plus d'eau et plus de glace sur la route du curé et la rue Girouard. Vous allez même pouvoir vous arrêter sur votre terrain.

— Est-ce qu'il y avait tant d'eau que ça sur la route?

— Mettez-en, mon oncle, fit Marc. Il y avait assez d'eau et de glaces pour avoir poussé là une couple de chalets.

Le silence revint dans le véhicule.

— Torrieu! jura Alain en s'avançant à vitesse réduite sur la route du curé. C'est pas croyable! J'ai jamais vu ça en vingt ans! dit-il en montrant deux chalets couchés sur le côté dans le fossé.

Le sexagénaire tourna à droite sur la rue Girouard avec précaution et il repéra sans mal sa maison, en contrebas, sur le bord de la rivière.

Il engagea la grosse Chrysler dans son allée où persistaient de larges flaques d'eau.

Tout le monde descendit et on suivit Marc qui entreprit de faire le tour de la maison pour montrer à son oncle les dommages causés à l'arrière.

— Jésus-Christ, c'est pas l'eau qui a fait ça! s'exclama Alain Riopel à la vue du trou que six feuilles de contreplaqué dissimulaient tant bien que mal.

— Ben non, c'est la glace que l'eau charriait, fit son frère. Le courant a été tellement fort que ça a tout défoncé sur son passage. Comme tu peux le voir, ça a même fait un trou dans le mur de ta maison. Pas nécessaire de te dire que tes portes-fenêtres, elles ont été arrachées.

– J'aurais jamais cru que ce serait si pire que ça! affirma Alain Riopel, à court de mots pour exprimer son découragement.

– Je veux pas te décourager, mon frère, dit Cyrille; mais attends de voir en dedans. Il y a encore un bloc de glace de sept pieds de long par deux pieds et demi d'épais qu'on n'a pas été capables de sortir de là. On attend qu'il fonde un peu pour le débiter.

Le groupe se remit en marche. Carole et Brigitte se taisaient. On revint à l'avant de la maison. Alain déverrouilla la porte.

– Tu peux allumer la lumière, dit Cyrille. Clément a vérifié hier et il y a pas de danger avec l'électricité. Ça, au moins, c'était une bonne nouvelle.

Alain alluma le plafonnier.

Devant le spectacle de désolation qui s'offrait à sa vue, le vieil homme se figea dans l'entrée et demeura un long moment sans voix.

Tout l'intérieur du rez-de-chaussée était dans un état indescriptible. Une pelle mécanique entrant dans les lieux n'aurait pas causé plus de dommages. Après avoir fracassé les portes-fenêtres, les glaces avaient défoncé les cloisons et fracassé la plupart des meubles. Au centre de ce qui avait été le salon, le bloc de glace décrit par Cyrille achevait de fondre. Les portes des armoires arrachées étaient entassées dans un coin en compagnie du vaisselier, du divan et des chaises du mobilier de la salle à manger. Les débris de vaisselle et de bibelots jonchaient le parquet dont les lames de bois franc étaient soulevées à plusieurs endroits.

Le pire était l'état de saleté repoussant des lieux. L'eau était montée jusqu'à une trentaine de centimètres du plafond et elle avait laissé derrière elle une épaisse couche de boue qui maculait tout et avait rendu toutes les surfaces gluantes.

– Maudites glaces! ragea Alain en décochant un coup de pied au bloc de glace qui trônait au centre de sa maison.

– Décourage-toi pas, dit Brigitte. On va te donner un coup de main et dans un mois, tout va être arrangé.

– T'as raison, Brigitte, convint son beau-frère, à contrecœur et la gorge serrée. J'ai pas le choix, on dirait… Bon, ça m'a tout l'air que ça sert à rien de s'éterniser ici. Je vais faire venir l'évaluateur de la compagnie d'assurances demain et je vais faire tout réparer.

Quand l'ancien gérant de la compagnie de silos déposa les membres de sa famille devant leur maison du rang Sainte-Anne quelques minutes plus tard, il avait retrouvé tout le dynamisme qui l'avait toujours caractérisé.

– Je vais aller remercier Clément et ses gars avant de rentrer à Nicolet, leur dit-il après avoir refusé leur invitation à rester pour le souper. Ne vous en faites pas pour moi, fit-il avec une bonne humeur forcée, j'ai des bonnes assurances. C'est vous autres qui êtes pas chanceux parce que vous allez me voir la face ben plus souvent qu'avant. Il va falloir que je surveille les entrepreneurs et je vais être ben plus souvent ici qu'à Nicolet.

Avant la fin de l'après-midi, le sexagénaire s'installait à son bureau de sa résidence de Nicolet et il contactait Rémi Dugas, son agent d'assurances pour lui décrire les dégâts causés à sa maison par la crue. Le courtier l'écouta en manifestant beaucoup de sympathie.

– Quand est-ce que votre compagnie va m'envoyer un évaluateur ? finit par lui demander Alain.

– Ça me surprendrait qu'elle en envoie un, monsieur Riopel, dit Dugas, apparemment désolé.

– Comment ça ? demanda le sexagénaire, en élevant la voix.

– Pour la simple et bonne raison, monsieur, qu'elle considère les inondations comme des « actes de Dieu » et ce n'est pas couvert par votre police. D'ailleurs, aucune de nos polices ne couvre ce genre de désastre.

– C'est une farce, j'espère ?

– Non, pas du tout, monsieur Riopel. Ça a toujours été comme ça.

– Je vais vous poursuivre devant les tribunaux, promit Alain Riopel, en colère.

– Vous pouvez toujours essayer de leur faire un procès, monsieur, mais vous allez perdre votre temps et votre argent. Toutes les compagnies d'assurances ont fait la même réponse à leurs assurés du Carrefour des jeunes. Ce type de désastre n'est pas couvert.

– Toutes les maudites compagnies d'assurances sont ben toujours pareilles! s'exclama le vieil homme. Elles sont toujours ben pressées de venir chercher leur prime chaque année, mais quand elles doivent payer, elles sont plus là. Elles trouvent toujours des bonnes raisons pour pas donner une cenne.

Sur ces mots bien sentis, le vieux retraité coupa la communication d'un geste rageur.

Chapitre 22

L'arrivée du printemps

À la mi-avril, le printemps s'était définitivement installé. Il ne restait plus la moindre trace de neige, même dans les sous-bois de Saint-Anselme. La période des sucres avait pris fin quelques jours après la débâcle sur la Nicolet. On attendait déjà l'apparition des premières feuilles dans les arbres tant les rayons du soleil se faisaient plus chauds chaque jour.

En ce beau vendredi après-midi ensoleillé, le grand ménage du printemps semblait commencé un peu partout. Aurèle Lupien et son employé effectuaient déjà les réparations les plus urgentes à la chaussée des rues du village ; alors que certains villageois, impatients de profiter du retour de la température douce, avaient déjà sorti leurs chaises de jardin sur leur balcon. D'autres déchaumaient leur pelouse ou nettoyaient leur haie.

Quelques vieux habitants du Petit Foyer, frileusement assis dans les balançoires installées devant leur résidence, épiaient les allées et venues des gens de Saint-Anselme.

Johanne Therrien, la propriétaire de l'ancien presbytère les intriguait. Ils avaient du mal à s'habituer à tant de vie dans un immeuble qui avait été déserté pendant autant d'années. Chaque jour, ils voyaient Frédéric Bergeron traverser la rue et ils entendaient par les fenêtres ouvertes du vieux bâtiment le bruit de sa scie mécanique ou de sa ponceuse électrique.

Depuis quelques jours, ils pouvaient même voir l'énergique propriétaire des lieux travailler de longues heures au nettoyage de son vaste terrain bordé d'une haie de lilas.

– C'est toute une maîtresse femme, cette fille-là, dit Gilles Gagné à la vieille Pierrette Marcotte en parlant de Johanne Therrien. Si vous allez faire une petite marche devant le presbytère, vous allez l'apercevoir en train de nettoyer son terrain avec un râteau. Elle a pas peur de travailler… Et j'aime autant vous dire qu'elle a l'air d'avoir une paire de bras solides.

– Oui, convint la vieille dame. On dirait qu'elle a du nerf. Si j'étais à la place du petit Bergeron, je me méfierais. C'est le genre de femme qui a l'air de savoir ce qu'elle veut.

– Le petit Bergeron, il faut pas exagérer, dit la femme de Richard Miron venue rejoindre son mari, Gilles Gagné et sa voisine dans la balançoire. Il a pas loin de quarante ans, non?

– Oui, à peu près, laissa tomber Richard Miron en adressant un clin d'œil à son ami Gagné. Mais je suis pas sûr qu'il soit déniaisé, par exemple.

— Vous autres, les hommes, vous pensez juste à ça, dit Pierrette Marcotte en affectant un air dégoûté.

— En tout cas, il paraît que c'est une femme qui a le sens des affaires, ajouta Miron. Pas plus tard que la semaine passée, Yves Camirand m'a dit qu'elle manquait pas d'argent.

— Comment ça? demanda Pierrette Marcotte, que le mot «argent» n'avait jamais laissée indifférente.

— Ben, Camirand dit qu'elle a deux magasins de linge à elle. On sait que Bergeron travaille dans l'ancien presbytère depuis la fin janvier. Le Frédéric doit pas travailler, lui non plus, pour des prières. Elle doit avoir les moyens de payer tout ça.

— C'est sûr qu'elle doit avoir pas mal d'argent pour remettre debout cette grosse baraque, dit Miron.

— En tout cas, on peut pas dire qu'elle est fière, dit Gagné. Chaque fois qu'elle passe, elle nous envoie la main.

Une Honda Accord argentée entra dans le stationnement de la Caisse populaire voisine.

— Tiens, voilà Geneviève Biron qui s'en va encore à la caisse, fit Gilles Gagné d'une voix pleine de sous-entendus.

— C'est vrai qu'elle a ben des raisons de venir là.

— La première, dit Miron, c'est pour déposer tout l'argent qui lui tombe dessus depuis que la rivière a

404

débordé. La pauvre fille, c'est ben simple, elle doit plus savoir quoi faire avec tout cet argent-là. Non seulement ses trucks sont loués plus longtemps au barrage qu'il faut réparer, mais en plus, elle vend des matériaux de construction comme jamais aux propriétaires du Carrefour des jeunes qui doivent tout remettre d'aplomb. Si ça se trouve, elle demanderait pas mieux que la rivière fasse la même chose chaque printemps.

– T'es sûr que c'est pour ça qu'elle va si souvent à la caisse? demanda Gilles Gagné avec un sourire malicieux.

– Ben, on pourrait peut-être croire qu'elle a l'œil sur le petit gérant, mais j'ai l'impression qu'il est pas prêt à se laisser ferrer. C'est un veuf, lui, tu comprends. Il doit ben savoir comment c'est difficile de vivre avec une femme.

– Richard Miron, mon insignifiant! fit sa femme en élevant la voix et en lui faisant les gros yeux. T'as pas honte de parler de même, un homme de ton âge?

– C'est sûr que c'est pas un jeune qui parlerait comme ça, répondit le retraité. Qu'est-ce que tu veux! l'expérience, ça s'achète pas.

***

Ce soir-là, chez Bruno Lequerré, tout semblait normal. Le vieux Bruno se berçait avec une énergie inquiétante dans la cuisine pendant que sa femme et sa fille consultait le catalogue Sears, à la recherche de vêtements de printemps à prix modique. Pour leur part,

Clément et ses deux fils étaient dans le salon. Mathieu était captivé par un jeu installé dans son ordinateur alors que son frère et son père tentaient de s'intéresser à un match éliminatoire de hockey auquel ne participait pas le Canadien de Montréal, leur équipe favorite. Encore une fois, cette dernière n'avait pu se qualifier pour les huitièmes de finale de la coupe Stanley.

Tout à coup, Clément se leva et alla rejoindre les deux femmes dans la cuisine. Le grand quadragénaire se laissa tomber sur une chaise près de la table.

— Tu regardes pas ta partie de hockey? demanda Carole.

— J'en n'ai pas le goût, répondit Clément en jetant un coup d'œil à son beau-père qui marmonnait des mots incompréhensibles en se berçant énergiquement.

Aurore Lequerré referma le catalogue Sears et dévisagea son gendre.

— Toi, t'as quelque chose qui te chicote, fit la vieille dame qui retira ses lunettes qu'elle ne portait que pour lire.

— Ben, à dire vrai, madame Lequerré, je pense à la ferme.

— Qu'est-ce qu'elle a, la ferme?

— Je pense qu'il va falloir prendre une décision pas mal vite. Jusqu'ici, on a été capables de se débrouiller sans votre mari parce qu'on avait juste à soigner les animaux.

Mais il commence à faire beau. Il va falloir réparer les clôtures, épierrer, semer, faire les foins, entretenir les bâtiments et la machinerie.

– Je comprends, fit Aurore en baissant la voix malgré elle après avoir jeté un bref coup d'œil vers son mari.

– Qui va faire tout ça? demanda Clément sur le même ton. Avant, les garçons pouvaient donner un coup de main au beau-père en revenant de l'école et les fins de semaine. Je faisais aussi ma part.

– Il y a pas grand-chose de changé, intervint Carole.

– Ben, c'est là que tu te trompes, la coupa Clément. Ton père a beau avoir passé soixante-dix ans, il abattait encore pas mal d'ouvrage et il disait aussi aux jeunes ce qu'il y avait à faire. Maintenant, il peut plus rien faire.

– Bon, si tu disais à quoi tu penses? demanda Aurore.

– Je pense à rien, belle-mère. Une chose est certaine en tout cas: on peut pas continuer comme ça. Moi, je peux pas laisser tomber une clientèle que ça m'a pris plus de vingt ans à me faire et les garçons ont pas assez d'expérience et de temps pour faire le job de votre mari.

Marco apparut dans la cuisine et vint prendre place près de son père, sans y être invité.

– Qu'est-ce qui se passe? demanda Clément à son fils aîné. La partie est pas déjà finie?

– Non, mais elle est plate, par exemple. J'ai fermé la télé. Ça m'intéresse plus de la regarder.

Puis, regardant tour à tour chacun des trois adultes assis autour de la table, l'adolescent demanda :

– Est-ce que je vous dérange ?

– Pantoute, répondit Clément. On parle de la terre. Qu'est-ce qu'on va faire, madame Lequerré ? demanda son gendre en s'adressant à sa belle-mère.

– Si tu penses qu'on devrait vendre, fit Aurore, le visage dur, je t'arrête tout de suite. Vendre son bien, surtout ses vignes, ça le tuerait.

– Il s'en rendrait probablement même pas compte, fit Clément avec un certain bon sens.

– Oui, il finirait par s'en apercevoir, intervint Carole. Voyons, Clément, il y a sûrement un moyen de faire autrement.

– Peut-être qu'on pourrait vendre les vaches et le quota de lait et garder juste la maison et la terre, hasarda le quadragénaire d'une voix hésitante. Mal pris, on pourrait peut-être louer la terre aux Marcotte, par exemple. Vous avez une procuration, madame Lequerré, vous pourriez toujours faire ça sans qu'il le sache.

– Mon mari le verrait, Clément, dit Aurore d'un ton catégorique.

– Un homme engagé ? suggéra Carole.

– Il faudrait quelqu'un de fiable qui demande pas trop cher, rétorqua Aurore, devenue d'une rare prudence depuis qu'elle tenait les cordons de la bourse.

Un long silence s'installa dans la pièce, silence qui n'était brisé que par les craquements des berceaux de la chaise berçante du vieil homme.

– Je vais aller l'installer pour la nuit, fit Aurore en désignant de la tête son mari. Je reviens dans deux minutes.

Aurore Lequerré prit Bruno par la main et l'accompagna jusqu'à sa chambre dont on entendit la porte se refermer. Pendant les quelques minutes que dura l'absence d'Aurore, pas un mot ne fut échangé entre les trois personnes assises autour de la table.

Au moment où la sexagénaire revenait prendre place, Clément se leva soudainement et il alla ouvrir l'un des tiroirs du secrétaire placé dans un coin de la pièce. Il en tira un carnet dont il se mit à feuilleter rapidement les pages avant de trouver ce qu'il cherchait. Alors, il revint s'asseoir.

– Je viens de penser à quelque chose, dit-il. Ça se pourrait que j'aie l'homme qu'il nous faut. Au commencement de l'hiver, je suis allé faire des réparations chez Laurent Giroux de Saint-Cyrille.

– Qui c'est cet homme-là? demanda Aurore, méfiante.

– C'est un veuf sans enfant d'une cinquantaine d'années qui a toujours eu une terre dans les Cantons-de-l'Est. Quand il a appris que sa femme avait un cancer, il y a deux ans, il a tout vendu et il est venu s'acheter une petite maison dans le village de Saint-Cyrille parce que sa femme venait de là.

– Tu as dit que c'était un veuf…, commença Carole.

– Oui, sa femme est morte au début de l'automne passé. Je me demandais s'il s'ennuyait pas tout seul, à rien faire de la journée. Je pourrais toujours lui demander s'il serait pas intéressé à venir s'occuper de la ferme, le temps qu'on trouve une autre solution. On sait jamais.

Aurore Lequerré accepta et dès le lendemain avant-midi, son gendre s'arrêta chez Laurent Giroux pour lui offrir le travail, sans se faire trop d'illusions. Le veuf ne manifesta pas beaucoup d'enthousiasme en écoutant la proposition, mais il promit d'y réfléchir.

À la grande surprise de l'électricien, Laurent Giroux se présenta à la ferme Leroux-Lequerré dès la fin de l'après-midi.

L'homme était un solide quinquagénaire de stature moyenne dont les cheveux poivre et sel étaient coupés ras. Son visage taillé à coups de serpe était éclairé par des yeux noisette vifs. La largeur de ses mains et de ses épaules disaient assez sa force peu commune.

En compagnie d'Aurore et de Clément, Laurent Giroux fit le tour des bâtiments, inspecta la vingtaine de vaches dans l'étable, vérifia la qualité du fourrage et l'état de la machinerie avant d'aller regarder durant quelques minutes les champs labourés par Bruno l'automne précédent.

Finalement, tout le monde rentra dans la maison et on accepta la tasse de café préparée par Carole.

— Puis, monsieur Giroux, qu'est-ce que vous en pensez ? demanda Aurore.

— Vous avez une bonne petite terre, madame Lequerré. D'après ce que j'ai pu voir, il y a pas mal moins de roches que j'en avais sur la mienne. Il y a pas à dire, votre mari connaissait ben son affaire. Ce serait de valeur de laisser ça aller chez le diable.

— C'est en plein ce qu'on se disait, confirma Clément.

— Allez-vous être capable de vous en occuper ? demanda Carole avec une certaine impatience.

— Ma petite dame, ça pose pas de problème pourvu que vous me demandiez pas de m'occuper des vignes. Moi, je connais rien à ça. Pour le reste, ça peut aller, surtout si je peux avoir un peu d'aide.

Il suffit de quelques minutes pour s'entendre sur le salaire fort raisonnable et les conditions de travail du nouvel employé. Il fut entendu que Laurent Giroux s'occuperait de tout et qu'il administrerait la ferme comme si c'était la sienne. Il n'aurait congé que le samedi après-midi et toute la journée du dimanche. Il prendrait ses repas avec la famille, mais il irait coucher chez lui chaque soir.

***

Une semaine plus tard, à la fin du mercredi après-midi, Aurore Lequerré leva brusquement la tête de la jupe dont elle recousait l'ourlet quand elle entendit grincer les freins de l'autobus scolaire qui s'immobilisait

411

devant l'entrée de la cour. La vieille dame vit ses deux petits-fils sortir précipitamment du véhicule et hurler des insanités en gesticulant à des camarades demeurés à bord.

L'autobus jaune démarra et les deux adolescents, les mains vides, se dirigèrent vers la maison en traînant les pieds.

— Regardez-moi mes deux grands tatas, fit Carole à sa mère qu'elle venait de rejoindre à l'une des fenêtres de la cuisine. Ça a seize et dix-sept ans et ils sont plus bébés que des enfants de cinq ans. Qu'est-ce que j'ai fait au bon Dieu pour avoir deux numéros pareils? Et comme d'habitude, ils reviennent de la polyvalente sans un livre et sans un cahier. Demandez-moi pas quand ils font leurs devoirs.

— Inquiète-toi donc pas, fit Aurore. Ils vont vieillir comme tout le monde. Ils sont pas méchants. Ils sont juste un peu tête folle.

Il y eut un claquement de porte.

— Bonjour m'man! Bonjour grand-mère! crièrent les deux jeunes en pénétrant dans la pièce.

— Pas si fort! exigea Carole, retournée au comptoir où elle avait entrepris de confectionner un gâteau pour le dessert du souper. Votre grand-père vient de s'endormir. Puis, enlevez-moi vos souliers; j'ai lavé mon plancher cet avant-midi.

Sans se pencher, les deux adolescents retirèrent leurs espadrilles qu'ils repoussèrent à l'extrémité du paillasson d'un coup de pied. Pendant que Marco allait directement au réfrigérateur pour s'y trouver une collation, Mathieu se dirigea vers l'escalier en détournant légèrement la tête.

Le manège intrigua sa mère.

– Mathieu!

L'adolescent s'immobilisa un moment sur la seconde marche de l'escalier.

– Viens donc me voir une minute, lui ordonna sa mère.

Un ange passa dans la cuisine. Marco arrêta de se verser un verre de lait et Aurore déposa son travail sur ses genoux. Mathieu descendit à contrecœur les deux marches qu'il venait de gravir et revint dans la cuisine.

– Quoi encore? demanda-t-il en regardant sa mère, l'air un peu honteux.

Carole vit tout de suite que l'œil droit de son cadet était enflé, à demi-fermé et d'un noir violacé du plus bel effet.

– Qu'est-ce que t'as encore fait? demanda-t-elle en s'approchant pour mieux évaluer les dégâts.

Aurore quitta sa chaise pour venir, elle aussi, examiner de plus près son petit-fils.

– Ma foi du bon Dieu! s'exclama la sexagénaire, c'est tout un œil au beurre noir que t'as là.

– Oui et j'aimerais ben savoir comment c'est arrivé, fit sa mère, l'air sévère. Puis, raconte-moi pas que tu t'es cogné sur une porte ou que tu t'es donné un coup de crayon. Pas de menteries, tu m'entends, Mathieu Leroux ?

Marco laissa entendre un gloussement. Un coup d'œil courroucé de son frère l'incita à plus de discrétion.

– Ben, je me suis battu avec un gars à l'école, dit piteusement Mathieu.

– Dans l'école ? Mais il y a pas des surveillants dans cette polyvalente-là ?

– Non, pas dans l'école, devant l'école, corrigea le jeune.

– Pourquoi tu t'es battu ?

Il y eut un silence.

– Pourquoi ? répéta Carole en élevant la voix.

– L'écœurant, il disait que je puais, que je sentais la vache.

– Et c'est pour une niaiserie comme ça que tu t'es battu ?

– Ben, c'est lui qui a commencé.

– Maudit niaiseux ! Il a peut-être commencé, mais toi, t'as fini. Et naturellement, tu vas te faire suspendre. C'est intelligent au moment où les examens approchent.

414

– Ben non, c'est arrivé pendant l'heure du dîner et personne m'a rapporté au directeur.

– Tu t'es vu l'œil? Demain, tu pourras même pas voir avec. Il va être complètement bouché.

– J'ai peut-être un œil au beurre noir, mais lui, il en a mangé toute une, conclut Mathieu en affichant un air faraud pour impressionner sa mère et sa grand-mère.

– Et toi, tu pouvais pas empêcher ça, je suppose? dit la mère en se tournant vers Marco en train d'avaler son troisième biscuit à la mélasse.

– Mais m'man, on n'est pas dans la même classe et on se tient pas ensemble à la poly. La seule fois que je l'ai vu aujourd'hui, c'est en embarquant dans l'autobus tout à l'heure.

– En tout cas, c'est brillant! Tout dans les bras et rien dans la tête! conclut Carole en s'adressant indistinctement à ses deux fils. Grouillez-vous, tous les deux, d'aller vous changer. Vous allez être en retard pour le train.

Quelques minutes après la sortie des deux adolescents, les deux femmes entendirent des pas traînant à l'étage. Carole fit signe à sa mère de ne pas se lever et elle se dirigea vers l'escalier pour surveiller, sans trop en avoir l'air, son père qui s'apprêtait à descendre.

Bruno Lequerré avait énormément vieilli durant l'hiver. L'homme qui allait bientôt célébrer ses soixante-seize ans s'était comme tassé et desséché. Son teint grisâtre et son regard absent étaient inquiétants. À la fin

415

de l'automne, il cherchait souvent ses mots ; maintenant, il lui arrivait de plus en plus souvent de tenir des discours absolument incohérents et il piquait de brusques colères quand son entourage ne le comprenait pas. Il exigeait surtout plus de soins et une surveillance continuelle de la part des siens. Sa folie ambulatoire persistait au point que son gendre avait dû poser des serrures plus compliquées à la plupart des portes tant pour l'empêcher d'aller à l'extérieur en pleine nuit que pour mettre fin à ses fouilles sans but dans toutes les pièces de la maison.

Carole invita son père à regarder la télévision en attendant que le repas soit prêt. Le vieil homme grogna quelque chose avant de s'asseoir dans la berçante placée devant le téléviseur et il se mit à se bercer énergiquement, sans tenir compte de sa femme et de sa fille.

Durant le souper, Mathieu dut expliquer sa blessure à son père. Clément Leroux regarda l'œil tuméfié de son cadet d'un air mécontent, mais il n'émit aucun commentaire. Tout dans son attitude démontrait sa réprobation et de toute évidence, il se retenait pour ne pas laisser éclater sa colère. Malgré tout, Mathieu se permit de raconter en détail son combat en l'enjolivant et en se donnant le beau rôle.

– Ça va faire la vedette ! fit finalement sa mère. Il y a pas de quoi te vanter.

***

Le lendemain avant-midi, Brigitte Riopel s'arrêta chez sa belle-sœur Aurore pour l'inviter à l'accompagner au village durant quelques minutes. Elle devait aller porter à la sacristie deux aubes du curé Gadbois et des nappes d'autel qu'elle avait lavées et repassées durant la semaine. Carole poussa sa mère à profiter de ce court répit. Elle pourrait en profiter pour acheter un peu de viande chez Camirand.

Par le plus grand des hasards, à sa sortie de la boucherie Camirand, la vieille dame croisa Caroline Tremblay, une amie de son petit-fils Mathieu. La jeune fille de seize ans venait de temps à autre à la maison. Les deux adolescents étaient des fanatiques des jeux vidéo et ils partageaient la même passion – incompréhensible pour elle – pour les ordinateurs.

– Bonjour, madame Lequerré, fit poliment la jeune fille. Vous allez bien ?

– Oui, merci, ma belle fille.

– L'œil de Mathieu doit pas être trop beau à voir aujourd'hui, dit Caroline pour meubler la conversation.

– Ah ! t'as vu la bataille, toi, dit en souriant Aurore.

– On peut pas appeler ça une bataille, madame Lequerré, précisa l'adolescente en souriant.

– Comment ça ? demanda la grand-mère qui sentait que son petit-fils ne leur avait peut-être pas tout raconté.

– Vous connaissez Mathieu. Il a voulu gager avec des gars de la classe qu'il toucherait les seins de Stéphanie Massé.

— Stéphanie Massé, la petite rousse du rang Sainte-Marie ?

— Oui, c'est elle.

— Bon ! Qu'est-ce qui est arrivé ?

— Ben, durant les cinq minutes entre deux cours, hier matin, Mathieu s'est approché de Stéphanie par derrière et il l'a fait.

— Et après ?

— Après, ça a pas été long, je vous le garantis. Stéphanie s'est retournée et elle lui a flanqué un bon coup de poing sur l'œil.

— Mais elle est toute petite, dit Aurore avec une pointe d'admiration.

— Elle est peut-être petite, mais elle cogne sec. Vous auriez dû voir la tête de Mathieu. Ça valait cent piastres.

— Le professeur a rien dit ?

— Il était pas encore arrivé dans la classe.

— Et les élèves ?

— Je pense qu'on a tous pensé que Mathieu avait couru après ce qui lui arrivait.

— Et t'as ben raison, dit la grand-mère en arborant son plus beau sourire.

– On dirait qu'il vous avait pas raconté ça de la même façon, remarqua l'adolescente avec une certaine finesse.

– Oui, oui, dit Aurore, c'est ben ce qu'il nous a raconté, mais il manquait des petits détails.

De retour à la maison, la sexagénaire ne dit pas un mot durant le repas du midi. Elle attendit patiemment que sa fille monte à l'étage quelques instants pour s'approcher de son petit-fils assis à son cher ordinateur, dans le salon.

– Comment va ton œil, mon Mathieu? demanda l'aïeule, pleine de sollicitude.

– Ça fait mal, grand-mère, mais j'en mourrai pas.

– Tant mieux, tant mieux… Ah! tu me fais penser, ajouta Aurore. J'ai rencontré ton amie Caroline Tremblay chez Camirand.

– Ah oui! dit distraitement l'adolescent absorbé par son jeu vidéo.

– Elle m'a demandé des nouvelles de ton œil.

– …

– Elle m'a aussi parlé de ta bataille à l'école.

Mathieu rougit violemment, mais il ne dit pas un mot, le regard obstinément fixé sur l'écran de l'appareil. Sa grand-mère avança la main et tourna vers elle le visage du grand adolescent. Elle le regarda intensément avant de lui demander:

419

– Dis-moi, Mathieu, est-ce que tu crois encore ta grand-mère quand elle te promet quelque chose?

– Ben oui, grand-mère, fit l'adolescent avec un sourire contraint, mais en secouant vainement la tête pour échapper à la poigne de la vieille dame.

– Alors, écoute-moi ben, mon grand. Si jamais j'apprends que t'essaies de toucher à une fille quand elle le veut pas, c'est moi qui va te noircir l'autre œil. Tu m'entends?

– Oui, oui, j'ai compris, grand-mère, balbutia le jeune homme, surpris par la menace.

Aurore Lequerré lâcha la figure de son petit-fils et elle se redressa.

– Maintenant, qu'est-ce que tu vas faire pour me faire oublier de raconter la vérité à ta mère et à ton père?

Une porte claqua à l'étage. Mathieu jeta un coup d'œil nerveux vers l'escalier.

– Je le sais pas. J'ai pas d'idée, grand-mère.

– Ça tombe ben parce que moi, j'en ai une bonne. Je pense que tu vas oublier ton ordinateur durant toute la semaine. Qu'est-ce que t'en penses?

– Pas ça, grand-mère! s'exclama Mathieu à mi-voix, horrifié à l'idée de passer toute une semaine sans s'approcher de l'appareil. Je pense que j'aimerais mieux que vous me noircissiez l'autre œil à la place.

– T'as pas le choix, mon garçon. Éteins tout de suite ! Je suis certaine que tu fais un bon marché à part ça. Tu connais ta mère. Elle est ben capable de te priver de ta bébelle durant tout un mois, et même plus si jamais elle apprend ce que t'as fait.

– Qu'est-ce que je vais faire de mes soirées, moi ?

– Tu feras comme ton père et ton frère, tu regarderas les éliminatoires de hockey.

– C'est ben trop plate ; le Canadien est même pas dedans cette année.

– Tu feras autre chose d'abord, c'est pas mon problème. Tu pourrais même peut-être étudier... La prochaine fois, tu te serviras de ta tête avant de faire une niaiserie, mon grand, conclut Aurore avant de retourner dans la cuisine.

– Les maudites filles ! ragea Mathieu, sans préciser si sa colère visait Stéphanie Massé, Caroline Tremblay, sa mère ou sa grand-mère.

Il éteignit son ordinateur et il repoussa le clavier de l'appareil.

Partagé entre le dépit et la rage, l'adolescent sortit du salon, attrapa son blouson accroché à la patère de l'entrée et il alla rejoindre son frère dans le garage.

Chapitre 23

Les bouleversements

La tiédeur printanière s'installa définitivement durant la dernière semaine d'avril. Les journées pluvieuses du début du mois furent vite oubliées. Les arbres se paraient déjà d'innombrables bourgeons prêts à éclore dans les jours à venir. Pour ne pas être en reste, les champs avaient revêtu une livrée vert tendre pleine de promesse.

À Saint-Anselme, un bon nombre de fermiers avaient fini de vérifier la solidité de leurs clôtures et ils s'apprêtaient à chasser leurs vaches de leur étable. Un peu partout, on procédait à l'entretien de la machinerie et on réparait ce qui devait l'être.

Ce dernier mercredi du mois, Lucie Veilleux conduisait rageusement sa petite Toyota rouge. Ce n'est qu'en traversant le village qu'elle décida subitement de s'arrêter quelques minutes chez Céline Lacombe, devenue, au fil des semaines, sa confidente et une sorte de seconde mère.

À la vue de l'air renfrogné de la femme de Pascal Marcotte, la veuve devina immédiatement que quelque chose ne tournait pas rond chez elle. Elle feignit ne pas remarquer la fébrilité et la mauvaise humeur de son invitée. Elle l'embrassa avant de l'entraîner vers sa salle à manger.

– Tu deviens de la visite rare, fit remarquer Céline. Viens t'asseoir, je vais nous préparer une bonne tasse de thé.

– J'en ai pas ben ben le goût, madame Lacombe, fit Lucie en se laissant tomber sur la chaise placée au bout de la table.

– Du thé, ça se boit sans en avoir le goût. Seigneur! veux-tu bien me dire ce que t'as? On dirait que t'as perdu un pain de ta fournée.

– J'arrive des Promenades de Drummondville. Je suis allée faire du magasinage et…

– Dis-moi pas que c'est magasiner qui te jette à terre comme ça!

– Ben non, répondit la jeune femme d'une voix agacée. Je suis de même depuis midi, depuis que je connais les résultats de mon test.

– De ton test? interrogea Céline Lacombe, pas très sûre de deviner juste. Est-ce que t'es en train de me dire que tu pensais être enceinte et que tu l'es pas?

– Non, pantoute! dit Céline en élevant la voix. C'est pas ça! J'avais du retard. D'habitude, je suis réglée comme une horloge. Puis j'ai découvert que j'avais oublié de prendre ma pilule deux jours pendant la période dangereuse, mais ça m'est déjà arrivé plusieurs fois avant. En tout cas, pour en avoir le cœur net, j'ai acheté hier un test de grossesse à la pharmacie.

– Et?

– Et je suis enceinte, maudite niaiseuse que je suis! explosa Lucie Veilleux. Je me suis fait poigner comme une petite fille de quinze ans qui sait pas trop ce qu'elle fait. C'est ben simple, si j'en étais capable, je me battrais.

Céline versa de l'eau bouillante dans la théière et elle déposa cette dernière au centre de la table avec deux tasses, un sucrier et un pot à lait. Elle s'assit finalement à côté de son invitée qui n'arrêtait pas de se tordre les mains.

– T'as peur de la réaction de Pascal?

– Pas de danger! Lui, ça va lui faire autant plaisir qu'à son père. Ils sont tous les deux pareils, les Marcotte. Ils ont toujours rêvé d'avoir une vraie pondeuse pour remplir la maison d'une gang de petits Marcotte. Si je pouvais avoir une douzaine d'enfants, ils seraient contents.

– Bon, où est le problème d'abord demanda la veuve.

– Le problème, c'est qu'il y a huit ans, je me suis promis que j'aurais pas d'autres enfants après Corinne. J'ai dit à Pascal qu'une seule suffisait et qu'on n'en aurait pas d'autres.

– Ton accouchement avait été difficile, fit Céline, compréhensive.

– Non, le bébé est passé comme une lettre à la poste.

– Tes neuf mois?

– Pas un mal de cœur. Rien. Le problème est pas là, madame Lacombe, dit Lucie sur un ton plus modéré en s'allumant une cigarette. J'ai pas le goût de recommencer à changer des couches et à me lever la nuit. Ça me tente pas de me taper tous les petits bobos d'un bébé. Il me semble que je viens juste d'en finir avec ça. J'ai même pas encore oublié les coliques de Corinne et ses crises quand ses dents ont percé.

La sexagénaire se releva pour aller chercher un cendrier qu'elle déposa sur la table, devant Lucie.

– Est-ce que je peux te parler franchement? lui demanda-t-elle.

– Allez-y, faites-moi un sermon, fit l'autre, le visage fermé, en aspirant profondément la fumée de sa cigarette.

– Non, ce sera pas un sermon, ma belle. J'ai soixante ans et je sais pas ce que je donnerais pour être à ta place. J'ai eu juste une fille, comme toi ta Corinne. Si c'était à refaire, je pourrais rien y changer parce qu'après mon accouchement par césarienne, le docteur m'a dit que je pourrais jamais plus avoir d'autres enfants. Mon mari et moi, on en voulait quatre ou cinq. Sais-tu le plus triste dans cette affaire-là? Je m'en suis rendu compte en vieillissant et surtout, après la mort de mon mari. Quand t'as juste un enfant, t'as des grandes chances d'avoir personne pour prendre soin de toi. Regarde-moi. J'aime ma fille et elle m'aime, je pense. Mais elle reste en Californie. Elle m'appelle une fois tous les quinze jours et elle peut pas venir plus qu'une fois par année. Quand je serai malade, qui va s'occuper de moi? Personne. Si j'avais eu d'autres enfants, il y aurait des chances qu'il y en ait au moins un capable de prendre soin de moi.

— C'est vrai ce que vous dites là, convint la jeune femme un peu à contrecœur.

— Écoute, Lucie. T'es une belle femme de trente-deux ans. T'es en pleine santé et t'as eu une première grossesse sans problème. En plus, tu manques pas d'argent et de place pour élever ce petit-là. T'es pas différente de toutes les autres femmes. Tu vas te dépêcher à oublier les changements de couches et les petits bobos quand ton petit va te tendre les bras pour se faire prendre. Si ça se trouve, tu vas encore plus l'apprécier que ta Corinne.

Pour la première fois depuis son arrivée, un début de sourire attendri apparut sur les lèvres de Lucie Veilleux.

— C'est sûr qu'un bébé…

— Tu vois bien que t'es chanceuse, continua la veuve en lui étreignant la main. C'est toute une chance qui t'arrive.

— Et Corinne dans tout ça?

— Ta fille? Elle a huit ans. Annonce-lui la bonne nouvelle en arrivant à la maison tout à l'heure. Tu vas voir comment elle va être contente d'avoir un petit frère ou une petite sœur. Ce sera pas long qu'elle va t'aider à en prendre soin.

Calmée, Lucie quitta son amie un peu avant quatre heures de manière à être à la maison quand Corinne descendrait de l'autobus scolaire.

Quand la fillette entra dans la maison, sa mère lui montra sa collation qu'elle venait de déposer sur la table.

– Mange et commence tes devoirs pendant que je prépare le pâté chinois du souper.

Après avoir mangé deux biscuits et avalé un grand verre de chocolat au lait, Corinne déposa son verre dans le lave-vaisselle avant d'étaler sur la table ses livres et ses cahiers. Lucie s'assit à une extrémité de la table et se mit à éplucher des pommes de terre.

– Aimerais-tu ça avoir un petit frère ou une petite sœur? demanda-t-elle tout à trac à sa fille qui leva précipitamment la tête de son devoir.

– Est-ce que ça veut dire que tu vas avoir un bébé, maman? demanda-t-elle, rayonnante de joie.

– On le dirait.

– Quand?

– L'automne prochain.

Corinne se leva et se précipita vers sa mère, au comble du bonheur.

— Est-ce que je vais pouvoir le prendre?

— Certain. Tu pourras même m'aider à en prendre soin, ajouta Lucie, un peu émue de constater la joie de sa fille. Maintenant, grouille avec tes devoirs sinon t'auras jamais fini à temps pour le souper.

La fillette venait à peine de terminer ses travaux et de ranger ses effets scolaires dans son sac quand son père entra dans la maison. Lucie l'entendit ôter ses bottes de travail dans l'entrée et descendre au sous-sol pour enlever sa salopette et se laver.

Quand Pascal Marcotte pénétra dans la cuisine, sa femme et sa fille étaient en train de dresser le couvert. Il s'assit à un bout de la table.

— Ton père est pas avec toi? demanda Lucie.

— Non, il s'en vient. Il essaie de réparer une des portes du silo avec Ménard.

Il y eut un court silence dans la pièce avant que Lucie demande à son mari.

— Est-ce que les meubles de bébé sont loin?

— Il me semble qu'ils sont au grenier. Pourquoi tu me demandes ça? T'as trouvé quelqu'un à qui les donner?

— Non.

Pascal regarda durant un court instant sa femme avant de réaliser ce que ce « non » impliquait.

– Es-tu en train de me dire que…?

– Il me semble que c'est assez clair, non? fit Lucie avec une certaine brusquerie.

– T'es pas sérieuse? demanda Pascal en se levant précipitamment. Ah ben, sacrifice! C'est la meilleure nouvelle de l'année, celle-là! Attends que le père apprenne ça; il en reviendra pas. Ce serait pour quand?

– Pour la fin novembre, il me semble.

Lucie attendait debout près de la table sur laquelle elle venait de déposer une pile d'assiettes. Son mari fit deux pas vers elle et il l'embrassa dans le cou pour la remercier.

– Arrête-moi ça! fit-elle sèchement en le repoussant. C'est pas le temps. Je suppose que tu te rends compte de ce que ça veut dire. Il va falloir peinturer et tapisser une chambre de bébé, installer la bassinette et le bureau et acheter du linge.

– Inquiète-toi pas pour ça. Je suis capable de le faire… sauf pour le linge.

– Dans quelle chambre on va l'installer ce bébé-là? La chambre à côté, c'est celle de Corinne. Dans celle d'en face, c'est ton père qui couche là.

– Il reste trois autres chambres sur l'étage, c'est pas un problème, répliqua Pascal, enthousiaste.

– Oui, mais elles sont loin de notre chambre. Quand le petit va se mettre à pleurer pendant la nuit, on l'entendra pas.

– Si vous le voulez, offrit Corinne, vous pouvez prendre ma chambre. Ça me fait rien d'en prendre une autre.

– On verra ça plus tard, ma grande, fit Pascal, tout heureux de la nouvelle qu'il venait d'apprendre.

Lorsque Lucie se décida à annoncer l'heureuse nouvelle à son beau-père durant le souper, André demeura d'abord sans voix, trop content pour exprimer tout ce qu'il ressentait.

– Ça, c'est toute une nouvelle, finit-il par dire aux futurs parents. Dites-moi pas qu'on va finir par avoir un petit Marcotte qui va prendre la relève un jour.

– Whow, beau-père! Il y a rien qui dit que ça va être un garçon, l'interrompit sa bru, incorrigible féministe. Ça pourrait être aussi une fille.

– Une fille, ça ferait aussi ben l'affaire, s'empressa de rectifier le sexagénaire. Vous avez pas si mal réussi avec Corinne. Aujourd'hui, il y a pas mal de femmes qui mènent une terre et elles font ça aussi ben que les hommes.

***

Deux jours plus tard, André Marcotte s'arrêta au Petit Foyer dans le but de passer une heure, au début de la soirée, avec sa vieille mère dont c'était le quatre-vingt-cinquième anniversaire de naissance.

Depuis quelques jours, la vieille femme n'était pas dans son assiette. Comme elle l'avait dit au téléphone à Pascal, l'après-midi même, elle «filait un mauvais

430

coton». Elle traînait un mauvais rhume. Des quintes de toux sèche la secouaient parfois violemment et les visiteurs entendaient siffler ses bronches quand elle reprenait difficilement sa respiration. Mais il ne fallait pas s'en faire outre mesure pour Pierrette Marcotte. Elle était solide. Ce n'était pas un petit rhume de printemps qui aurait raison de sa vieille carcasse desséchée. Sa petite figure maigre et ses longues mains osseuses rappelaient de plus en plus la tête et les serres d'un oiseau de proie.

Son fils André n'était pas entré dans son appartement depuis plus de dix minutes que la vieille femme attaquait sans prendre de précaution.

– Trouves-tu ça normal qu'un homme de ton âge se donne en spectacle à tout le village? demanda-t-elle, acide.

– De quoi vous parlez, m'man? fit André, avec une bonne dose de mauvaise foi.

– Fais-moi donc pas parler pour rien, André Marcotte. Tu sais ben ce que je veux dire. Je te parle de tes visites chez la veuve Lacombe. Que t'ailles veiller avec elle, c'est une affaire; mais qu'on te voit deux ou trois fois par semaine partir de sa maison à six heures du matin, ça fait jaser tout le monde.

– Ben, maudit, que le monde jase! s'emporta soudainement le sexagénaire. Il me semble que je suis assez vieux pour savoir ce que je veux et j'ai pas besoin de personne pour me dire ce que j'ai à faire.

431

Pierrette Marcotte se rebiffa en entendant sa remarque.

– T'es peut-être assez vieux pour savoir ce que t'as à faire, dit-elle, mais tu l'es pas encore assez pour manquer de respect à ta vieille mère, tu sauras!

– Je vous manque pas de respect, m'man. Ce que je veux dire, c'est que Céline et moi, on nuit pas à personne. Elle est veuve; et moi, je suis divorcé.

– Ouais, on sait ben! convint Pierrette Marcotte en serrant les dents. Mais es-tu ben sûr qu'elle soit pas plus intéressée par ton argent que par toi? Tu sais, les femmes de son âge savent ce que c'est un homme. Elles savent comment le prendre. Il y en a toujours qui sont prêtes à faire des petits sacrifices pour être certaines de manquer de rien.

– Voyons donc, m'man! s'insurgea André.

– T'es pas un jeune poulain du printemps, mon André. T'es tout de même un homme de plus de soixante ans.

– Ça veut dire quoi, ça?

– Ça veut dire que ta Céline Lacombe a l'air d'avoir au moins quinze ans de moins que toi.

– Et puis après?

– En tout cas, mon garçon, à ta place, je me demanderais ce qu'elle me trouve. J'y penserais deux fois avant de m'embarquer.

Quand André Marcotte quitta sa mère quelques minutes plus tard, l'octogénaire était parvenue à semer le trouble dans son esprit. Il avait beau savoir que sa mère avait toujours été une femme plus intéressée à l'argent qu'à toute autre chose, il sentait au fond de lui-même qu'elle pouvait avoir raison. Elle avait ébranlé le peu de confiance que le gros homme avait en lui.

Au lieu de s'arrêter chez Céline comme il l'avait prévu, il reprit le chemin du rang Sainte-Anne en sortant du Petit Foyer.

De retour à la maison, André téléphona à Céline et il prétexta une migraine pour ne pas se rendre chez elle. Il s'enferma ensuite dans son bureau où il remâcha durant la soirée des idées noires. Il ne lui servait à rien d'aller se regarder dans le miroir de la salle de bain pour savoir qu'il était un peu gras et que son visage rond était passablement ridé. Au fond, sa mère avait peut-être raison… Qu'est-ce que Céline Lacombe pouvait lui trouver ?

Le lendemain soir, toujours torturé par le doute, André Marcotte se rendit sans enthousiasme chez son amie. Il la trouva assise sur une chaise de jardin, sur le patio, à l'arrière de la maison, profitant de la douceur de cette première soirée du mois de mai.

Dès qu'elle l'aperçut, Céline Lacombe devina qu'il se passait quelque chose d'anormal. Elle attendit qu'André soit assis en face d'elle avant de parler.

– Bon, qu'est-ce qui se passe encore de travers chez les Marcotte ? demanda-t-elle avec le sourire.

– Pourquoi tu demandes ça?

– Au commencement de la semaine, Lucie avait le même air que toi quand elle s'est arrêtée pour prendre une tasse de thé. Comme toi, t'es certainement pas enceinte, ça doit être autre chose.

– Ben non, j'ai rien.

– André Marcotte! s'exclama la veuve. Veux-tu me dire franchement ce qui se passe? Je suis pas aveugle. Je vois bien que quelque chose a l'air de te fatiguer, mais je peux pas deviner.

– Ben non, je te dis.

– André, on s'est déjà dit qu'on se ferait confiance. Tu t'en rappelles? C'est le temps de le montrer. Qu'est-ce que je t'ai fait?

– Tu m'as rien fait, répondit le sexagénaire d'une voix gênée. Il y a juste que je me demandais pourquoi on se voyait tous les deux. T'as l'air jeune. T'as même l'air pas mal plus jeune que moi. Je te sors pas ben souvent et...

– Bon, je t'arrête là tout de suite, dit Céline Lacombe sur un ton beaucoup moins léger qu'au début de leur entretien. Si on est ensemble tous les deux, ça a rien à voir avec l'apparence ou avec les sorties. Tu te souviens? En février, on s'est dit qu'on s'aimait. Est-ce que ça a changé et que t'essaies de te débarrasser de moi?

– Ben non, tu le sais ben, s'empressa de dire le sexagénaire.

434

– Depuis le commencement, on a décidé d'être ensemble parce qu'on voulait pas vieillir tout seul tous les deux. On s'entend bien dans tout et on dépend pas l'un de l'autre pour vivre. T'as de l'argent et j'en ai assez pour mes besoins.

– C'est vrai.

– Bon, qu'est-ce qui te dérange au point d'avoir le visage aussi long? demanda Céline.

– Il paraît qu'on fait jaser dans le village, finit par avouer André, à contrecœur.

– Et alors? Ce qu'on fait regarde pas personne, dit avec conviction Céline en lui prenant la main.

– T'as raison, admit-il.

– Quand tu dis qu'on jase, ça viendrait pas surtout de ta mère, ça? demanda la veuve qui avait pris la mesure de la mère de son ami depuis longtemps.

André se contenta de secouer doucement la tête et Céline se mit à rire doucement.

– Pourquoi tu ris?

– Parce qu'il y a quelque chose qui me trotte derrière la tête depuis une semaine ou deux.

– Quoi? demanda André, intrigué.

– Je pense pas qu'à soir, ce soit le bon moment.

– Quoi? répéta André.

435

– Ça me gêne un peu d'avoir à te le dire. Je trouve que c'est un peu déplacé pour une femme de dire ça. Mais je vais le dire quand même. Écoute. Trouver ton pyjama dans la penderie et tes pantoufles sous mon lit chaque jour m'a fait penser que ce serait peut-être pas une mauvaise idée que tu t'installes à temps plein ici au lieu de venir que deux ou trois fois par semaine. Qu'est-ce que t'en penses?

– Es-tu sérieuse? demanda André, flatté que Céline croie qu'il pouvait faire un compagnon de vie acceptable.

– C'est certain que je suis sérieuse. On s'entend bien et j'aimerais ça t'avoir tous les soirs à la maison.

– Et la ferme?

– Ta ferme est entre bonnes mains avec Pascal. Rien t'empêcherait d'aller travailler là chaque jour si ça te tente, mais tu laisserais la maison aux jeunes et tu t'installerais avec moi. On ferait une belle vie. On pourrait voyager un peu et se payer du bon temps durant l'hiver pendant qu'on est encore en santé et capables de le faire. Presse-toi pas. Penses-y. Je te demande pas de me marier; c'est pas nécessaire. On pourrait former un vrai couple et personne aurait rien à redire à ça.

– C'est tentant, admit André. Mais j'ai peur que la ferme…

– André, si je me souviens bien, il me semble que tu m'as raconté cet hiver que Louise et toi auriez été bien plus heureux si ta mère et ton père s'étaient décidés à vous laisser la place quand vous étiez plus jeunes. Tu m'as dit que t'étais capable de mener tes affaires sans l'aide de ton père et de ta mère. Tu penses pas que ce serait le temps de donner cette chance-là à Pascal et à Lucie. Laisse-les faire leurs preuves. Sois là pour les conseiller et pour les aider, mais laisse-les respirer et se débrouiller un peu.

André étira le bras et saisit la main de son amie qu'il garda dans la sienne pendant un long moment avant de parler.

– Maudit que les hommes de ma génération sont mal faits, dit-il à voix basse avec un air dépité. Il y a des choses qu'on n'est pas capables de dire à une femme sans avoir peur d'avoir l'air fou.

– Gêne-toi pas pour parler, dit une Céline compréhensive en baissant le ton. On est tout seul et personne t'entend.

– Bon, mais ris pas de moi. Je veux te dire que je tiens à toi, mais j'aurais jamais osé te demander de venir rester avec toi. Pas parce que ça me tentait pas, mais parce que ça m'aurait ben trop gêné. Il nous reste pas mal de belles années devant nous autres et t'as raison, on serait ben ensemble. Donne-moi quelques semaines pour essayer d'arranger les affaires avec Pascal et après ça, j'accroche mes quatre guenilles dans tes garde-robes. Pour les dépenses…

– Les dépenses? Il y aura pas de problème. Tu vas t'apercevoir que je t'ai pas attendu pour savoir gérer un budget. Tu vas avoir une maîtresse et une cuisinière qui te coûteront pas cher. Je t'invite pas à venir rester chez moi pour vider ton compte de banque si c'est ça qui te tracasse.

– Voyons donc, Céline, je le sais ben. Je voulais seulement savoir comment on allait s'arranger.

– On se contentera de partager les dépenses en deux.

– Je peux…

– Je le sais que tu peux, mais j'ai pas besoin de ton argent.

***

En quelques semaines, l'apparence de la ferme Leroux-Lequerré avait déjà changé. Il était évident que l'arrivée de Laurent Giroux y était pour beaucoup. Il avait suffi de quelques jours pour que tout soit rangé à sa place et qu'il règne dans les lieux un ordre qui était peu à peu disparu au cours de l'hiver.

L'homme était soigneux et amoureux de son travail. De plus, il savait communiquer cet amour à ceux qui travaillaient à ses côtés. Si Mathieu demeurait assez imperméable aux remarques du quinquagénaire, il en allait tout autrement de son frère qui apprenait peu à peu comment un cultivateur doit gérer sa ferme. Laurent n'avait jamais eu d'enfants et il avait pris sous son aile les deux adolescents à qui il essayait d'inculquer, avec une patience remarquable, le goût du travail bien fait.

– Quand tu produis du lait, disait-il à Marco, ta laiterie doit être assez propre pour manger par terre. Ici, le lait, c'est ordinairement ton principal revenu. Si tu tournes

438

les coins ronds en nettoyant, tu vas finir par avoir des problèmes et ça va te coûter cher. Nettoie deux fois plutôt qu'une.

Le quinquagénaire était aussi intransigeant sur les soins à apporter aux animaux.

– Maltraitez pas vos vaches, disait-il aux adolescents. C'est une fortune sur pattes que vous avez devant vous autres. Nourrissez-les bien. Les laissez pas dehors quand c'est trop froid. Faites venir le vétérinaire aussitôt qu'elles ont quelque chose. Ça coûte moins cher de payer le vétérinaire que d'en perdre une.

L'engagé ne ménageait pas ses efforts et il n'était pas avare de leçons.

– Regardez bien quand vous ramassez les pierres. Faites bien attention aux bouteilles lancées dans le champ par les jeunes. Vous pouvez briser une machine sur une pierre oubliée. Si vous faites éclater une bouteille avec le tracteur, ça peut vous coûter un pneu… et un pneu de tracteur, c'est cher en maudit!

Comme Marco était celui qui l'accompagnait le plus volontiers, il n'hésitait pas à le tester.

– Fais le tour de l'étable dehors et viens me dire ce qu'on doit réparer au plus vite, lui dit-il avec un air malicieux, un samedi matin, après le train.

L'adolescent revint dix minutes plus tard et lui fit remarquer que deux tôles du toit étaient déclouées et qu'une planche de la porte était pourrie.

– Parfait, mon gars, avait répondu Laurent Giroux, heureux de son apprenti. Tu viens de gagner deux beaux jobs pour la journée.

Finalement, une surprise de taille attendait Aurore Lequerré le dernier jour d'avril.

Ce soir-là, Marco vint s'asseoir auprès de sa grand-mère devant le téléviseur, quelques minutes après qu'elle eut mis au lit son mari.

La vieille dame avait eu d'ailleurs beaucoup de mal à faire avaler au septuagénaire le médicament qui le plongeait durant quelques heures dans une sorte de torpeur. Elle allait enfin goûter une heure ou deux d'un repos bien mérité avant d'aller se coucher. Carole et son mari étaient allés veiller chez leur oncle Cyrille. Pour sa part, son frère Mathieu était monté dans sa chambre quelques minutes auparavant pour écouter de la musique.

– Depuis quand tu regardes les informations, toi? demanda Aurore à son petit-fils, en lui jetant un regard intrigué.

– Je les regarde pas, grand-mère. Ça m'intéresse pas. Je voulais juste vous demander quelque chose.

Aurore baissa le son du téléviseur et dévisagea son petit-fils qui venait d'avoir dix-huit ans.

– Qu'est-ce qu'il y a?

– Ben, je sais pas trop comment vous le dire.

– Écoute, mon grand, arrête de faire des détours et accouche, dit avec une certaine impatience la vieille dame. T'es en train de me faire manquer toutes les nouvelles.

– Je voulais vous dire que je finis l'école dans un mois et demi et que j'ai pas l'intention d'aller au cégep.

– C'est pas à moi que tu dois dire ça, c'est à ton père et à ta mère.

– Je dois le dire à vous aussi, grand-mère, parce que j'ai décidé de devenir un habitant. C'est ça que je veux faire, pas autre chose. Giroux dit que si je continue, je suis capable de ben faire cet ouvrage-là.

– Y as-tu ben pensé? demanda la grand-mère. C'est pas toujours rose de vivre sur une petite terre… Et c'est pas mal d'ouvrage.

– L'ouvrage me dérange pas; j'aime ça, dit Marco avec conviction.

Émue, Aurore Lequerré regarda durant un long moment son petit-fils. Ce dernier affichait un tel air déterminé qu'il était difficile de ne pas croire en lui.

– C'est de valeur que ton grand-père puisse pas comprendre ce que tu viens de me dire. Lui, il aurait été heureux d'entendre ce que tu viens de m'annoncer. Si tes parents sont d'accord, moi, je veux ben que tu t'occupes de tout quand Laurent Giroux te trouvera prêt.

Content de la réaction de sa grand-mère, Marco l'embrassa sur la joue avant de monter à sa chambre.

Chapitre 24

Le combat d'Alain Riopel

Il n'y avait pas un nuage. Le ciel était bleu et Saint-Anselme baignait dans une douce chaleur.

En cette fin d'avant-midi du premier lundi de mai, chacun semblait vaquer à ses occupations. Un camion de la boucherie Camirand traversa en grondant le village et son conducteur rétrograda bruyamment quand il aborda la côte qui plongeait vers le petit pont. Un groupe d'élèves se dirigeait en jacassant vers l'église sous la surveillance étroite d'une enseignante qui marchait quelques pas derrière eux. Gagné et Miron, la tête plongée sous le capot de la vieille Dodge de Gagné, discutaient à perte de vue sur l'origine d'un bruit suspect. Tout près d'eux, Pierrette Marcotte balayait son palier. Un peu plus loin, Céline Lacombe échangeait quelques mots sur le trottoir avec Adrien Beaulieu à sa sortie de l'épicerie Gagnon. Ils furent les seuls témoins du geste important posé par Frédéric Bergeron à ce moment-là, geste important surtout pour Johanne Therrien, la propriétaire de l'ancien presbytère.

En effet, à cet instant précis, l'ébéniste finissait de suspendre un magnifique écriteau tout verni au haut de l'escalier menant à la porte principale du gros édifice de deux étages en brique rouge. L'artisan avait gravé dans le bois en belles lettres gothiques peintes en noir :

«Au vieux presbytère, gîte du passant». Solidement campée sur ses jambes au pied de l'escalier, les mains posées sur les hanches et la tête levée vers l'écriteau, la propriétaire rayonnait de fierté.

– J'ai jamais vu quelque chose d'aussi beau! s'exclama la grande femme à l'adresse de l'ébéniste.

– Merci.

– Après quatre mois d'ouvrage, je suis prête à ouvrir, continua Johanne Therrien en montant l'escalier. Mes annonces vont paraître dans les journaux à partir de lundi prochain. J'ai hâte d'avoir mes premiers clients. Je suis fière de tout ça.

– T'as assez travaillé pour l'être, fit Frédéric en refermant l'escabeau qu'il avait dû utiliser pour suspendre l'écriteau. Le dehors est impeccable. Les escaliers et le balcon ont été réparés et peinturés. En dedans, tout le premier étage est prêt. Ça sent peut-être encore pas mal le vernis et la peinture, mais en ouvrant les fenêtres, cette senteur-là va s'en aller.

– C'est vrai qu'on n'a pas lâché souvent depuis le mois de janvier, convint la propriétaire. Tu m'as montré à faire pas mal de choses.

– C'était pas ben ben difficile de te les montrer, dit Frédéric.

– J'espère que tu me lâcheras pas complètement parce que tes clients réguliers commencent à te passer des commandes.

– Ben non, je te l'ai dit. Quand tu seras prête à continuer ou si t'as des réparations urgentes que je peux faire, t'auras qu'à me faire signe. On en a déjà parlé. Tu sais aussi ben que moi qu'on peut pas faire de la rénovation quand tu risques d'avoir des clients.

– Oui, t'as raison, reconnut Johanne, le cœur un peu lourd.

La femme ne pensait pas que ce moment tant attendu serait assombri par la perspective que Frédéric Bergeron cesserait de venir travailler chaque jour à ses côtés. Elle se doutait fort bien que les voyageurs n'adoptent un gîte du passant que s'ils y trouvent une chambre confortable, une bonne table, un accueil chaleureux et la paix. Il était donc hors de question de continuer à jouer du marteau et de la scie en leur présence.

En vérité, l'hôtesse de ce nouveau gîte se sentait un peu humiliée de constater que Frédéric retournait à ses occupations habituelles sans manifester le moindre regret apparent.

– Tu vas m'envoyer ta facture?

– Il y a rien qui presse, laissa tomber Frédéric en rassemblant ses outils épars sur le balcon.

– Oh oui! ça commence à presser sérieusement. Je t'ai pas payé depuis au moins un mois et demi et…

444

— Très très beau! fit une voix au pied de l'escalier.

Johanne Therrien se détourna de l'ébéniste en reconnaissant la voix de Céline Lacombe, sa voisine d'en face.

— Bonjour, madame Lacombe… monsieur Beaulieu.

— On jasait de l'autre côté de la rue quand on a vu que tu suspendais ton écriteau.

— Un bel écriteau, Frédéric, le félicita Beaulieu.

— Merci, monsieur Beaulieu.

— Est-ce que ça veut dire que t'es déjà prête à ouvrir? demanda Céline Lacombe.

— Oui, enfin. Tout est pas fini, mais on a déjà quatre chambres rénovées au deuxième étage. Au premier, la cuisine, la salle à manger, le salon et mon bureau sont prêts. Voulez-vous visiter?

— On voudrait pas te déranger, fit l'ex-maire.

— Ben non, ça me fait plaisir. Venez.

— Bon, vous m'excuserez, dit Frédéric en empoignant son coffre d'outils, il faut que j'y aille.

Pendant que Johanne Therrien précédait ses deux invités à l'intérieur, Frédéric descendit l'escalier et retourna chez lui. Il ignorait que dans quelques jours, il aurait un nouveau voisin: André Marcotte.

***

445

Depuis que Céline lui avait offert de venir demeurer avec elle, André Marcotte était en proie à des sentiments partagés. Il se sentait tiraillé entre son désir de vivre au côté d'une femme qu'il trouvait particulièrement attirante et la crainte de perdre tout contrôle sur son bien.

Il avait travaillé toute sa vie sur sa ferme et il n'était entré en sa possession qu'après d'énormes sacrifices. Ses parents ne la lui avaient pas donnée; il avait dû la gagner. Quand Jocelyn et Pierrette Marcotte s'étaient installés au Petit Foyer en 1980, il avait été obligé de leur rembourser peu à peu leur part. Tant de privations ne s'oubliaient pas facilement. Que devait-il faire? Il n'était pas question de se dépouiller au profit de Pascal, de sa femme et de ses petits-enfants, même s'il les aimait.

Beaucoup d'argent et son avenir étaient en cause. Tout d'abord, il fallait qu'il puisse continuer à vivre. Il n'avait que soixante-trois ans… Bien sûr, il possédait de confortables économies, mais il devait tenir compte qu'il lui restait peut-être encore vingt ou vingt-cinq ans à vivre. Ensuite, l'idée de la retraite lui faisait peur. Il se sentait en forme et de taille à continuer à travailler encore au moins dix ans. Il ne se voyait pas au repos avant de nombreuses années.

Torturé par ce double problème en apparence insoluble, son humeur s'était assombrie. Il passa plusieurs jours à travailler sans dire un mot, plongé dans ses pensées. La nuit, le sommeil ne lui venait souvent qu'aux petites heures du matin. L'homme, épuisé par le dilemme devant lequel il se trouvait, en était presque venu à détester Céline pour l'avoir acculé à prendre une décision aussi déchirante.

Finalement, une solution toute bête existait et elle lui fut apportée de façon providentielle par un petit article du journal *l'Équipe* dans lequel le journaliste expliquait comment certains vieux parents demeuraient des partenaires de l'affaire familiale après avoir pris une retraite bien méritée. Après cette lecture, le sexagénaire se sentit libéré d'un poids énorme.

Ce soir-là, à la fin du souper, André Marcotte demanda à Pascal et à Lucie de demeurer à table quelques minutes de plus. La gorge nouée par l'émotion, il leur annonça sa décision.

— Samedi, je déménage chez Céline Lacombe, au village.

— Comment ça, vous déménagez? demanda Pascal.

— J'ai décidé d'aller vivre avec elle un bout de temps.

— Voulez-vous dire que vous allez vous remarier? demanda sa bru.

— Il en est pas question pantoute.

— Comment on va s'arranger avec la terre? fit Pascal, devenu soudain très inquiet.

André Marcotte laissa passer un long moment avant de répondre, sachant que sa réponse l'engageait presque définitivement.

– J'ai ben réfléchi. Je pense que le mieux est que tout continue comme avant. On fait une bonne équipe et je vois pas pourquoi on devrait changer ça. À moins d'un imprévu, je vais continuer à venir travailler tous les jours avec vous autres et on va prendre les décisions ensemble. La seule différence sera que je vais rester au village et que vous pourrez faire ce que vous voulez de la maison et de l'ameublement. J'apporte rien avec moi, sauf mon linge et mes papiers. Ça a l'air de rien, mais vous venez de gagner une chambre pour le petit qui s'en vient, ajouta-t-il d'un ton plus léger.

– Ouf! ça me soulage, fit Pascal, reprenant des couleurs. Je voyais pas comment j'aurais pu vous racheter la terre.

– Il en est pas question. Je me demandais juste une chose, dit André en se tournant vers Lucie.

– Oui?

– Est-ce que ça va te déranger de continuer à me nourrir quand je vais venir travailler?

– Ben non, beau-père. Je suis habituée de cuisiner pour toute la famille.

– Bon, t'es ben fine. Ah! je voulais te dire. Céline m'a fait penser qu'on pourrait t'offrir un ameublement neuf pour la chambre du petit qui s'en vient. Je trouve l'idée pas mal bonne. Ça fait que quand tu seras prête à aller magasiner, avertis-la et vous pourrez y aller ensemble.

– C'est pas mal cher, tout ça, protesta Lucie.

— Inquiète-toi pas pour ça. Ce sera notre cadeau pour le petit.

Deux jours plus tard, à la fin de l'avant-midi, André Marcotte emménagea chez son amie. En moins de deux heures, ses affaires avaient pris place dans les tiroirs et les penderies. À l'heure du repas, le sexagénaire avait l'impression d'être vraiment chez lui dans cette petite maison située en face du gîte au vieux presbytère de Johanne Therrien.

***

Depuis l'inondation de sa maison du Carrefour des jeunes le mois précédent, Alain Riopel avait beaucoup changé. Sa joie de vivre et son enthousiasme communicatif avaient progressivement cédé la place à une rage qu'il avait de plus en plus de mal à contrôler. Il se sentait victime d'une injustice criante et personne ne semblait prêt à lui venir en aide.

Le tout avait commencé au moment où sa compagnie d'assurances avait refusé de payer les dommages causés à sa résidence lors de la crue. Comme le sexagénaire n'avait rien du mouton qui se laisse tondre sans réagir, il avait rapidement consulté un avocat. Après avoir brièvement étudié son contrat d'assurance, ce dernier l'avait incité à abandonner toute idée de poursuites judiciaires contre son assureur.

À son retour à sa maison de Nicolet, Alain Riopel affichait une humeur sombre et irritable. Après l'avoir écouté distraitement raconter sa visite chez l'avocat, Lise Joyal ne chercha nullement à le consoler.

– Je te l'avais dit quand tu l'as fait construire cette maison-là, fit sa femme, un rien triomphale. T'aurais bien mieux fait de m'écouter plutôt que de gaspiller notre argent dans une maison dont on n'avait pas besoin.

– Sacre-moi la paix avec ça, torrieu! jura Alain. Personne pouvait savoir qu'une affaire de même arriverait.

– As-tu déjà pensé à tous les beaux voyages qu'on aurait pu faire avec cet argent-là? insista sa femme. À cette heure, il est trop tard pour te lamenter. Endure.

– Avec toi, il y a rien de nouveau, lui jeta son mari, furieux. On est toujours certain de pouvoir compter sur toi.

Sur ces mots, Alain Riopel était descendu dans son bureau situé au sous-sol et il avait téléphoné à un spécialiste en rénovation pour qu'il vienne évaluer les dégâts à sa résidence du Carrefour des jeunes, dès le lendemain avant-midi.

L'homme avait grimacé en constatant l'état lamentable des lieux. Après un examen minutieux de la maison et de nombreux calculs exécutés sur des feuilles volantes, il avait certifié à son client qu'il lui en coûterait au moins soixante-dix mille dollars pour remettre le tout en état. Avant de quitter l'endroit, il prononça une phrase qui allait tout déclencher.

– Si vos assurances paient pas, vous devriez peut-être poursuivre la compagnie du barrage.

– Vous pensez?

– Après tout, c'est elle, la responsable affirma l'homme avec une belle assurance. En plus, le conseil de ville devrait vous aider.

– Pourquoi la Beaver me paierait? demanda Alain Riopel, sceptique.

– Tout simplement parce que l'inondation est de sa faute. Ça fait trente ans que je travaille dans le coin et il y a jamais eu d'inondations pareilles avant que ce maudit barrage-là soit construit.

– Je suis au courant, dit Alain Riopel. J'ai été élevé à Saint-Anselme.

– En tout cas, je sais pas si vous le savez, mais on m'a dit que la Beaver a pas fait gonfler les ballons à temps pour écarter la glace et ce serait ça qui aurait causé l'embâcle et l'inondation.

– Vous êtes sûr de ça? demanda Alain Riopel qui voyait enfin poindre une lueur d'espoir.

– Pas mal sûr. Quand c'est arrivé, j'en ai parlé avec un cousin qui travaille pour Hydro-Québec. Il m'a rappelé que la même chose s'est produite pas loin d'un barrage sur la Saint-François, il y a une dizaine d'années. Il paraît que l'année passée, la même chose est arrivée sur la Saint-Maurice. D'après mon cousin, ces barrages-là doivent être surveillés quand les glaces lâchent au printemps sinon ils causent souvent des dégâts. C'est pas pour rien qu'on installe des ballons. En tout cas, à votre place, je m'organiserais avec tous les propriétaires des maisons qui ont été endommagées et j'irais voir les patrons de la Beaver. Si vous savez leur parler, si vous criez assez fort, ils vont peut-être se dépêcher de régler avec vous. D'habitude, ce monde-là aime pas la mauvaise publicité.

Alain Riopel occupa la semaine suivante à constituer ce qui lui parut être un dossier inattaquable établissant la nette responsabilité de la Beaver dans l'inondation qui avait frappé les habitants du Carrefour des jeunes. Il contenait un nombre respectable de témoignages et l'avis d'un ingénieur expérimenté. Tous les faits rapportés prouvaient qu'il y avait eu négligence de la part de la Beaver. Dans l'esprit d'Alain Riopel, il ne faisait aucun doute que les patrons de la compagnie allaient s'empresser de dédommager les sinistrés.

Trois jours plus tard, le mince sexagénaire parvint à réunir la douzaine de propriétaires de chalets du Carrefour des jeunes dont les biens avaient été endommagés par l'inondation. Après leur avoir lu et expliqué le dossier qu'il avait constitué, il les persuada difficilement de se regrouper dans une association pour la défense de leurs droits. Comme les déboursés de la plupart ne dépassaient pas deux mille dollars, ils mirent leur nouveau représentant en garde. Ils ne voulaient pas se lancer de façon inconsidérée dans des frais d'avocat qu'ils seraient appelés à se partager. Bref, ils voulaient bien tenter de récupérer une partie de leurs dépenses, mais pas à n'importe quel prix. Alain Riopel leur promit de les consulter et il ajouta à son dossier l'évaluation des dommages subis par chacun des sinistrés.

Dès le lendemain, le retraité, en veston et cravate, entra au siège social de la compagnie Beaver, boulevard De Maisonneuve, à Montréal à dix heures précises. Soucieux de régler le problème le plus tôt possible, Alain Riopel avait décidé de se présenter sans rendez-vous.

Une secrétaire lui fit savoir sans détour qu'il était impossible de rencontrer l'administrateur sans prendre un rendez-vous au préalable. Selon elle, son patron ne pourrait le recevoir avant une quinzaine de jours. Le ton monta rapidement entre elle et ce visiteur devenu irascible.

Soudainement, une porte s'ouvrit au fond de la pièce et un quinquagénaire bedonnant à la mine négligée et l'air mécontent demanda avec une pointe d'accent:

– Qu'est-ce qui se passe, madame Primeau?

– Ce monsieur insiste pour vous voir, monsieur Morowitz. Je lui ai dit que vous étiez trop occupé et que vous ne pourriez le recevoir que dans deux semaines.

Alain Riopel, debout devant le bureau de la secrétaire, fit un pas en direction de l'homme.

– Je dois vous voir et c'est urgent, plaida-t-il. Je viens de loin et j'ai pas le temps de revenir dans quinze jours.

– Bon, passez dans mon bureau, fit l'autre avec un soupir excédé. Mais je vous préviens, je n'ai que quelques minutes.

La porte se referma sur les deux hommes et le retraité prit place face à l'administrateur de la Beaver. En quelques mots, il lui expliqua l'ampleur des dégâts causés à sa maison et aux chalets des membres de son association par l'inondation qui avait eu lieu au début du mois à Saint-Anselme.

– Je sais, se contenta de dire l'homme en remontant ses lunettes qui avaient glissé sur son nez. Notre barrage a été à moitié démoli par les glaces. Ça nous coûte une fortune de refaire ce qui a été endommagé, et en plus, ça retarde la construction de la centrale. Mais je comprends pas pourquoi vous venez me raconter ça.

Alors, Alain sortit de son attaché-case le dossier qu'il avait constitué et il se mit à énumérer les preuves qu'il détenait de la responsabilité de la Beaver dans les malheurs qui avaient frappé les habitants du Carrefour des jeunes.

Après quelques minutes d'une écoute plus ou moins attentive, Morowitz se leva brusquement, signifiant ainsi que l'entrevue était terminée.

– Je comprends toujours pas pourquoi vous venez me dire tout ça, monsieur?

– Riopel, Alain Riopel. C'est pourtant clair : on veut être dédommagés.

– Vous êtes pas sérieux? fit l'autre avec un éclat de rire sans joie.

– Ben sérieux! dit Riopel en haussant la voix.

– Tout ça, mon bon monsieur, c'est de la foutaise. Il y a rien là-dedans qui prouve que notre compagnie soit responsable de l'embâcle et de l'inondation, fit Morowitz en pointant du doigt le dossier que tenait Alain Riopel. Si ça avait été le cas, vous pouvez être certain que le premier à nous taper sur les doigts aurait été le ministère de l'Environnement.

Devant cette fin de non-recevoir, Alain Riopel vit rouge.

– Peut-être que les fonctionnaires ont pas eu entre les mains les faits qu'on a.

– Libre à vous de leur communiquer vos informations, dit Morowitz d'un ton léger en contournant son bureau.

– On va faire mieux que ça, le menaça le sexagénaire en se levant à son tour. Nous allons inviter la télévision et les journalistes à venir constater les dommages que vous avez causés et nous allons leur remettre notre dossier. Vous allez voir comment cette publicité-là va vous aider à bouger.

– Ça aussi, vous pouvez le faire, monsieur Riopel. Mais faites bien attention à ce que vous allez affirmer sur la Beaver. Les poursuites en libelle diffamatoire, ça existe.

Alain Riopel était revenu à Nicolet en affichant un air beaucoup moins assuré que celui qu'il avait à l'aller.

À la fin de l'après-midi, ses appels logés auprès des quotidiens et des réseaux de télévision ne lui laissèrent guère d'espoir d'être entendu. Partout, on lui répondit que l'inondation ne faisait plus partie de l'actualité et qu'elle n'intéressait plus personne. On lui suggérait de contacter plutôt un journal régional.

Le rédacteur en chef du journal *l'Équipe*, peu enthousiaste, lui promit tout de même de publier un article sur le sujet si on lui apportait une documentation solide.

Les jours suivants, avec l'appui des autres sinistrés, le retraité était venu demander le concours du maire de Saint-Anselme et il lui avait remis une copie du dossier à envoyer à la MRC. Luc Patenaude lui avait promis son soutien inconditionnel tout en lui rappelant que les fonctionnaires étaient lents à régler ce genre de problème.

Malgré cela, Alain Riopel décida qu'il n'entreprendrait aucune réparation à sa maison tant et aussi longtemps qu'il n'aurait pas reçu une indemnisation de la Beaver ou du gouvernement. Les autres membres de l'association ne purent l'imiter puisque la plupart avaient déjà entrepris de faire certaines réparations. Dans l'ensemble, ils n'étaient pas prêts à gâcher leurs prochaines vacances estivales au nom d'un principe. Il faut tout de même reconnaître que les dédommagements qu'ils réclamaient ne représentaient qu'une fraction de ceux exigés par Alain Riopel.

Chapitre 25

De bien mauvaises nouvelles

Après plusieurs journées pluvieuses et fraîches, le mois de mai prit fin en beauté. Un chaud soleil fit vite oublier cette fin de printemps maussade.

Toutefois, le travail de la terre n'avait quasiment pas pris de retard. Au fond, le rythme de ce dernier changeait peu malgré la mécanisation. Chaque printemps, le spectacle était immuable. Dans tous les champs, des travailleurs, armés d'une chaudière et suivis au pas par un tracteur tirant une plate-forme, scrutaient les labours d'automne pour retirer les pierres que le dégel avaient fait remonter à la surface. Ils s'empressaient de déposer dans leur contenant tout ce qui pouvait briser la machinerie. Quand leur chaudière était pleine, ils en déversaient le contenu sur la plate-forme. Il n'en allait pas autrement dans le rang Sainte-Anne.

Par ailleurs, comme on était déjà au seuil de l'été, la plupart des jardins étaient déjà semés. Les femmes avaient même trouvé le temps de planter dans les plates-bandes entourant leur maison des impatientes, des boutons-d'or, des pétunias et des lobélies. Ces fleurs annuelles venaient ajouter de la couleur aux vivaces déjà en place.

Cet avant-midi-là, debout près de sa boîte aux lettres, Brigitte Riopel parlait avec sa belle-sœur Aurore et sa nièce Carole Leroux, qui revenaient d'une courte promenade dans le rang.

Tout à coup, les trois femmes levèrent la tête en entendant arriver sur le chemin la petite Toyota rouge de l'épouse de Pascal Marcotte. Au moment de passer près d'elles, la conductrice ralentit et les salua de la main en leur adressant son plus beau sourire. Instinctivement, Brigitte regarda derrière elle pour voir à qui s'adressait ce sourire de sa voisine.

– Pincez-moi, dit-elle à ses deux parentes. Est-ce que je rêve? Ça fait au moins deux ans qu'elle m'a pas regardée.

– Il y a des miracles tous les jours, fit Aurore en regardant la voiture de leur voisine qui se dirigeait vers le village.

– Sais-tu que j'ai eu de la misère à la reconnaître. Qu'est-ce qu'elle a fait de sa tignasse de cheveux raides et de son air bête? demanda Brigitte. Elle avait presque l'air du monde normal.

– Voyons, ma tante, fit Carole en étouffant un rire, vous êtes plus charitable que ça d'habitude.

– Il faut tout de même pas trop m'en demander, s'excusa presque la sexagénaire. Ça fait presque dix ans qu'elle reste dans notre rang et les rares fois qu'elle a eu affaire à nous autres, c'était pour nous dire des bêtises.

– C'est vrai, convint la mère de Mathieu et de Marco, mais on dirait qu'il se passe pas mal de choses chez les Marcotte depuis un mois.

– Nicole m'a dit qu'André restait plus dans la grande maison.

– Oui, il paraît qu'il reste à cette heure avec la veuve Lacombe, au village, dit Carole.

– Ça doit faire drôle au curé Gingras de voir deux de ses marguilliers rester ensemble sans être mariés, dit Aurore, sur un ton un peu scandalisé. Dans mon jeune temps, le curé aurait fait toute une crise à son sermon du dimanche.

Comme sa belle-sœur et sa fille n'ajoutaient rien, la sexagénaire continua.

– J'en reviens pas comme ça change vite. On dirait des fois que le monde a complètement perdu la boule. Quand t'allumes la télévision, c'est pour entendre parler de crimes, de viols, de femme battue par leur mari ou d'enfants maltraités. Où est-ce qu'on s'en va comme ça? On respecte plus rien.

– T'as peut-être raison, Aurore, fit Brigitte. Peut-être que c'était aussi pire avant, mais on en parlait moins. À la télévision et dans les journaux, on racontait pas tout en long et en large.

– On parle juste de sexe, d'homosexualité et de divorce, continua la vieille femme. On dirait que la famille, les enfants, la religion, l'amour, tout ça, c'est passé de mode.

– Ça existe encore, m'man, fit Carole, soucieuse de calmer l'espèce de désespoir exprimé par sa vieille mère. Le problème, c'est qu'on en parle moins que du reste. Du monde heureux, il y en a encore des tas.

Il y eut un bref silence. Brigitte tourna la tête vers une demi-douzaine de vaches curieuses qui s'étaient approchées de la clôture pour lorgner de plus près les trois femmes.

– Qui s'occupe de Bruno pendant que vous vous promenez? demanda Brigitte pour orienter la conversation sur un autre sujet.

– Marco et Mathieu sont à la maison à cause d'une journée pédagogique, répondit Carole. Mes deux numéros sont plantés devant la télévision depuis qu'ils sont levés à matin. Maurice Richard est mort hier, en fin d'après-midi et il y a des reportages à tous les postes de radio et de télévision.

– Attendez que je dise ça à Cyrille, dit Brigitte. Richard, c'était son idole du temps qu'il jouait pour le Canadien. Comme Bruno est pas tout seul, venez donc prendre une tasse de café, on va être plus confortables assises en dedans.

Aurore et Carole ne se firent pas prier pour suivre leur parente. Brigitte eut une grimace de douleur en se hissant sur la première des trois marches qui menaient à la porte de sa cuisine.

– Tes genoux te font encore souffrir? demanda Aurore, compatissante, à sa belle-sœur.

– C'est pire que jamais.

– Qu'est-ce que le spécialiste vous a dit quand vous êtes allée le voir, ma tante? demanda Carole.

– Tout d'abord, ma petite fille, il a fallu que j'attende quatre mois pour avoir un rendez-vous chez le docteur Desjardins, même si j'avais un billet de mon docteur. Je suis allée le voir au commencement d'avril. Il m'a examinée et il a dit que je devais être opérée aux deux genoux.

– Bon! Qu'est-ce qu'il attend pour le faire? demanda Aurore.

– Il attend d'avoir une place pour m'opérer. Je suis sur la liste. Je suis la cent dix-huitième. Il paraît que j'ai une petite chance d'être opérée avant la fin de l'automne prochain.

– Si ça a de l'allure! s'exclama Carole.

– Je vous dis qu'on a tout un système de santé. Nos bêtes sont ben mieux traitées que nous autres. Il y a pas un vétérinaire qui laisserait souffrir un animal pendant presque un an. Rochon coupe dans les soins en disant que c'est la faute du fédéral. Le fédéral crie que notre gouvernement sait pas administrer notre argent. Nous autres, on s'en fout de leurs maudites chicanes. Tout ce qu'on veut, c'est d'être traités comme du monde. Il me semble qu'on dépense tellement d'argent pour nos hôpitaux qu'on devrait être soignés comme du monde quand on est malade.

461

– Vous êtes pas toute seule à le penser, ma tante, fit Carole, révoltée qu'on laisse souffrir inutilement et si longtemps la grosse femme.

– Vous savez pas ce que le spécialiste a eu le front de me dire, à part ça? demanda Brigitte en faisant passer devant elle ses deux invitées. Il m'a dit que je devrais d'abord penser à maigrir d'une bonne soixantaine de livres et que mes genoux en arracheraient moins s'ils avaient pas à porter mon surpoids.

– Qu'est-ce que tu lui as répondu? demanda Aurore qui connaissait bien le caractère explosif de sa belle-sœur.

– Je lui ai dit que ça prendrait moins de temps de montrer à vivre à certains docteurs que de me faire maigrir.

– Vous avez eu raison de lui répondre ça, fit Carole en riant.

– Je comprends que j'ai eu raison, dit Brigitte en déposant sur la table des tasses et un pot de café soluble. Tu parles d'un maudit effronté! Comme si j'avais choisi d'être grosse! J'ai toujours été ben en chair. J'y peux rien. Après chacune de mes grossesses, j'ai pris une vingtaine de livres que j'ai jamais été capable de perdre. Il faut croire qu'il y en a qui sont pas nées pour avoir la taille mannequin. En tout cas, à soixante-quatre ans, j'ai jamais été malade. Le pire que j'ai eu, c'est une petite grippe par année. J'ai jamais été plus folle que les autres. Moi aussi, j'ai essayé les Weight Watchers, mais ça a rien donné. Aussitôt que je maigrissais de cinq ou six livres, je me mettais à manger pour me récompenser.

– En tout cas, j'en reviens pas, que tu doives encore attendre au moins six mois pour te faire opérer quand tu as autant de misère à marcher.

– Moi aussi. Pourtant, à les entendre à la télévision, Loto-Québec fait des milliards de profit tous les ans, et une bonne partie est supposée s'en aller dans les soins de santé.

– Loto-Québec! cracha Aurore comme si le mot lui donnait mal au cœur. Parlons-en. En voilà une belle affaire! C'est rendu que partout où tu mets les pieds, tu te fais achaler avec les billets de 6/49, de SUPER 7 et des tas de gratteux. Il y a plus moyen de mettre les pieds au Provigo de Drummondville ou chez Gagnon sans que tu sois pris derrière quelqu'un qui retarde tout le monde en achetant ces maudits billets-là. Ah! Il y a pas à dire, c'est une ben belle invention.

– Sans parler du casino, dit Brigitte qui était allée au casino de Montréal, en février, en compagnie de Marc et de Nicole.

– Je sais que t'as ben aimé ça, fit Aurore, avec un rien de reproche dans la voix.

– J'ai aimé ça parce que c'est beau, mais j'y retournerais pas. Il y a ben trop de bruit là-dedans. Ça arrête pas… Et ça coûte cher. En une heure, on a dépensé une centaine de piastres.

– Veux-tu que je t'en raconte une meilleure? fit Aurore à sa belle-sœur, en baissant la voix.

– Voyons, m'man, protesta Carole, devinant ce qui s'en venait.

Brigitte déposa la bouilloire sur le comptoir après avoir rempli chaque tasse d'eau bouillante et elle s'assit lourdement au bout de la table.

– Quoi?

– Ben, le casino, ça fait pas juste des heureux… Karine, la femme de Julien, aime ça comme une folle. Elle était rendue qu'elle y allait au moins une fois par semaine.

– Qu'est-ce que ton Julien disait de ça?

– Si je me fie à ce qu'il m'a dit, ça a tout l'air qu'il le savait pas. Il paraît qu'elle disait qu'elle allait voir une amie à Montréal ou qu'elle avait des réunions après l'école. En tout cas, il s'en est rendu compte quand il a été trop tard.

– Trop tard?

– Ben oui, il s'est aperçu que leur compte en banque était presque vide. Sa femme a perdu presque cinq mille piastres dans les machines du casino. Pas nécessaire de te dire que le couple a passé une mauvaise période. Il paraît qu'ils sont venus ben proches de divorcer. Je pense que ce qui les a sauvés, c'est leur Anne. Leur fille a tellement de problèmes qu'ils ont décidé de rester ensemble pour l'aider. En tout cas, Julien est allé avec sa femme au casino et elle s'est fait… comment ils disent ça déjà?

– Interdire, m'man, fit Carole.

– C'est pour te dire que Loto-Québec, moi, je l'ai pas en odeur de sainteté. J'ai jamais cru qu'on pourrait devenir riche en achetant des billets ou en allant jeter son argent dans des machines.

– Comme le dit Clément, ajouta Carole pour mettre fin aux confidences gênantes de sa mère, les billets de loterie, c'est une taxe volontaire. Il me semble qu'on paie déjà ben assez d'impôts sans chercher à en payer plus, non?

– C'est ce que Marc et Cyrille pensent aussi, fit Brigitte. On est allés au casino une fois par curiosité, mais je pense pas qu'on y retourne. Comme le dit Cyrille: «L'argent est tellement difficile à gagner qu'on n'est pas pour le jeter par les fenêtres pour faire plaisir au gouvernement».

***

Pendant que les trois femmes discutaient autour de la table chez Brigitte Riopel, une nouvelle stupéfiante faisait le tour de la municipalité: le chantier de la Beaver était fermé. C'était du moins ce que des camionneurs avaient raconté en buvant un café au restaurant Chez Daniel.

Comme chaque matin, ils s'étaient présentés à six heures pile devant la barrière du chantier, mais ils l'avaient trouvée cadenassée. Les lieux étaient encore déserts. Selon leurs dires, même le père Quesnel, le vieux gardien de nuit, n'était pas dans sa guérite. Dans les

465

minutes suivantes, une dizaine de mastodontes, ceux de Geneviève Biron comme ceux appartenant aux deux autres entrepreneurs de la région, avaient fini par constituer une longue théorie de camions tournant au ralenti et occupant toute la voie de droite d'une bonne section du rang Saint-Édouard. On attendait l'arrivée d'un contremaître ou, encore mieux, celle de l'ingénieur.

À sept heures, trois mélangeurs à ciment avaient pris place dans la longue file de camions et leurs chauffeurs s'étaient joints aux camionneurs et aux ouvriers qui faisaient déjà le pied de grue devant la clôture.

Finalement, c'est Antoine Rivard, le responsable du camionnage chez Geneviève Biron, qui fit le premier geste, avec l'accord de sa patronne.

Alerté par l'un de ses chauffeurs, Rivard avait appelé directement les bureaux de la Beaver à Montréal pour obtenir une explication. Comme les bureaux semblaient déserts à cette heure-là, Rivard ordonna à tous ses chauffeurs de revenir. Après avoir adressé aux responsables absents de la compagnie un large assortiment de blasphèmes bien sentis, les autres chauffeurs et les employés quittèrent un à un les lieux. Tout le monde était persuadé qu'il se passait quelque chose d'anormal au barrage.

Durant les heures suivantes, tous les appels logés chez Beaver restèrent sans réponse. Il n'y avait même pas un répondeur téléphonique pour expliquer l'absence de service.

Au début de l'après-midi, Geneviève Biron reçut la visite inattendue de deux inconnus à son bureau de la quincaillerie. Les deux hommes se présentèrent en lui présentant leur insigne fiché dans un étui de cuir noir.

– Madame Biron?

– Oui.

– Louis Sauvé et Herbert Marshall de la GRC.

– Qu'est-ce qui se passe? demanda la femme d'affaires, surprise.

– Pas de très bonnes nouvelles, j'en ai bien peur, madame, fit Sauvé qui semblait le plus âgé des deux policiers. C'est à propos de la Beaver. Vous êtes en affaires avec eux, si nos informations sont exactes?

– Oui. J'ai deux pelles mécaniques et cinq camions qui travaillent sur le chantier à temps plein depuis le commencement de l'automne passé.

– C'est bien ce que l'examen de leurs livres de comptes dit.

– Ne venez pas me dire que la compagnie est en faillite! s'exclama la jeune femme en pâlissant.

– Qu'est-ce qui vous fait croire ça, madame? demanda Marshall avec un léger accent.

– C'est que j'ai souvent eu de la misère à me faire payer mes comptes dans les trente jours, depuis le mois de février.

– Non, madame, les propriétaires de la Beaver ne se sont pas placés sous la loi de la faillite. La compagnie a été mise hier soir sous séquestre judiciaire. Tous ses avoirs ont été saisis. Ses propriétaires font l'objet d'une enquête fédérale et on croit détenir des preuves suffisantes que la Beaver servait à du blanchiment de l'argent.

Il y eut dans le bureau un lourd silence de quelques secondes. Geneviève Biron était assommée par la nouvelle. L'agent Marshall reprit la parole.

– J'espère que la Beaver ne vous doit pas trop d'argent?

– Environ quarante-cinq mille dollars, dit la patronne dans un souffle. La compagnie ne m'a pas payée depuis le mois de mars… Je venais juste de leur envoyer un rappel.

– C'est de valeur que tout soit sous séquestre, ajouta Sauvé. Si c'était une simple faillite, vous pourriez peut-être récupérer une petite partie de ce qui vous est dû, dépendant de votre rang dans la liste des créanciers, mais avec une saisie, ça me surprendrait que vous touchiez quelque chose de tout cet argent-là.

– C'est pas des farces, dit Geneviève, de plus en plus catastrophée au fur et à mesure qu'elle réalisait l'ampleur de ses pertes. J'ai acheté à crédit des camions pour remplir ce contrat-là. Et il y a aussi le salaire des chauffeurs, les permis, l'entretien…

– Plaie d'argent n'est pas mortelle, dit sentencieusement Sauvé en se levant.

– Bon, madame, ajouta Marshall, plus froid que son collègue, on vous retiendra pas trop longtemps. Nous aimerions photocopier le contrat qui vous lie à la Beaver ainsi que les pages de vos livres de comptes qui ont trait à des transactions avec cette compagnie.

Geneviève Biron se leva et conduisit ses deux visiteurs dans le petit bureau voisin occupé par Antoine Rivard. La patronne ne frappa qu'une fois à la porte avant de l'ouvrir pour laisser passer les deux policiers.

– Antoine, voici deux policiers qui ont besoin de renseignements sur nos transactions avec la Beaver, annonça-t-elle à son homme de confiance. Photocopie tout ce que tu as et donne-leur les papiers.

– Pourquoi? voulut savoir le quinquagénaire, surpris par la demande de sa patronne.

– La Beaver, c'est fini. On va peut-être y laisser notre chemise dans cette affaire-là. Messieurs, dit-elle en se tournant vers Sauvé et Marshall, si vous avez besoin de moi, je suis dans la pièce à côté.

Sur ces mots, Geneviève referma la porte derrière elle et s'empressa de retourner dans son bureau. Elle avait besoin d'être seule pour mieux évaluer l'impact de cette nouvelle sur ses affaires.

***

Si Geneviève Biron avait les reins assez solides pour encaisser la perte causée par la saisie des avoirs de la Beaver, il en allait tout autrement pour Clément Leroux qui avait consacré le plus clair de son temps à des travaux d'installation électrique sur le chantier depuis le début de l'automne précédent.

Dans son cas, il ne s'était pas contenté d'investir du temps dans ce contrat. Depuis le début du printemps, il y avait aussi plusieurs milliers de dollars de matériel que la Beaver ne lui avait pas encore remboursés malgré de nombreux rappels. Le quadragénaire ne s'inquiétait tout de même pas trop de ce retard, habitué à une clientèle qui finissait toujours par acquitter ses factures. De plus, il avait en tête la prime que la Beaver devait lui verser à la fin de juin si toute l'installation de la minicentrale était terminée à cette date, ce dont il ne doutait absolument pas.

Ce matin-là, l'électricien avait bien été un peu étonné par tous ces camions stationnés le long du rang Saint-Édouard, mais il avait poursuivi son chemin sans s'arrêter. Il devait passer prendre livraison de matériel chez deux ou trois fournisseurs de Drummondville avant de se présenter au chantier. Quand il revint à la fin de l'avant-midi, il découvrit, à son grand étonnement, que les lieux étaient silencieux et déserts. Il n'en crut pas ses yeux quand il s'aperçut que la clôture était cadenassée.

Pendant un moment, Clément Leroux ne sut vers qui se tourner pour savoir exactement ce qui se passait. Puis, il eut l'idée d'aller jusqu'au Rona. Avec un peu de chance, il pourrait parler à l'un ou à l'autre des conducteurs de camions qui travaillait habituellement sur le chantier.

Clément Leroux n'eut pas à chercher bien longtemps. Quand il stationna sa camionnette devant la quincaillerie, Geneviève Biron en sortait pour aller chercher des documents laissés dans son bureau à la maison. En apercevant l'électricien, la jeune femme s'arrêta.

– Tiens! monsieur Leroux, vous avez appris, vous aussi, la bonne nouvelle!

– Quelle bonne nouvelle? demanda Clément en repoussant vers l'arrière sa casquette.

– Pour la Beaver.

– Ben non. C'est pour ça que je suis venu jusqu'ici. Je viens de découvrir que les portes du chantier sont fermées et je pensais que quelqu'un pourrait me dire pourquoi. J'ai même pas vu le gardien.

– Vous risquez pas de le revoir non plus. Deux enquêteurs de la GRC viennent de passer. La Beaver a été saisie et il paraît que les propriétaires s'en servaient pour blanchir de l'argent ou je sais pas trop quoi. En tout cas, le barrage et la centrale sont placés sous séquestre. J'espère qu'ils vous doivent pas trop d'argent.

– Ça dépend, fit Clément, abasourdi par la nouvelle. Pour quelqu'un de riche, une dizaine de mille, c'est pas grand-chose; mais pour moi, c'est pas mal d'argent.

– Aïe! fit Geneviève, compatissante. Si ça peut vous consoler, ils me doivent cinq fois ce montant-là. D'après les enquêteurs, on a peu de chance de revoir notre argent. En tout cas, si on la revoit, ça sera pas avant un bon bout de temps.

– Ah ben les maudits croches! s'emporta Clément Leroux. Tu parles d'une race de monde! Ça prouve que tu peux vraiment pas te fier à personne. Quand je leur rappelais qu'ils étaient en retard dans leur paiement, ils me regardaient de haut.

471

– Ils m'ont fait le même coup plusieurs fois, fit Geneviève Biron. À entendre leur administrateur, on était du trop petit monde pour avoir assez d'envergure pour eux… Nous autres, au moins, on est honnêtes.

– Pour ce que ça nous a donné, laissa tomber l'électricien avec rancœur. Bon, ben, je pense qu'il me reste juste à rentrer à la maison avec mon petit bonheur sous le bras. Mon truck est plein de matériel que je viens d'aller chercher pour le chantier. Je suppose que je vais être capable de le rapporter et de me faire rembourser.

Clément, la mine sombre, reprit le volant de sa camionnette et il rentra chez lui au moment où sa belle-mère et Carole finissaient de dresser le couvert pour le dîner. Quand il raconta aux siens les pertes importantes que la fermeture du chantier entraînait, tous le comprirent, sauf le vieux Bruno qu'Aurore gavait difficilement, à un bout de la table.

***

Lorsque Cyrille Riopel appela son frère Alain à la fin de l'après-midi pour lui apprendre la saisie de la Beaver, le sexagénaire jura abondamment. La mise en demeure légale qu'il avait adressée la semaine précédente aux propriétaires de la compagnie n'avait plus aucune chance d'être suivie d'effets pour les sinistrés du Carrefour des jeunes. Il ne lui restait plus qu'une solution: persuader le gouvernement de débloquer des fonds pour venir en aide à ceux qui avaient subi des pertes lors de l'inondation du mois d'avril.

Le fait que des fournisseurs de la région, comme Geneviève Biron, Clément Leroux ou les deux autres entrepreneurs, perdent beaucoup d'argent dans l'affaire ne l'attrista pas. Il s'agissait de gens d'affaires ou de travailleurs capables de se refaire au fil des mois. Pour les sinistrés, c'était une autre paire de manches. La plupart étaient des retraités qui ne pouvaient compter que sur l'argent de leur maigre pension.

Chapitre 26

L'affaire Vanasse

La troisième semaine de juin n'avait apporté aucune modification dans la température des jours précédents. Depuis trois ou quatre jours, le mercure se tenait au-dessus de 30 °C et l'humidité rendait l'air presque irrespirable. On aurait dit que l'air vibrait tant il faisait chaud. Ceux et celles qui avaient la chance de posséder une maison climatisée s'y précipitaient dès que leur travail le leur permettait. Les autres vivaient près de leur ventilateur qui brassait plus de l'air chaud qu'autre chose.

À la Caisse populaire, les employées profitaient de l'air climatisé et le matin même, elles avaient accueilli, pour la dernière fois de l'année, le directeur d'un jour, un élève de 5e année. Ce concours visant à promouvoir l'épargne chez les enfants avait toujours autant de succès. Chaque mois, l'élève gagnant était nommé directeur d'un jour de la Caisse populaire et il y passait une journée entière en compagnie du gérant, de la comptable et de ses deux caissières.

Pour sa part, Luc Patenaude avait eu une journée plutôt chargée et il avait hâte d'en avoir fini. Il aurait préféré une soirée tranquille à la maison à la séance de cinéma prévue en compagnie de Geneviève.

Les ennuis n'avaient pas manqué depuis l'ouverture de la caisse, à dix heures. Tout d'abord, il avait dû subir la mauvaise humeur de deux clients mécontents de constater une autre hausse des frais bancaires alors qu'on ne cessait de reprocher à toutes les banques de faire des profits exorbitants.

Ensuite, il avait reçu la visite d'un haut responsable venu examiner la possibilité d'installer un guichet automatique dans sa succursale. Il savait fort bien que cette innovation coûterait son emploi à l'une de ses caissières. Le jeune gérant avait eu beau lui expliquer que la moyenne d'âge assez élevée de sa clientèle devrait être un sérieux frein à ce projet, l'autre avait eu l'air assez imperméable à cet argument.

De plus, pour ajouter à ses problèmes, il lui avait laissé entendre qu'on discutait en haut lieu de plusieurs regroupements des caisses les moins performantes. Celle de Saint-Anselme était du lot... On envisageait sérieusement la possibilité de la transformer en simple succursale de la Caisse de Saint-Cyrille dès l'automne suivant. Voilà ce qui allait enchanter les gens de la municipalité qui, sans l'avouer ouvertement, avaient toujours aimé concurrencer la municipalité voisine.

Pour finir cette journée en beauté, il venait d'appeler Bertrand Vanasse.

– Voilà mon père, dit Éric Meunier, le directeur d'un jour, en voyant passer un gros homme vêtu d'une chemise bleue et d'un pantalon noir devant la grande fenêtre du bureau de Luc Patenaude.

Le garçon de onze ans, relativement calme toute la journée, avait commencé à s'agiter quand il avait aperçu des élèves de son école par la fenêtre, vers deux heures. L'école était finie et il supportait mal d'être retenu à l'intérieur, même si une caissière lui avait servi une légère collation quelques minutes auparavant.

– Ton père est en avance, dit Luc. La caisse ne ferme que dans dix minutes et toi, le directeur, tu ne peux pas partir avant.

Le garçon se rassit avec un air coupable dans le fauteuil du visiteur, face au bureau du gérant. Dès qu'il fut entré dans la succursale, Luc fit signe à Michel Meunier de venir les rejoindre dans son bureau.

Michel Meunier, un imprimeur d'une trentaine d'années, travaillait à Drummondville. La petite maison du rang Saint-Louis qu'il habitait avec sa femme et ses trois enfants appartenait à sa famille depuis deux générations.

– Je vous dis que vous êtes chanceux d'avoir l'air climatisé, fit le gros homme en entrant dans la pièce. Dehors, c'est pas tenable. On étouffe.

– Vous n'avez pas la climatisation là où vous travaillez? demanda le gérant par politesse.

– Non et je l'ai pas non plus dans mon char. Ça fait que je fonds comme un popsicle depuis que je suis parti de la maison, à six heures.

– Ne vous en faites pas; ça ne peut pas durer bien longtemps une température pareille.

– Je le sais pas. En tout cas, une chose est sûre. En arrivant à la maison, je saute dans ma piscine.

Puis, changeant de sujet, le gros imprimeur se tourna vers son fils aîné.

– Il a ben fait ça? demanda-t-il au gérant en secouant le devant de sa chemise trempée de sueur qui adhérait à sa peau.

– Très, très bien, fit Luc avec un sourire.

– Bon, dis merci à monsieur Patenaude et aux caissières et attends-moi dehors, dit Meunier à son fils. J'en ai pour une minute.

Le garçon tendit timidement la main au gérant et il sortit du bureau pour aller remercier les employées de la caisse. Par la porte ouverte de la pièce, le père regarda son fils s'exécuter durant un instant avant de revenir à Luc Patenaude qui n'avait pas bougé.

– Je voulais vous demander, fit le gros homme; avez-vous eu des nouvelles au sujet de Vanasse?

Luc Patenaude grimaça comme s'il venait de goûter à quelque chose de particulièrement amer en entendant le nom.

– Non, monsieur Meunier, pas encore. Demain, je devrais en avoir.

– J'espère qu'elles vont être bonnes, dit l'imprimeur.

– Je l'espère moi aussi, dit Luc Patenaude en se levant pour conduire son visiteur à la porte de son bureau.

– En tout cas, je vous remercie pour mon gars. Ça va lui faire un beau souvenir.

– Ça nous a fait plaisir, dit Luc Patenaude en lui tendant la main.

***

Dès qu'il fut à nouveau seul dans son bureau, le gérant demeura debout devant la fenêtre à regarder le père et le fils monter à bord d'une Tempo bleue couverte de poussière. Le rappel du dossier Vanasse était bien la dernière chose dont il avait besoin de se faire rappeler l'existence en cette fin de journée fatigante.

Le maire se laissa tomber dans son fauteuil et il demeura un long moment à taper doucement sur son bureau, les yeux dans le vague, cherchant à se remémorer tous les détails du dossier qui traînait à la municipalité depuis de nombreuses années.

L'affaire Vanasse n'était pas simple, loin de là, et elle remontait déjà à cinq ou six ans. En d'autres mots, Luc Patenaude avait hérité de cette patate chaude du maire précédent.

Dans le rang Saint-Louis, la ferme Vanasse n'était que l'une des dix fermes du rang depuis la fin des années 30. Louis-Albert Vanasse s'y était établi en 1937 avec sa famille nombreuse et son fils aîné, Victor, avait pris la relève près de vingt-cinq ans plus tard. Il n'y avait jusque là rien de remarquable.

Tout changea progressivement une quinzaine d'années plus tard quand Victor Vanasse se mit à accumuler au bout de sa terre, près du bois, sa vieille machinerie et ses véhicules hors service. Peu à peu, le cultivateur accepta, contre rétribution, que des gens de Saint-Anselme, puis des habitants des villages voisins lui apportent toute la ferraille qui les encombrait. Au fil des années, ce qui n'était d'abord qu'un petit dépotoir de peu d'importance et invisible de la route finit par prendre une expansion exagérée.

Quand Bertrand, le fils de Victor, hérita des lieux à la fin des années 80, après la mort accidentelle de son père, la situation avait échappé à tout contrôle depuis longtemps. Les Vanasse étaient devenus, au fil des ans, des ferrailleurs. Leur terre était si entièrement couverte de débris de toutes sortes qu'on était en droit de se demander comment les membres de la famille faisaient pour entrer dans la petite maison grise qu'ils habitaient.

Aussi loin où la vue portait, ce n'était que des carcasses de vieux autobus, d'automobiles accidentées, de réfrigérateurs et de cuisinières électriques rouillées. D'antiques machines aratoires voisinaient avec des rouleaux de fil de fer barbelé, des fenêtres à carreaux brisés et des poutres en acier. D'énormes pneus de tracteur supportaient des piles de vieux sommiers métalliques. Le tout relevait du plus parfait capharnaüm à ciel ouvert. Le visiteur ne pouvait que se demander comment on pouvait aller d'un tas de déchets à un autre quand il n'y avait aucun sentier tracé au milieu de tout cela.

Au milieu des années 90, cette marée de débris avait gagné peu à peu l'avant de la maison, au point de menacer le libre accès au chemin. Le plus souvent, Bertrand et sa famille devaient maintenant stationner leur camionnette et leur vieille Chevrolet rouge sur le bord du fossé parce qu'il n'y avait plus d'espace libre devant ou sur le côté de la maison qui semblait de plus en plus surnager difficilement au milieu de cet amoncellement de laissés-pour-compte de la civilisation moderne. À juste titre, on pouvait même craindre qu'un jour ou l'autre, la pauvre petite maison grise s'écroule définitivement sous la pression des débris de toutes sortes.

Fait étonnant, aucun résidant du rang Saint-Louis n'avait jamais protesté officiellement contre Victor ou son fils. On ne voulait pas nuire aux Vanasse ou, tout simplement, on craignait ces petits hommes secs qui avaient la réputation de s'emporter facilement et d'être assez sournois et rancuniers.

Il fallut attendre le début de 1995 pour que les premières plaintes commencent à affluer à l'hôtel de ville et aboutissent sur le bureau de l'ex-maire, Jean Provost. On se plaignait de la vermine que ce dépotoir attirait ou on déplorait le fait qu'un tel voisinage ne pouvait que dévaluer les propriétés du rang et gâcher la qualité de vie des gens qui habitaient l'endroit.

Aux yeux du maire, tout le problème résidait dans le fait que toutes ces plaintes étaient anonymes. Personne ne voulait prendre sous son bonnet de formuler une plainte officielle dont on aurait pu se servir pour obliger les Vanasse à respecter la loi.

À l'époque, le maire Provost et son inspecteur municipal, Richard Miron, connaissaient très bien le règlement municipal qui obligeait tout propriétaire à clôturer convenablement un terrain où étaient entreposés des débris, des matières dangereuses ou des matériaux usagés. Le premier magistrat de la municipalité demanda même à Miron d'aller servir un premier avertissement officiel aux Vanasse, ce que l'inspecteur, au seuil de sa retraite, refusa carrément de faire. Il conseilla au maire d'aller lui-même rencontrer Bertrand et ses deux fils pour leur faire entendre raison.

La rencontre entre Jean Provost et Bertrand Vanasse fut plutôt brève et peu chaleureuse. Elle eut lieu à l'extérieur de la petite maison familiale. Bertrand, vêtu d'une chemise grise tachée de graisse et d'un jean rapiécé, était assis sur le capot d'une vieille Ford déglinguée, tandis que Provost était debout, coincé entre deux carcasses rouillées de camionnettes.

– Il va falloir que tu plantes une clôture opaque de huit pieds de haut, Bertrand, avait dit le maire après avoir lu le règlement municipal au petit homme nerveux.

– Ça veut dire quoi «opaque»? avait demandé l'autre sur un ton rogue en projetant son mégot de cigarette sur la route.

– Ça veut dire une clôture à travers laquelle on peut pas voir.

481

– Mais t'es malade, avait répliqué l'autre. As-tu vu la grandeur de terrain que je devrais clôturer? C'est toute ma terre. Ça me coûterait les yeux de la tête si je faisais ça.

– Bon, si tu trouves que ça te coûterait trop cher, il te reste une possibilité: nettoyer. Il va falloir que tu vides tout ça.

– Aïe! nous autres, les Vanasse, on est des ferrailleurs. On gagne notre vie avec ça. Personne peut nous obliger à faire une affaire qui va nous mettre dans le chemin.

– Si tu bouges pas, Bertrand, avait menacé le maire à court d'arguments, on va être obligés de prendre les grands moyens et te traîner devant les tribunaux.

– Faites-le si vous êtes capables, répliqua l'autre, frondeur. En attendant, je voudrais ben connaître le nom des enfants de chienne qui se sont plaints.

– Tu le sauras quand tu recevras la mise en demeure, avait conclu le maire avant de tourner les talons et monter dans sa voiture.

Cette fois-là, l'affaire n'avait pas eu de suite. La secrétaire municipale s'était contentée d'envoyer un rappel au contrevenant, rappel que l'autre s'était empressé de jeter à la poubelle.

Les mois suivants, dès que quelqu'un se plaignait du dépotoir des Vanasse, le maire contactait la personne et lui demandait si elle était prête à signer sa plainte. Comme la réponse était toujours négative, il répondait, avec une mauvaise foi évidente, qu'il ne possédait aucun moyen de forcer le ferrailleur à se plier au règlement municipal si une plainte officielle n'était pas logée contre lui.

Bref, trois ans plus tôt, Provost avait cédé son siège à la mairie à Luc Patenaude qui avait dû prendre, sans enthousiasme, la relève dans ce dossier.

Durant ces trois années, il était allé rencontrer Bertrand et ses fils à deux reprises pour tenter de les raisonner et les inciter à devenir de bons citoyens respectueux des règlements municipaux. Il n'y avait rien à faire. Les Vanasse ne voulaient rien entendre.

Toutefois, ces derniers avaient fait un mauvais calcul s'ils avaient cru que le maire actuel était de ceux qui acceptent d'être intimidés ou ridiculisés. Le gérant de la Caisse populaire ne chercha pas d'échappatoire comme le maire précédent et il ne perdit pas de temps en vaines menaces. Il se contenta d'attendre son heure, persuadé qu'un jour ou l'autre, il aurait la chance de régler définitivement le problème.

Cependant, si Luc Patenaude croyait avoir tout le temps nécessaire pour trouver une solution définitive au problème, c'était une erreur. Le premier samedi de juin, Michel Meunier vint lui remettre une pétition d'une dizaine de propriétaires de Saint-Anselme, des habitants du rang Saint-Louis et du village. Dans cette pétition, on demandait la disparition pure et simple du dépotoir. Le conseil municipal n'avait plus le choix; il lui fallait agir.

Consulté les jours suivants, un avocat prévint le maire du coût exorbitant des poursuites légales si la municipalité empruntait cette voie pour faire obéir les récalcitrants. Immédiatement, le conseil refusa en bloc de dépenser autant d'argent pour forcer les Vanasse à respecter le règlement municipal. Il fallait trouver une autre solution.

Curieusement, la première lueur d'espoir ne vint à Luc Patenaude que deux jours plus tard, à l'occasion d'un souper en tête-à-tête préparé par Geneviève Biron.

Après le repas, la femme d'affaires se plaignit de l'inflexibilité des fonctionnaires du ministère de l'Environnement qui lui avaient encore une fois refusé le droit de convertir un grand terrain qu'elle possédait dans le rang Saint-Édouard en terrain commercial. Depuis deux ans, elle se battait pour obtenir ce changement de zonage, mais elle n'arrivait à rien. Même si elle avait fait la preuve qu'elle avait besoin de ce terrain pour l'entreposage de bois de charpente vendu par la quincaillerie: il n'y avait rien à faire. Le terrain était situé dans une zone agricole.

Tout semblait être une question de permis. Le premier permis d'exploitation d'un moulin accordé au début des années 30 à son grand-père, Joseph Biron, était un permis municipal lui donnant le droit d'opérer son commerce sur sa terre. Sa petite-fille aurait bien aimé que ce permis soit valide pour ce terrain acheté par son père après 1976 en prévision d'une expansion de l'affaire familiale. Ce n'était pas aussi simple que cela. Il fallait prouver que le lot en question n'avait pas été exploité depuis plusieurs années à des fins agricoles et démontrer que le changement de zonage demandé serait utile à la municipalité.

Geneviève Biron avait eu alors l'idée d'aller consulter les registres municipaux pour comptabiliser le nombre de permis commerciaux accordés par Saint-Anselme. Sa recherche avait été rapide. Elle avait été étonnée de constater à quel point la municipalité avait accordé peu de permis commerciaux depuis sa fondation.

Ce soir-là, Luc Patenaude écouta encore une fois les récriminations de son amie sans y attacher trop d'importance. Il connaissait très bien son problème et il savait que son cas relevait plus du bon vouloir des fonctionnaires du ministère de l'Environnement que de celui du conseil municipal.

Il faut croire que la nuit porte vraiment conseil parce que le lendemain matin, le maire se leva avec la sensation qu'une vague idée l'avait effleuré durant les derniers moments de son sommeil. Cette dernière ne lui revint clairement en mémoire qu'après qu'il eut bu sa première tasse de café. Sous l'effet de la surprise, Luc Patenaude faillit échapper sa tasse. Il se mit à arpenter sa cuisine en se frottant les mains en se répétant à haute voix, au comble de l'excitation, «Si c'était vrai, elle serait bonne celle-là! Elle serait bonne en maudit»! Il s'empressa ensuite de faire sa toilette et de sortir de chez lui, impatient de vérifier si son idée valait quelque chose.

Avant de se rendre à la Caisse populaire, le maire s'arrêta quelques instants à l'hôtel de ville pour demander à la secrétaire municipale de rechercher dans les livres de la municipalité quand Saint-Anselme avait émis un permis de ferrailleur au nom de l'un ou l'autre des Vanasse. Il lui conseilla de commencer ses recherches à l'année 1937.

— Appelez-moi à la caisse dès que vous aurez fini votre vérification, recommanda-t-il à la quinquagénaire avant de la quitter en coup de vent.

Moins d'une heure plus tard, madame Létourneau appela le maire pour lui dire qu'elle n'avait trouvé aucune trace de permis accordé par la municipalité à un Vanasse.

— Vous en êtes bien sûre, madame Létourneau ?

— J'ai consulté tous les registres, monsieur le maire, répondit la secrétaire, un peu offusquée qu'on mette en doute sa compétence.

Luc la remercia, submergé par une intense jubilation.

Durant quelques secondes, le jeune maire hésita en fixant le téléphone. Puis, il se décida à décrocher l'appareil et à signaler le numéro des bureaux de la MRC. Lorsqu'une secrétaire lui répondit, il s'identifia et demanda à parler à Serge Boisvert, le responsable de l'environnement.

Un instant plus tard, il entendit la même voix guillerette qu'il avait entendue quelques mois plus tôt quand il avait contacté le fonctionnaire à propos du barrage et de la minicentrale.

– Bonjour monsieur le maire, ne venez pas me dire qu'une autre compagnie s'en vient construire un autre barrage chez vous?

– Bonjour monsieur Boisvert, fit Luc Patenaude, plus sérieux que son interlocuteur. Non, il ne s'agit pas d'un barrage cette fois-ci; il s'agit des Vanasse. Est-ce que le nom vous dit quelque chose?

– Vous voulez rire, j'espère! s'exclama Boisvert. Ça fait des années qu'on entend parler d'eux, et pas en bien, je peux vous l'assurer. Chaque fois, tout ce qu'on peut faire, c'est de vous renvoyer le plaignant en disant qu'il s'agit d'une violation d'un règlement municipal.

– Est-ce que ça changerait quelque chose pour vous si je vous apprenais que nos fameux ferrailleurs n'ont jamais détenu de permis municipal d'exploitation?

Il y eut un court silence au bout du fil avant que la voix du fonctionnaire se fasse entendre à nouveau.

– Attendez un instant, dit Boisvert. Essayez-vous de me dire que ces gens ont un dépotoir sans avoir jamais eu de permis?

– En plein ça.

– Ça change absolument tout! affirma Boisvert d'une voix enthousiaste. Ça veut dire que depuis 1976, ils violent la loi provinciale du zonage agricole. Ça, c'est intéressant. J'appelle tout de suite un ami qui occupe un poste important au ministère et il va sûrement vous contacter avant la fin de la journée. Ne vous découragez pas, monsieur Patenaude, je pense que vous tenez enfin le bon bout du bâton.

Au début de l'après-midi, Georges Lessard du ministère de l'Environnement appela le maire de Saint-Anselme. Le type avait une voix sèche au téléphone. Sans perdre de temps dans des considérations inutiles, il suggéra à Luc Patenaude de lui faire un bref historique de l'affaire. À la fin, il lui demanda s'il voulait régler lui-même le problème ou s'il préférait que lui ou un fonctionnaire de son ministère s'en charge.

Évidemment, le maire choisit la seconde option. Alors, l'autre lui demanda de contacter son administré et de le prier de se présenter sans faute le lendemain après-midi, à deux heures, à l'hôtel de ville, avec son permis d'exploitation.

– Mais Bertrand Vanasse n'en a pas, objecta Luc.

– Je le sais et vous le savez, affirma l'autre au bout du fil. Mais lui, il ne le sait peut-être pas encore, ajouta le fonctionnaire en laissant poindre une certaine joie sadique dans sa voix.

– S'il refuse de se présenter?

– S'il ne vient pas, nous procéderons par voie de sommation. À demain, monsieur le maire. Je pense que je vais moi-même m'occuper de cette affaire. Je serai chez vous vers une heure et demie, dit Lessard avant de raccrocher.

***

Le souper au restaurant et la soirée au cinéma Capitol de Drummondville avec Geneviève Biron n'étaient pas parvenus à faire oublier la rencontre prévue pour le lendemain à Luc Patenaude.

Quand il avait appelé Bertrand Vanasse pour lui demander de passer à l'hôtel de ville le lendemain, à deux heures, avec son permis, ce dernier lui avait demandé la raison de cette convocation. Le jeune maire lui avait répondu que c'était une demande de quelqu'un du ministère de l'Environnement et qu'il en ignorait la raison. Le ferrailleur avait alors haussé le ton pour affirmer qu'il avait bien autre chose à faire que de perdre son temps au village durant la journée.

Il avait donc fallu que Luc Patenaude prévienne son administré de la visite possible d'un huissier s'il ne se présentait pas. Mais la menace n'avait pas semblé émouvoir Bertrand Vanasse et il n'avait rien promis. «Je verrai demain si ça me tente», avait-il laissé tomber avant de mettre fin abruptement à la communication.

Le lendemain après-midi, l'orage qui menaçait depuis le lever du jour éclata soudainement. En quelques instants, le ciel d'un noir d'encre creva, laissant tomber une pluie diluvienne poussée par des vents violents.

Les enfants, qui s'amusaient à l'extérieur, se mirent à l'abri, houspillés par leur mère. Les écoliers, qui regagnaient l'école en chahutant pour l'une des dernières fois de l'année scolaire avant les grandes vacances, se précipitèrent en courant vers leur école.

Debout devant la fenêtre de son bureau de l'hôtel de ville, le maire guettait l'arrivée du fonctionnaire et surtout, celle de Bertrand Vanasse.

À une heure et demie exactement, une Oldsmobile noire pénétra dans le petit stationnement de l'hôtel de ville et vint se ranger près de la voiture de la secrétaire municipale. La portière du véhicule mit un certain temps avant de s'ouvrir pour livrer passage à un petit homme qui avait pris la précaution d'enfiler un imperméable. Le visiteur ne s'en précipita pas moins vers la porte de l'hôtel de ville dans le but d'éviter de trop se faire mouiller par la pluie qui, fait exprès, venait de redoubler de violence.

Quelques instants plus tard, la secrétaire frappa à la porte du maire pour laisser entrer dans son bureau le visiteur qu'elle venait de débarrasser de son imperméable.

– Monsieur Lessard, monsieur le maire, annonça madame Létourneau avant de refermer la porte derrière le fonctionnaire.

Luc se leva et tendit la main à Georges Lessard.

Le fonctionnaire était un petit homme sec d'une cinquantaine d'années, vêtu strictement en dépit de la chaleur humide qui persistait malgré la pluie. Chez lui, tout semblait gris. Le costume, la cravate, les cheveux et les yeux avaient cette couleur.

Pourtant, Luc Patenaude ne se laissa pas tromper un instant par l'apparence du nouvel arrivant. L'homme était un dur. Le regard incisif qu'il lui lança en replaçant ses lunettes à fine monture d'acier sur son nez à son entrée dans la pièce ne démentait pas sa première impression.

À l'invitation du maire, Georges Lessard accepta de l'accompagner dans la salle du conseil, pièce beaucoup plus grande et plus fraîche que son bureau.

– Nous n'allons pas attendre de midi à quatorze heures votre administré, dit Lessard en ouvrant la serviette qu'il avait déposée sur la table. S'il ne s'est pas présenté à deux heures et demie, je lui ferai servir une injonction par un juge de Drummondville dès demain matin.

Mais les deux hommes n'eurent pas à attendre très longtemps. À une heure cinquante-cinq, Bertrand Vanasse pénétra dans la salle du conseil en secouant énergiquement sa casquette mouillée. Même s'il était plus jeune de quelques années, le ferrailleur avait, à peu de chose près, la même taille que Georges Lessard.

– Vous auriez pas pu choisir un autre temps pour faire venir du monde? demanda-t-il avec humeur à Patenaude et à Lessard en abaissant la fermeture éclair de son léger blouson en nylon bleu. Avec une pluie pareille, on mettrait pas un chien dehors.

Luc se leva avec un mince sourire contraint. Il invita le ferrailleur à s'asseoir à la table, en face de lui, pendant que Lessard, installé au bout de la longue table du conseil, ne se donna même pas la peine de lever le nez du document qu'il consultait.

– Bon, qu'est-ce que vous me voulez? demanda carrément Vanasse.

Le fonctionnaire referma la chemise déposée devant lui et le fixa un court instant sans qu'un seul muscle de son visage ait bougé.

– Vous avez apporté votre permis d'exploitation? demanda Lessard d'un ton sec.

– Je l'ai pas trouvé, répondit Vanasse aussi sèchement.

– Vous savez pourquoi?

– Mon père ou mon grand-père a dû le perdre quelque part.

– Non, monsieur, répliqua abruptement le fonctionnaire. Vous ne l'avez pas trouvé parce qu'il n'a jamais été émis.

– Whow! une minute, sacrement! jura Bertrand Vanasse. Il va falloir que vous prouviez ça.

– Pas du tout, mon cher monsieur, fit Lessard en arborant un mince sourire sans chaleur. C'est à vous de prouver que vous détenez un permis et vous n'y arriverez jamais parce qu'il n'y en a jamais eu. Nous avons vérifié les registres de la municipalité depuis l'arrivée de votre famille. Les Vanasse n'ont jamais demandé un tel permis et ils n'en ont jamais eu.

Pendant un court instant, le ferrailleur parut légèrement ébranlé par la nouvelle, mais cela ne dura pas. Un éclair de rage brillait dans ses yeux quand il reprit la parole.

– Voulez-vous ben me dire ce que ce maudit bout de papier pourrait changer? Nous autres, les Vanasse, on fait cet job-là depuis presque trente-cinq ans. Il y a, comme vous dites, une sorte de… comment vous dites?

– Un droit acquis? suggéra le maire qui n'avait pas encore dit un mot depuis le début de la rencontre.

– Ouais, c'est ça, un droit acquis.

– C'est là que vous commettez une grossière erreur, monsieur Vanasse, dit Lessard d'une voix imperturbable. Vous n'avez aucun droit acquis parce que votre activité est illégale et l'a toujours été. De plus, encore plus grave, vous l'exercez sur des terres agricoles sans jamais avoir demandé de dérogation ou de changement de zonage.

– Tout votre charabia veut dire quoi au juste? demanda Bertrand Vanasse en élevant la voix.

– Mon charabia, comme vous dites, veut dire que votre terre doit retourner à sa vocation première qui est l'agriculture.

– Je peux pas, mon terrain est plein! Il faut que vous l'ayez pas vu pour venir me dire ça, dit, sarcastique, le ferrailleur.

– Oh! mais nous allons arranger ça, promit Georges Lessard.

493

— Je voudrais ben voir ça, par exemple, hurla Vanasse, hors de lui.

Le fonctionnaire claqua bruyamment sur la table et ajusta ses lunettes.

— Bon, là, vous allez vous taire deux minutes et m'écouter bien attentivement, mon cher petit monsieur, dit-il froidement à Vanasse. Je ne me répéterai pas. Comme vous n'avez pas l'air de comprendre, je vais vous expliquer la situation. Vous exploitez illégalement un dépotoir à ciel ouvert et vous utilisez des terres agricoles à d'autres fins que celles prévues. Par conséquent, le ministère de l'Environnement que je représente vous ordonne de nettoyer entièrement les lieux dans un délai raisonnable.

— Un délai raisonnable ?

— Oui, ça veut dire que vous avez sept jours pour commencer à vider votre dépotoir.

— Avec quoi ? Où est-ce que je peux envoyer ça ?

— C'est votre problème, monsieur Vanasse, répondit Lessard, sans aucune compassion.

— Vous me donneriez combien de temps ?

— Pas une éternité, monsieur. On veut que ce soit fait à un bon rythme ; sinon on sera obligé de venir vous donner un coup de main et ce ne sera pas gratuit, je peux vous l'assurer.

494

– Je pourrais peut-être commencer à clôturer comme le maire Provost le voulait dans le temps, fit Vanasse, d'un ton plus conciliant.

– Non monsieur, ce n'est plus possible, dit le fonctionnaire. Le maire vous avait demandé ça parce qu'il ignorait que vous ne possédiez pas de permis.

– Et si je fais rien, Crisse? Après tout, je suis chez nous dans le rang Saint-Louis.

En entendant cette sortie, Lessard se remit à sourire.

– Vous pouvez essayer de ne rien faire, monsieur. À ce moment-là, je peux vous dire exactement ce qui va arriver. Nous sommes le mardi 20 juin. Si mardi prochain, le 27, le travail de nettoyage n'est pas commencé de façon sérieuse, vous allez voir arriver les grues avec des camions. Vous allez vous apercevoir rapidement qu'on travaille pas mal vite. Évidemment, la facture et les amendes vont être pour vous.

– Et si je paie pas?

– Il n'y a pas de problème. On fera saisir votre terre et votre maison et on se remboursera avec le montant de la vente.

– Je peux toujours m'adresser au-dessus de vous, fit Vanasse avec un rien d'espoir dans la voix.

– Ah! ça, vous pouvez toujours, répliqua Georges Lessard. Vous pouvez en appeler directement au ministre, si ça vous chante. Vous savez ce que le ministre va faire ? Il va demander au responsable de la région d'examiner le dossier et de procéder. Vous n'êtes pas chanceux ; je suis le responsable de la région et je suis prêt à procéder. Vous comprenez ?

Le visage de Bertrand Vanasse était devenu soudainement cireux et il se leva en chancelant un peu, vaincu en apparence par le petit fonctionnaire intransigeant qui lui faisait face. Avant de quitter les lieux, il ne put s'empêcher de décocher une dernière flèche.

— En tout cas, il faut être des beaux écœurants pour mettre le monde qui vous paie dans la misère comme vous le faites.

Il n'y eut pas aucune réplique de la part du maire et du fonctionnaire.

Bertrand Vanasse, les épaules voûtées, quitta la pièce en claquant bruyamment la porte derrière lui. Aussitôt après le départ du ferrailleur, Georges Lessard se leva et se mit à ranger posément ses documents dans sa serviette.

— J'ai bien peur qu'on ne se soit pas fait un ami, dit le maire, secoué par la scène à laquelle il venait d'assister.

— Sûrement pas, fit le fonctionnaire avec fatalisme. Mais dites-vous que vous venez de solutionner un gros problème et que, probablement, vous venez de gagner plusieurs votes aux prochaines élections, en novembre prochain.

— Aucune importance, fit Luc Patenaude, comme s'il se parlait à lui-même. Je n'ai pas l'intention de me

496

représenter à la mairie. J'en suis rendu à détester ce travail-là. Depuis six mois au moins, je me demande ce qui m'a pris de m'embarquer dans ce bateau-là.

— Il en faut des gens qui acceptent de prendre ce genre de responsabilité, monsieur le maire, fit Lessard, un rien sentencieux. Bon, j'y vais, ajouta-t-il en tendant la main à Luc. À la fin de la semaine prochaine, j'enverrai Boisvert de la MRC vérifier si votre administré a sérieusement commencé le travail.

— Merci pour tout, dit Luc en raccompagnant son visiteur jusqu'à la sortie.

Chapitre 27

Le projet

Quelques jours plus tard, juin prit fin. Si l'école du village était fermée pour l'été, la cour asphaltée de l'institution servait de terrain de jeux à un bon nombre d'enfants du village. Quelques adolescents, encore trop jeunes pour travailler durant la belle saison, en profitaient pour pêcher au bas de la côte, derrière l'épicerie Gagnon, en face de l'église.

En cette fin de matinée, Aurèle Lupien et Claude Dumais aidaient les responsables de la fête nationale à Saint-Anselme à décrocher les drapeaux fleurdelisés et les fanions bleu et blanc qui avaient servi à la décoration du nouveau parc situé à l'extrémité du village, à la droite de la fromagerie Dupré, tout près du restaurant de Daniel Cardin.

En fait, il s'agissait d'un petit champ qui appartenait depuis plus de trente ans à la famille Camirand. Cette dernière avait accepté, le printemps précédent, d'en faire don à la municipalité. Le comité des loisirs avait décidé d'en faire un parc pour les jeunes de Saint-Anselme. Des fonds recueillis chez les commerçants et des subsides venus de Québec avaient permis de pourvoir l'endroit de quelques tables à pique-nique, de deux estrades et d'un treillis métallique pour jouer au baseball. On avait même eu suffisamment d'argent pour construire une cabane dans laquelle on avait installé une chaîne stéréo et pour dresser un mât au haut duquel une rampe de puissants projecteurs permettait d'éclairer les lieux. Bref, les organisateurs de la Saint-Jean avait convié toute la population à venir pique-niquer à cet endroit le 24 juin pour en célébrer l'inauguration officielle. La fête avait connu un certain succès.

À l'autre extrémité du village, Johanne Therrien, vêtue d'un pantalon beige et d'un chemisier jaune paille, tondait la pelouse devant le vieux presbytère en ne quittant pas de l'œil la porte de l'épicerie Gagnon où était entré Frédéric Bergeron quelques minutes plus tôt. L'ébéniste avait beau ne demeurer qu'à quelques centaines de mètres du nouveau gîte du passant, de l'autre côté de la rue Principale, la propriétaire ne lui avait parlé qu'une ou deux fois depuis la fin officielle des travaux de restauration de l'immeuble. Bien sûr, elle avait souvent aperçu sa camionnette rouge, mais de toute évidence, l'homme était très occupé depuis quelques semaines. S'il était timide, ce n'était pas son cas. Elle ne craignait pas de s'avouer ouvertement que sa présence lui manquait.

Quand elle aperçut l'ébéniste en train de descendre les quelques marches du balcon de l'épicerie, elle stoppa net sa tondeuse tracteur et elle lui fit signe de traverser la rue. Johanne arrêta le moteur et s'approcha du trottoir sur lequel Frédéric venait de prendre pied.

— Ma sainte foi, je te vois plus, lui dit la grande femme sur un ton de reproche. Est-ce que tu me boudes?

— Ben non, voyons! fit Frédéric en rougissant un peu. Mais je vois ben que t'as commencé à avoir pas mal de clients. Tu dois pas manquer d'ouvrage. Je voulais pas te faire perdre ton temps.

— Tu vas arrêter ça, Frédéric Bergeron, le gronda-t-elle par jeu. C'est pas parce que le gîte marche mieux que je le pensais que je peux plus voir personne. En ouvrant «Au vieux presbytère», je suis pas entrée au couvent. Comme c'est là, je passe pratiquement mes journées à faire des lits, du lavage et à préparer des déjeuners.

— On dirait que t'es déçue, fit Frédéric.

— Disons que j'avais pas pensé que ce serait comme ça, dit Johanne avec une sourire un peu forcé. Je m'étais imaginée que j'aurais, de temps en temps, un ou deux clients avec qui je pourrais parler.

— C'est pas ça?

— Non. J'ai pas eu tant de clients que ça, mais ceux que j'ai eus sont arrivés dans l'après-midi. Ils ont mis leur valise dans leur chambre et ils sont partis tout de suite se promener à bicyclette. Quand ils sont rentrés, ils se sont dépêchés de prendre une douche et de s'enfermer dans leur chambre. Ils ne m'ont parlé que pour demander quelque chose. Le lendemain matin, ils ont pris leur déjeuner en vitesse avant de disparaître. J'ai l'impression d'être devenue une femme de chambre et une cuisinière.

– Est-ce qu'ils ont aimé le gîte au moins?

– Ils l'ont aimé et ils ont aussi aimé mes prix. C'est ce qui me fait peur. Ils ont promis de m'envoyer des parents et des amis. Si j'ajoute à ça le monde qui trouvera pas de place dans les hôtels de Drummondville pendant le festival des folklores et les Légendes fantastiques, je vais devenir une vraie esclave. J'aurai jamais assez de temps pour m'occuper de mes boutiques et du gîte en même temps.

– Pourquoi t'engages pas quelqu'un pour t'aider?

– C'est une idée, admit Johanne après un instant d'hésitation, mais qui?

– As-tu pensé que madame Lacombe pourrait aimer ça te donner un coup de main? Ça la désennuierait peut-être.

– Je pense que je vais lui en parler. Bon, je t'ai assez raconté mes problèmes. Toi, qu'est-ce que tu fais?

– J'ai deux rampes d'escalier à finir cette semaine pour un entrepreneur de Drummondville et après ça, je vais donner un coup de main à mon père. Tu sais que c'est décidé; il vend.

– S'il vend, où est-ce qu'il va aller rester avec ta mère?

– Il le sait pas encore, mais ça a pas l'air de l'empêcher de dormir. Tu ne connais pas mon père; il s'énerve jamais avant le temps.

Depuis janvier, Johanne Therrien avait rencontré en deux occasions Pierre et Diane Bergeron à qui elle avait fait visiter son presbytère rénové. Elle avait même eu l'occasion de parler à Paule et à Anne-Marie, les deux sœurs de l'ébéniste. Le dynamisme et la bonne humeur contagieuse de cette grande femme lourdement charpentée avait tout de suite plu à la famille Bergeron.

Au moment où Johanne allait reprendre la parole, le conducteur d'une bétaillère freina bruyamment à leur hauteur en apercevant devant lui la pente abrupte qui conduisait au pont en contrebas. Il fut immédiatement imité par le conducteur d'une seconde bétaillère qui le suivait de près.

– Bon, je vais y aller, déclara Frédéric un peu à contrecœur.

Il désigna de la main les deux lourds camions.

– Ils s'en vont chercher les vaches de mon père, ajouta-t-il, et j'ai promis d'aller lui aider. Pas nécessaire de dire que ça lui fait mal au cœur de les voir partir.

– Est-ce que je t'attends après le souper pour venir me raconter comment ça s'est passé ?

– Quand les vaches vont être parties, je dois donner un coup de main au père à faire les foins. Dans ce temps-là, on travaille d'habitude assez tard. Je pourrai pas rentrer au village avant neuf heures, dit Frédéric avec une pointe de regret.

— Si t'es pas trop fatigué, arrête quand même, offrit Johanne. Tu sais, je ne me couche pas encore à l'heure des poules.

— D'accord, j'arrêterai boire un café avec toi dès que j'en aurai fini, promit Frédéric en la quittant.

Johanne Therrien regarda le quadragénaire traverser à nouveau la rue Principale avec son petit sac d'épicerie avant de se remettre au volant de sa tondeuse, le cœur réjoui à la pensée de le revoir durant la soirée.

***

L'arrivée des deux bétaillères dans le rang Sainte-Anne ne passa pas inaperçue, du moins chez les Riopel et les Leroux, proches voisins de Pierre Bergeron. L'un et l'autre avaient commencé, la veille, la première coupe de foin de la saison et c'est au moment où ils s'arrêtaient pour le dîner qu'ils avaient aperçu les deux lourds véhicules.

Cyrille Riopel se rappela brusquement la promesse faite par son voisin immédiat, l'automne précédent, à la mort de l'une de ses vaches.

— Pierre a dû vendre son quota de lait, dit le vieil homme à son fils Marc.

— Pourtant, il m'en a pas dit un mot, fit Marc. Je lui ai parlé avant-hier.

— Voyons, tu connais Pierre Bergeron. Tu sais ben qu'il parle presque pas, mais quand il parle, c'est pas pour

503

rien dire. Il nous l'a dit l'automne passé qu'il vendrait. Il faut croire qu'il a commencé à le faire. Si ses vaches partent aujourd'hui, c'est qu'il a déjà vendu son quota.

– Je l'ai pourtant vu commencer ses foins hier, dit Marc.

– Il va chercher à vendre son foin aussi. Il va avoir un meilleur prix s'il est coupé que s'il est encore debout dans le champ.

– Ouais, on sait ben, fit Marc en entrant derrière son père dans la maison où le repas les attendait.

***

Chez les voisins, l'ambiance était passablement différente. Depuis la veille, Richard Bergeron ne décolérait pas. Il avait fendu l'un des pneus de son tracteur sur une bouteille de bière éclatée dans son champ et il promettait de servir une raclée mémorable au premier qu'il verrait lancer quelque chose sur sa terre.

Assis devant son assiette, Sylvain était silencieux et songeur. Il était si habitué aux brusques colères de son père qu'elles ne le dérangeaient plus. Depuis que son cousin Frédéric lui avait appris, au début de la semaine, que son père n'avait pas changé d'idée et qu'il avait déjà vendu ses vaches à un cultivateur de Saint-Grégoire, il ne cessait pas de penser à cette ferme qui allait lui filer sous le nez. Sa situation financière n'avait pas beaucoup changé depuis l'automne précédent. Il avait beau retourner le problème dans tous les sens, la solution lui échappait. Il ne voyait aucun moyen.

L'éclatement du pneu avait fait que les deux hommes avaient pu traire les vaches et souper beaucoup plus tôt. Dès qu'il eut avalé la dernière bouchée de son souper, Sylvain profita de l'occasion pour prendre la route de Trois-Rivières dans le but d'aller passer quelques heures en compagnie de son amie Stéphanie.

Leur relation était devenue de plus en plus sérieuse depuis le décès de Jean-Pierre et ils s'enhardissaient à faire des projets d'avenir de temps à autre. La jeune institutrice aimait la maturité de Sylvain qui, lui, appréciait cette fille douce aux valeurs bien arrêtées.

Les deux jeunes gens allèrent marcher lentement dans le parc voisin. Évidemment, le jeune fermier exprima son dépit de voir la ferme voisine passer entre d'autres mains.

Stéphanie savait à quel point son amoureux avait hâte de s'établir. Quoi de plus normal quand on est au début de la trentaine? Elle savait aussi qu'il était incapable d'emprunter suffisamment pour acheter la ferme de Pierre Bergeron.

— Est-ce que ton père pourrait pas t'endosser?

— T'es pas sérieuse! s'exclama Sylvain avec un rien d'agacement. Mon père a pas assez d'argent pour faire ce genre de folie-là, même pour moi. En plus, il comprendrait jamais pourquoi il le ferait parce que je suis supposé prendre la relève sur notre terre. Pourquoi en acheter une autre pas plus grande?

— Il pourrait juste t'aider un peu, continua la jeune institutrice.

– Un peu? Qu'est-ce que tu veux dire par là?

– Je veux dire qu'il pourrait te prêter un petit montant, moi aussi… Peut-être que quelqu'un d'autre serait intéressé par ton affaire.

– Aïe! Il faudrait que je rembourse tout ce monde-là, protesta Sylvain.

– Non, attends! dit-elle, le front plissé par l'effort qu'elle faisait pour clarifier sa suggestion. Je pense que la ferme de ton voisin pourrait appartenir à une sorte de coopérative dont tu ferais partie comme moi, comme ton père et comme tous ceux qui paieraient une part.

– Et moi, là-dedans? demanda Sylvain en arrêtant brusquement de parler pour faire face à Stéphanie.

– Tu continuerais à travailler avec ton père sur votre terre et avec les autres membres de la coopérative, vous travailleriez tous ensemble sur votre nouvelle ferme.

– Et la maison? Les bâtiments?

– La maison, tous les deux, on pourrait la louer à un prix raisonnable à votre coopérative. Pour les bâtiments, ils serviraient à remiser la machinerie comme avant.

– C'est pas bête ce que tu dis là, l'encouragea Sylvain, séduit par l'idée originale de sa compagne. Mais pas de vaches et pas de quota de lait, qu'est-ce qu'on ferait?

– Des céréales, non? C'est pas toi qui me disais qu'il y avait de l'avenir dans ce domaine-là?

– Oui et j'ai pas changé d'idée. D'après toi, comment on se partagerait les bénéfices et les dépenses? demanda le jeune fermier, entrant définitivement dans le jeu de Stéphanie.

– Selon le nombre de parts détenu par chacun des membres… La même chose pour le travail.

– Pour l'argent, je pourrais pas mettre plus que vingt mille piastres, dit Sylvain.

– Je peux en mettre autant, affirma Stéphanie. Il te reste plus qu'à connaître le prix demandé par Pierre Bergeron. Quand tu le sauras, demande à ton père et à tes voisins combien ils sont prêts à mettre dans la coopérative que tu veux créer. S'il manque de l'argent, il te restera juste à t'entendre avec la Caisse populaire pour savoir combien elle est prête à prêter à ta coopérative.

Le reste de la soirée fut occupé à élaborer des projets d'avenir. Quand vint le moment de rentrer à Saint-Anselme, Sylvain embrassa Stéphanie et il chercha à pousser plus loin ses privautés. La jeune femme repoussa ses mains un peu trop fureteuses avec une certaine impatience.

– Sylvain, je t'avertis, lui dit-elle avec le plus grand sérieux. Tu me connais assez pour savoir que je suis pas à la mode sur ce chapitre-là. Si on est pour vivre ensemble, t'es mieux de te préparer à me marier. Je sais que je suis ancienne, mais tu me changeras pas.

– O.K., O.K., dit Sylvain, piteux. Ça fait longtemps que je l'ai compris. Mais il me semble que des fois, tu pourrais…

– Non, après le mariage, pas avant, dit Stéphanie en déposant un léger baiser sur ses lèvres avant de fermer sa porte sur lui.

Le lendemain matin, durant le déjeuner, Sylvain prit son courage à deux mains pour expliquer son projet à son père, bourru comme à son habitude.

– Veux-tu ben me dire qui t'a mis cette idée-là dans la tête ? demanda en maugréant le sexagénaire. Qu'est-ce qu'on ferait avec la terre de mon cousin ?

– Des céréales, p'pa. On pourrait semer du soja, de l'avoine ou du blé. Tous les trois se vendent un maudit bon prix. En plus, on n'aurait pas plus de vaches à s'occuper et on serait pas obligés de sortir une cenne pour acheter du quota de lait.

– Si l'idée était si bonne que ça, quelqu'un l'aurait eue avant toi, fit Richard, méfiant. Pourquoi se casser la tête ? Dans cinq ou six ans, je vais me retirer et tu pourras continuer sur notre terre.

– L'un empêche pas l'autre, répliqua Sylvain, bien décidé à exposer son idée jusqu'au bout. Je continue sur notre terre et je l'agrandis avec ma part de la coopérative. Vous pourriez même avoir votre part, p'pa, si vous le voulez.

– Ma part ? Mais maudit, je me tue à te dire depuis dix minutes que j'en ai déjà plein les bras avec notre terre.

– Si vous prenez pas de part, p'pa, fit Sylvain, heureux d'avoir peut-être trouvé un argument supplémentaire, je suis certain que Marc Riopel, son père et peut-être même les Leroux vont vouloir embarquer. Ben mal pris, je peux même m'organiser avec les Marcotte. Pascal et son père manquent pas d'argent, eux autres.

– Whow! Prends pas le mors aux dents! s'exclama Richard. Sacrement! il y a pas le feu. J'ai pas dit que je voulais pas entrer dans ta patente. D'abord, on sait même pas si Pierre veut encore vendre et combien il demande pour son bien.

– On n'a qu'à aller le voir, dit Sylvain d'un ton résolu.

– Qu'est-ce que t'en penses, toi? demanda Richard à sa femme, assise, silencieuse, au bout de la table.

– Je trouve pas l'idée bête, fit Jocelyne… surtout que c'est plus tellement à la mode qu'un jeune couple vienne vivre avec les vieux parents.

– De quoi tu parles? fit Richard, agacé par cette remarque dont il ne comprenait pas le sens.

– Il me semble que c'est clair, non. Es-tu devenu aveugle, Richard Bergeron? Ton gars est en train d'essayer de se trouver une maison pour lui et sa Stéphanie, une maison qui soit pas trop loin de nous… Est-ce que je me trompe, Sylvain?

– Non, m'man. C'est ça. Remarquez que je me serais ben contenté de vivre avec Stéphanie sans lui passer la bague au doigt, mais c'est pas son idée. Elle veut un mariage en blanc et tout le tralala.

509

– Combien t'es capable de mettre dans l'affaire? demanda le père.

– Moi, je mettrais vingt mille et Stéphanie ajouterait tout ce qu'elle a à la banque : vingt mille.

– En raclant les fonds de tiroir, je peux t'avancer trente mille autres piastres, dit le père. Mais soixante-dix mille, c'est pas ben gros pour acheter une terre avec la maison, les bâtiments et le roulant.

Richard Bergeron garda le silence durant une ou deux minutes, occupé à siroter sa tasse de café. Finalement, il déposa bruyamment sa tasse vide sur la table et il se leva.

– Arrive, dit-il à son fils, on va aller voir combien Pierre demande pour sa terre.

Les deux hommes montèrent dans la camionnette poussiéreuse de Sylvain et ils prirent la direction de la ferme de Pierre Bergeron, leur second voisin. L'air était déjà chaud à cette heure matinale. En passant devant la maison de Cyrille Riopel, Sylvain klaxonna pour saluer Cyrille et Marc qui se dirigeaient vers leur grange.

Quelques instants plus tard, Sylvain et son père s'arrêtèrent dans la cour de Pierre Bergeron et ils allèrent frapper à sa porte. Ce fut Frédéric qui vint leur ouvrir.

– Bonjour, les salua-t-il. Entrez donc. Mon père et ma mère finissent de déjeuner. On est un peu en retard ce matin.

510

À la vue de Richard et de son fils, Diane et Pierre se levèrent et les invitèrent à se joindre à eux pour boire une tasse de café.

– Merci Diane, fit Richard en s'assoyant sur une chaise à la droite de son cousin. Je viens d'en boire une, mais je pense ben que je vais en prendre une autre.

– Moi aussi, merci, dit Sylvain.

Diane apporta sur la table deux autres tasses et elle les remplit de café bouillant.

– Comment on se sent quand on n'a pas de train à faire deux fois par jour? demanda Richard.

– Je me sens bizarre, répondit Pierre Bergeron. C'est comme si j'étais plus cultivateur. Là, je m'occupe encore avec les foins et Frédéric vient m'aider, mais quand les foins vont être finis, je sais pas ce que je vais faire de mes dix doigts.

– T'as vendu ton quota un bon prix? demanda Richard.

– J'ai pas à me plaindre.

– Qu'est-ce que tu vas faire de ton foin?

– Il est déjà vendu à Pascal Marcotte. Il va venir le chercher au commencement de l'automne. Quand le foin va être parti, il restera plus que ma machinerie et mon tracteur dans mes bâtiments.

Il y eut un court moment de silence avant que Sylvain Bergeron prenne la parole pour aborder le sujet qui l'intéressait vraiment.

– Je me mêle peut-être de ce qui me regarde pas, monsieur Bergeron, mais est-ce que vous vendez ou ben vous faites encan?

– J'ai pensé faire encan une bonne partie de l'hiver… Mais j'ai tellement entendu toutes sortes d'histoires épeurantes là-dessus que j'ai fini par changer d'idée.

– Comment ça épeurantes? demanda Richard.

– Ben, je me suis laissé dire que l'encanteur s'arrange souvent avec des acheteurs pour que les prix montent pas trop haut ou encore, le vendeur reste coincé avec ce qu'il y a de moins intéressant. J'ai parlé avec un vieux de Saint-Cyrille qui a fait encan l'automne passé. Il est resté pris avec trois morceaux de terre qui sont dans des pentes et deux vieilles remises inutiles. Le pauvre vieux sait plus quoi faire avec ça. Il paraît que c'est invendable.

– Comme ça, vous vendez? demanda Sylvain.

– Il le faut ben; il veut pas de la terre, dit Pierre, résigné, en désignant Frédéric d'un signe de tête.

– Voyons, p'pa, on va pas recommencer. Vous avez toujours su que j'étais pas fait pour vivre sur une terre. J'ai toujours été prêt à venir vous donner un coup de main, mais j'aime pas assez ça pour travailler dessus trois cent soixante-cinq jours par année. Moi, ce que j'aime, c'est travailler le bois.

– Oui, oui, on le sait et on te reproche rien, dit sa mère en lui tapant affectueusement la main.

– Est-ce que c'est indiscret de vous demander le prix que vous demandez pour votre terre, vos bâtiments, la maison et le roulant? demanda Sylvain, la gorge un peu serrée par l'anxiété.

– Est-ce que ça veut dire que tu serais intéressé? fit Pierre en scrutant attentivement le visage de Sylvain.

– Pour être intéressé, je le suis en sacrifice! monsieur Bergeron. Le gros problème, c'est l'argent.

– T'aimes la terre, toi.

– Ben oui. Si je pouvais acheter votre bien, je pourrais rester à côté de chez mon père et tous les deux, on cultiverait ensemble. Par exemple, j'achèterais pas de vaches. Mon père en a déjà une trentaine et c'est ben assez.

– Tu ferais quoi de ma terre?

– Je sèmerais des céréales.

– C'est peut-être pas une mauvaise idée, approuva Pierre Bergeron, l'air soudainement songeur.

Pierre regarda sa femme et son fils avant de continuer.

– Je vais être franc avec toi. Je demande six cent mille piastres pour en avoir cinq cent cinquante mille. C'est sûr que si j'avais pas déjà vendu mes bêtes et mon quota, j'aurais demandé pas mal plus. Ton père est ben placé

513

pour te dire que le prix est pas exagéré. On a deux fermes pareilles. On a, à peu près, le même équipement et les mêmes bâtiments. Pas vrai, Richard?

– Le prix m'a l'air correct, se contenta de dire le sexagénaire.

En entendant ce chiffre, Sylvain demeura sans voix. Il avait beau s'attendre à un prix assez élevé, il n'avait pas pensé que le cousin de son père demanderait autant.

– Tu serais prêt à mettre combien? demanda Pierre.

– J'ai juste soixante-dix mille, avoua Sylvain avec une pointe de découragement dans la voix. La Caisse populaire voudra jamais me prêter le reste parce que ça va me faire de trop gros remboursements chaque mois. Pour le crédit agricole, on va oublier ça.

– C'est sûr que pour un jeune, c'est un ben gros montant, dit Pierre, compréhensif.

Sylvain regarda Frédéric, assis, silencieux, près de son père. Diane offrit une autre tasse de café, offre que chacun déclina.

– Où est-ce que tu vas aller rester quand t'auras vendu? demanda Richard en se levant.

– Ben, on était justement en train d'en parler quand vous êtes arrivés, fit Diane, Frédéric nous a offert de venir vivre avec lui au village. Il était en train de nous convaincre que l'ancienne maison de Cadieux est ben assez grande pour nous trois.

– C'est drôle ce que tu me dis là, fit Richard. Mon gars était tenté par ta terre parce qu'il pensait à se marier et à s'installer avec sa promise dans ta maison. Jocelyne pense que c'est mieux qu'un jeune couple vive seul.

– Ça a du bon sens ce qu'elle dit, mais c'est pas notre cas. Frédéric est un vieux garçon que le mariage tente pas pantoute, fit Diane en adressant au cousin de son mari un clin d'œil de connivence.

– Voyons, m'man! protesta faiblement Frédéric.

Au moment où les visiteurs descendaient les trois marches qui conduisaient à la cour, Pierre Bergeron surprit tout le monde.

– Attendez une minute, dit-il en frottant sa large calvitie.

Tout le monde se figea.

– Je viens de penser à quelque chose, dit le cultivateur à l'adresse de Sylvain. Qu'est-ce que tu dirais si je te finançais moi-même? Je te prendrais cinquante mille comptant et je te prêterais le reste pour vingt ans, avec un taux d'intérêt 2 % plus bas que celui de la banque.

Les yeux de Sylvain s'allumèrent du plus fol espoir.

– Au fond, ma femme et moi, on n'a pas un besoin urgent de tout cet argent-là, poursuivit le cultivateur en jetant un coup d'œil à Diane. Si on met cinq cent cinquante mille dans notre compte de banque demain matin, c'est encore le gouvernement qui va venir se bourrer la face dans nos intérêts. On pourrait s'organiser

entre nous pour que tu nous fasses juste un rembour-
sement par année. Qu'est-ce que t'en dis?

Sylvain jeta un coup d'œil vers son père qui lui fit
signe d'accepter.

– Je suis votre homme, dit-il à Pierre Bergeron en lui
tendant la main pour sceller l'accord.

– Quand veux-tu avoir ma terre?

– Lorsque vous serez prêt; il y a pas de presse, fit le
jeune fermier, enthousiaste.

– Qu'est-ce que tu dirais de la fin août? Ça nous
donnerait tout le temps d'organiser le déménagement de
nos meubles chez Frédéric et toi, tu pourras commencer
tes labours d'automne quand tu voudras les commencer.

– Pas de problème, monsieur Bergeron. Quand aimeriez-
vous passer chez le notaire?

– Quand tu seras prêt. T'auras qu'à nous faire signe.

De retour à la maison, pendant que Richard
expliquait à sa femme l'arrangement que leur fils venait
d'accepter, Sylvain installa à l'arrière du tracteur le
lance-balles et la remorque.

Le soleil était chaud et le ciel bleu était d'une pureté
parfaite. Le jeune homme, dans un état euphorique
extraordinaire, avait l'impression de flotter. Il n'avait
qu'une hâte: communiquer à Stéphanie le résultat de sa
rencontre avec le cousin de son père.

***

516

Même si les heures se traînèrent, la journée prit tout de même fin. À huit heures, Sylvain stationna sa camionnette sur la rue Notre-Dame, près de l'appartement habité par la jeune femme. Lorsqu'il lui apprit la bonne nouvelle, Stéphanie demeura d'abord sans voix.

— Est-ce que ça signifie qu'il n'y aura pas de coopérative?

— En plein ça, grâce à ton argent, à celui de mon père, au mien et surtout, grâce à son cousin qui va nous financer.

— Comment expliques-tu que ton père accepte de te prêter de l'argent?

— Je pense que ça lui tente pas mal d'avoir une bru pas trop laide qui resterait dans le rang Sainte-Anne.

— Est-ce que ça veut dire qu'on peut s'installer n'importe quand à partir de la fin de l'été?

— Oui, mais je pense qu'on va tout de même être obligés de faire un bon ménage avant.

— Un ménage et un mariage, compléta Stéphanie.

— Tu y tiens, pas vrai?

— Il me semble avoir toujours été claire là-dessus, non? demanda la jeune institutrice avec une certaine mauvaise humeur. Mais je veux pas que tu te sentes obligé de me marier. Si tu te sens étranglé ou piégé, t'as qu'à regarder ailleurs; tu trouveras sûrement quelqu'un d'autre qui acceptera de vivre avec toi sans contrat de mariage.

– Bon, fâche-toi pas, fit Sylvain. Je disais ça comme ça. Il me semble qu'il y a aujourd'hui tellement de divorces que je trouve surprenant qu'une fille cherche encore à se marier.

– Moi, j'y crois, comme je crois encore qu'avoir des enfants, c'est une bénédiction.

– C'est pour ça que je veux te marier, dit Sylvain, plein de tendresse. Quand?

– Qu'est-ce que tu dirais des vacances de Noël?

– En hiver?

– Pourquoi pas? On trouvera bien le moyen de se réchauffer, fit la jeune fille en lui adressant un clin d'œil plein de promesses. Ça me donnerait le temps de compléter mon trousseau, d'avoir un peu plus d'économies à la banque, de trouver un sous-locataire et de t'aider à faire un bon ménage de la maison.

– Et notre voyage de noces?

– On s'offrira quelques jours dans le Nord, ce sera bien assez.

– Pour les fiançailles?

– On fera quelque chose de simple et il est pas question d'une bague coûteuse. On va avoir besoin de notre argent pour payer la ferme.

***

518

Au même moment, Pierre Bergeron, sa femme et son fils regardaient le soleil se coucher, assis sur le balcon de leur maison du rang Sainte-Anne. Après une dure journée au soleil, à couper et à transporter le foin, ils goûtaient un repos bien mérité.

Ces gens habituellement peu bavards sentaient, ce soir-là, le besoin de communiquer ce qu'ils ressentaient. La vente de la ferme familiale allait entraîner des changements importants dans leur vie.

– Ça va me manquer en petit Jésus, fit Pierre en montrant les champs de l'autre côté de la route et la ferme Lequerré, plus loin, à sa gauche. Ça fait presque soixante-dix ans que les Bergeron vivent ici.

– C'est vrai ce que tu dis, Pierre, approuva sa femme, mais pense que c'est tout de même pas un étranger qui s'en vient vivre dans ta maison et sur ta terre. C'est un autre Bergeron, le garçon de ton cousin.

– Je le sais ben, mais ça va être dur de tout laisser en arrière de nous autres et de prendre le chemin.

– Voyons, p'pa, vous allez pas ben loin, le corrigea Frédéric. Vous venez rester au village, dans ma maison. C'est pas comme si vous vous en alliez rester à Drummondville dans une maison pour les vieux. Vous êtes pas vieux, à part ça. Si vous voulez absolument continuer à travailler, inquiétez-vous pas, j'ai en masse de l'ouvrage pour vous.

– Ton père s'inquiète parce qu'il est comme tous les hommes. Il aime pas faire changer ses petites habitudes,

519

fit Diane en donnant une petite tape sur le bras de son mari. Tu sauras, mon garçon, que nous autres, les femmes, on est pas mal plus solides que ça. Trois jours après être entrée dans ta maison, ajouta-t-elle en s'adressant à son fils, je vais me sentir chez nous.

— Vous autres, les femmes, comme tu dis, vous avez pas de cœur, déclara Pierre. On dirait que rien vous dérange. Vous vous attachez à rien. On a passé notre vie ici.

Frédéric écoutait affectueusement ses parents se chamailler sans intervenir. Cela arrivait si souvent qu'il savait à l'avance qui aurait le dernier mot.

— C'est là que tu te trompes, Pierre Bergeron. Il me reste deux mois pour faire mon deuil de notre terre et je vais le faire. Mais j'ai pas l'intention de me lamenter ou de me promener la larme à l'œil pendant tout ce temps-là. La vie est assez courte sans qu'on commence à se mettre à l'envers parce qu'on vend. On sera pas morts. Pour la première fois de notre vie, on va pouvoir se payer des vacances et respirer un peu. Tu trouves pas qu'on l'a ben mérité. Je pense qu'il faut pas attendre d'être malades ou d'être trop vieux pour commencer à vivre et profiter du vieux gagné.

— O.K., t'as peut-être raison, concéda Pierre.

— Bon, je pense que je vais y aller, fit Frédéric en se levant. S'il fait beau demain, on devrait être capables de finir les foins, non ?

— On a une bonne chance d'y arriver, dit Pierre.

Frédéric embrassa sa mère et monta à bord de sa camionnette. Le quadragénaire était impatient d'aller parler quelques minutes avec la propriétaire du vieux presbytère. Johanne Therrien lui avait fait promettre de venir passer une heure en sa compagnie après sa journée de travail.

Chapitre 28

Le temps des changements

Les habitants du village de Saint-Anselme profitaient de la fraîcheur toute relative de ce début de soirée de la mi-juillet. Le soleil baissait lentement à l'horizon, mais la brise attendue ne venait pas. De temps à autre, le bruit d'une tondeuse était couvert par celui d'une voiture ou d'un camion passant sur la rue Principale.

Dans l'allée asphaltée conduisant à la maison de Céline Lacombe construite en face de l'église, il y eut un «clac!» sonore suivi d'un juron.

– Qu'est-ce qu'il y a, André, demanda la veuve en se tournant vers André Marcotte qui finissait de laver sa nouvelle Avalon noire.

Le sexagénaire lança son chiffon mouillé dans la chaudière et ferma doucement la porte de sa voiture neuve.

– Encore ces maudits maringouins! se plaignit André en se tournant vers son amie confortablement installée dans une des chaises de jardin placées face à la rivière qui coulait en contrebas, au bout de son terrain.

Céline Lacombe eut un regard affectueux à l'adresse de l'homme qui partageait sa vie depuis quelques mois.

– C'est drôle que ton grand-père endure pas plus que ça les bibittes, dit Céline à la petite Corinne assise à ses côtés. Je pensais que les cultivateurs avaient la couenne plus épaisse que ça.

– Tu sauras, Céline Lacombe, que les maringouins du rang Sainte-Anne savent vivre, eux autres. Ils piquent; ils emportent pas le morceau, répliqua André Marcotte en se grattant furieusement le cou constellé de plusieurs piqûres de moustiques.

La fillette de huit ans eut un petit rire de gorge en entendant l'amie de son grand-père s'en moquer gentiment.

– C'est ça, ris de moi, toi, fit André en venant les rejoindre. En tout cas, tout est prêt pour demain matin. Après le déjeuner, on part… si vous êtes fines toutes les deux.

– On va l'être, promit Corinne en jetant un coup d'œil à Céline qu'elle considérait comme la grand-mère qu'elle n'avait pas connue.

– Il est presque neuf heures, dit Céline à Corinne. Je pense qu'il serait temps que t'ailles prendre une douche et te coucher. J'ai déjà fait ton lit sur le divan de ma salle de couture. Tu peux lire un peu avant de dormir, ma chouette, mais éteins pas ta lumière trop tard. Demain, on part de bonne heure.

Sans rechigner, la fillette se leva, embrassa Céline et son grand-père et elle entra dans la maison par la porte arrière.

Les deux adultes gardèrent le silence durant un court moment. Puis Céline reprit la parole.

– Les valises sont prêtes. On n'aura qu'à les mettre dans l'auto demain matin. Comment te sens-tu?

– C'est drôle, mais j'ai hâte de partir. Ça fait au moins vingt ans que j'ai pas pris de vraies vacances, et encore, c'était en hiver. Je suis allé quatre fois en Floride, toujours dans le même condo, à Hollywood.

– T'es pas tout seul à avoir hâte, répliqua Céline. Sais-tu que ça fait presque cinq ans que j'ai pas fait de voyage. La dernière fois, c'était pour aller voir ma fille en Californie.

– Je pense que ça va être spécial de voyager avec la petite, ajouta André.

– Quand t'as offert à Pascal et à Lucie de l'amener faire le tour des provinces maritimes avec nous autres, t'aurais dû voir comment ses yeux brillaient. Il aurait pas fallu qu'ils refusent.

Un air de profonde satisfaction s'épanouit sur le large visage d'André qui étendit confortablement ses jambes devant lui.

De son côté, Céline Lacombe eut un mince sourire. Depuis quelques semaines, elle avait fait largement la preuve qu'elle savait manipuler son compagnon.

Une quinzaine de jours auparavant, elle était parvenue à convaincre son André d'acheter une nouvelle voiture moins encombrante que son énorme Buick grise 1990. Le sexagénaire économe s'était fait tirer l'oreille avant de se décider à aller voir les nouveaux modèles de voitures en vente chez divers concessionnaires de Drummondville.

Chez Toyota, Céline était tombée en amour avec une Avalon noire.

– Elle te plaît? avait demandé André.

– Oui, mais c'est pas pour moi, c'est pour toi, avait-elle répondu. Moi, j'ai encore ma vieille Pontiac qui me suffit amplement pour me déplacer.

André avait examiné avec soin la voiture japonaise. Si sa sellerie en cuir beige et le volume de son coffre arrière lui avaient plu, sa taille moyenne, par contre, ne l'avait guère enchanté.

– Elle est pas mal petite, avait-il fait à l'adresse de Céline.

– Voyons, André, t'as pas besoin d'avoir un char d'assaut. Aujourd'hui, il y a que les pépères qui conduisent les grosses bagnoles américaines.

Finalement, André Marcotte s'était approché de l'étiquette collée sur la glace de la voiture pour consulter le prix exigé. Il avait eu un violent sursaut.

– As-tu vu le prix qu'ils demandent? avait-il dit d'une voix indignée. Trente-huit mille piastres pour ça. Aïe! On rit pas. C'est une fois et demie ce que j'ai payé pour ma Buick.

– Il y a dix ans, André, avait répliqué Céline en retenant difficilement un sourire.

Sur ce, un vendeur s'était approché d'eux. André avait alors déversé un peu de sa mauvaise humeur sur lui.

– Il doit y avoir une erreur, lui avait-il dit en montrant l'étiquette. Trente-huit mille piastres pour cette petite affaire-là… C'est pas tout le garage que je veux acheter, c'est juste un char.

Le vendeur lui avait fait l'article pendant que Céline s'était éloignée pour examiner d'autres modèles dans la salle d'exposition.

Moins d'une heure plus tard, le sexagénaire avait signé le contrat d'achat et il avait été tout fier de se vanter à sa compagne d'avoir obtenu un rabais inté-ressant.

La veuve avait démontré beaucoup d'habileté sur le chemin du retour quand André Marcotte, le premier enthousiasme passé, avait commencé à exprimer quelques remords d'avoir dépensé autant d'argent pour l'achat d'une voiture. Elle avait su taire ses regrets en lui disant: «T'as travaillé toute ta vie sans jamais te payer rien. Tu trouves pas qu'il est temps que tu te gâtes un peu? T'as les moyens de te payer ça, pourquoi te priver? Vis un peu en pensant à toi.». Ces paroles eurent le mérite d'étouffer dans l'œuf la mauvaise conscience du sexagénaire.

Moins d'une semaine plus tard, Céline avait décidé de battre le fer pendant qu'il était chaud. Elle désirait qu'il garde l'habitude de dépenser un peu pour son plaisir. À l'aide de quelques allusions à peine voilées, elle avait habilement suggéré à son compagnon l'idée d'étrenner son Avalon en visitant les provinces maritimes. Elle l'avait fait de telle manière qu'André avait fini par croire que le projet venait de lui, au même titre que l'idée d'amener avec eux la petite Corinne.

– Pourquoi pas? Ça lui ferait un bon souvenir de son grand-père plus tard, avait dit Céline.

– Sans parler qu'elle pourrait se sauver des petites crises de sa mère pendant deux semaines, avait ajouté André en songeant aux sautes d'humeur de plus en plus nombreuses de Lucie dont la seconde grossesse était beaucoup plus difficile que la première.

En tout cas, Pascal et sa femme n'avaient pas songé un seul instant à refuser à leur fille la permission d'effectuer ce beau voyage. C'était d'ailleurs pourquoi André avait ramené sa petite-fille à la maison de Céline ce soir-là, après avoir travaillé toute la journée sur la ferme du rang Sainte-Anne.

La veille, Céline avait passé une grande partie de la journée aux côtés de Lucie autant pour l'aider à faire les bagages de sa fille que pour arracher avec elle les mauvaises herbes de son jardin.

– Et si nous entrions, nous aussi? proposa Céline. Il commence à faire sombre et ça va être pire pour les maringouins.

– Bonne idée, dit André. On va ranger les chaises dans le cabanon avant d'entrer. Ça sera ça de moins à faire demain matin avant de partir.

Au moment où ils faisaient tous les deux le tour de la maison pour entrer par la porte avant, ils virent Frédéric Bergeron traverser la rue Principale et se diriger vers l'ancien presbytère situé en face. Johanne Therrien était assise dans l'une des nombreuses chaises berçantes disposées sur le balcon de l'imposant édifice.

— Tiens! Voilà Roméo qui s'en va faire la cour, dit André, à voix basse, sans méchanceté.

— Chut! le réprimanda Céline en lui serrant le bras. Dis pas ça. C'est un bon diable. C'est pas de sa faute s'il est gêné. Depuis que j'aide Johanne quand elle a des clients, tu devrais entendre ce qu'elle dit de lui. Si c'est pas de l'amour, je sais pas ce que c'est.

— Même si elle est grande et grosse, c'est une belle femme, convint André Marcotte. Il se rend pas compte de rien, l'autre innocent?

— Ça a pas l'air. Mais compte sur Johanne pour le réveiller. J'ai l'impression qu'elle attendra pas une éternité pour lui mettre les points sur les «i». En tout cas, c'est rendu qu'elle l'invite deux ou trois soirs par semaine à venir veiller avec elle et elle le gâte, je t'en passe un papier. S'il engraisse pas avec tout le sucre à la crème, le fudge et les gâteaux qu'elle lui prépare, c'est une cause perdue.

Sur ces mots, les deux sexagénaires entrèrent sans bruit dans la maison pour ne pas réveiller Corinne qui devait déjà dormir en rêvant au beau voyage qui débuterait le lendemain matin.

***

Quelques centaines de mètres plus loin, de l'autre côté de la rue Principale, le léger grincement d'une balançoire ponctuait trois voix d'hommes qui se balançaient doucement sur la pelouse du Petit Foyer en profitant de la tombée du jour.

– T'as pas encore arrêté de fumer, mon Richard, fit Adrien Beaulieu à Richard Miron, qui venait d'inviter l'ex-maire, qui passait devant le Petit Foyer, à se joindre à lui et à son ami Gilles Gagné.

– Non et je te dis que j'ai du mérite. Même ma femme s'est laissé prendre par toute la maudite publicité contre les fumeurs. Elle m'oblige, à cette heure, à aller fumer dehors. L'été, ça peut toujours aller, mais l'hiver… Ça a l'air de rien ; mais pour fumer, ça va finir par prendre de la santé. Je sens que j'ai ben plus de chance de mourir d'une pneumonie que d'un cancer du poumon.

– En tout cas, moi, fit le grand Gilles Gagné, moqueur, je t'encourage à fumer encore plus. Il en faut des comme toi pour payer le Stade olympique.

– Si t'as pas peur du cancer, c'est tant mieux, ajouta Adrien Beaulieu.

– Il le sait, fit Gilles. Il y a des beaux messages en couleurs sur les paquets de cigarettes à cette heure. Ceux qui fument savent ce qui va leur arriver.

– Inquiète-toi pas avec ça, le grand, répliqua Richard Miron. j'achète juste les paquets de cigarettes où c'est marqué que ça nuit à la grossesse.

– Pourquoi t'arrêtes pas ? demanda Adrien Beaulieu, redevenu sérieux.

— Torrieu! jura Richard. Ça fait dix fois que j'essaye et au bout de deux jours, je deviens fou à attacher... En tout cas, à soir, vous devriez me remercier, ça chasse les maringouins. C'est grâce à moi que vous vous faites pas piquer.

Les trois hommes se turent un instant.

— Où sont passés vos femmes? demanda Adrien, pour changer de sujet de conversation.

— Au bingo, fit Gilles. Elles ont amené Pierrette Marcotte avec elles. C'est notre soirée de congé.

— Vous avez remarqué? demanda Gilles Gagné en pointant l'autre côté de la rue.

— Tu veux parler du barrage? demanda Beaulieu. Beau dommage! C'est sûr que tout le monde a remarqué que les trucks ont recommencé à aller sur le terrain aujourd'hui et que les ouvriers sont revenus travailler.

— Tu sais pourquoi?

— Ben, ils ont l'air à continuer la construction de la centrale et...

— Non, non, c'est pas ça, l'interrompit Gagné. Il paraît que le barrage a été vendu à une compagnie de l'Alberta parce que la Beaver a été mise en faillite. Je suis allé fouiner cet après-midi. Ils installaient un nouveau panneau à l'entrée. La nouvelle compagnie, c'est la Mellow.

— La Mellow! Ça me dit rien ce nom-là, dit Beaulieu. J'ai jamais entendu ce nom-là nulle part.

– Si ça se trouve, ajouta Miron, c'est une autre compagnie de broche à foin, comme la Beaver.

– En tout cas, j'aimerais ben savoir si Clément Leroux et Geneviève Biron ont été remboursés par la nouvelle compagnie, conclut Gilles Gagné.

***

Au même moment, Geneviève Biron et Luc Patenaude étaient allongés en maillot de bain sur des matelas pneumatiques qui flottaient sur l'eau turquoise de la piscine de la femme d'affaires, derrière sa maison du rang Saint-Louis. Ils se détendaient après une longue journée de travail.

– Une chance qu'on est loin des voisins, dit Geneviève sur un ton aguicheur.

– Pourquoi? On fait rien de mal, répliqua le maire en repoussant son matelas qui venait de heurter le bord de la piscine.

– Tu sais comment sont les gens, précisa Geneviève. Un veuf avec une célibataire, seuls, à moitié nus… Tu imagines ce qu'ils diraient s'ils nous voyaient.

– Je vais te dire bien franchement, dit Luc en se soulevant sur un coude, j'en suis rendu que je me fiche complètement de ce qu'on peut dire sur mon compte.

– Qu'est-ce qu'il se passe? demanda Geneviève en adoptant la pause de son amant. Je te reconnais pas.

– On dirait que tout va de travers depuis un mois.

531

– Comment ça?

– La direction générale des caisses a l'air de tenir à son idée de nous fusionner de force avec Saint-Cyrille. J'ai encore reçu une convocation à une réunion qui va porter là-dessus, la semaine prochaine.

– Ça, tu y peux rien. Pourquoi tu t'en fais? De toute façon, ils vont te garder comme gérant.

– Je suis pas sûr de ça. Disons que ça regarde mal. En plus, il y a Vanasse. Lui, il m'énerve en pas pour rire.

– Qu'est-ce qu'il a encore fait, le Bertrand?

– Il a commencé à nettoyer sa terre juste avant que l'inspecteur du ministère de l'Environnement décide d'envoyer de la machinerie pour faire l'ouvrage qu'il se décidait pas à faire. Mais aussitôt que le bonhomme a tourné les talons, il a tout arrêté. Il s'amuse à jouer au chat et à la souris avec nous autres. Au rythme où il va, il en a pour dix ans avant d'avoir tout vidé. C'est clair qu'il rit de nous autres. Il y a des voisins qui m'ont dit qu'il y avait presque rien qui sortait de là. Pour faire croire qu'il nettoie, il empile plus haut des carcasses et il dégage de cette façon-là un bout de terrain.

– Qu'est-ce que tu vas faire?

– J'ai pas le choix. Demain, je vais être obligé d'aller le voir encore une fois pour le prévenir qu'on a compris son manège. S'il veut rien savoir, je vais le menacer de faire venir Georges Lessard. Je pense qu'il a peur de lui.

– Je te dis que si j'étais le maire, moi, j'irais te le brasser, le Bertrand Vanasse, affirma Geneviève, l'air mauvais, en descendant du matelas pneumatique pour se tremper quelques instants dans l'eau tiède de sa piscine.

– Comme si c'était pas assez, voilà que le père Riopel me lâche plus, reprit Luc quand Geneviève refit surface.

– Quel Riopel?

– Alain Riopel, celui dont la maison a été inondée le printemps passé.

– Qu'est-ce qu'il veut?

– Il voudrait que la municipalité abandonne tous les autres dossiers pour s'occuper juste des réclamations de son association de sinistrés.

– Comment ça?

– Tu sais que les assurances ont pas voulu payer les dommages causés aux maisons et aux chalets du Carrefour des jeunes.

– Oui.

– Bon. Le père Riopel a réuni les sinistrés et il a formé une association. Il est leur représentant. Il a essayé de faire cracher la Beaver, mais la saisie a fait qu'il a rien eu.

– Comme moi, comme Clément Leroux, comme tous ceux à qui elle devait de l'argent, ajouta amèrement la propriétaire du Rona.

– Oui, mais toi, tu peux pas demander à Québec de te dédommager. Depuis que la Beaver est disparue du portrait, Riopel s'est mis dans la tête que je serais son sauveur. Il me téléphone ou vient me voir deux fois par semaine pour savoir où en est rendu son dossier de

533

réclamations. J'ai eu beau lui expliquer cent fois que ça prend du temps au gouvernement pour bouger et que le dossier vient à peine de quitter le bureau du député du comté, on dirait qu'il comprend rien.

— Penses-tu qu'il va être dédommagé, au moins ?

— D'après les responsables de la MRC, il va y avoir juste une solution possible et elle plaira pas à personne.

— Quelle solution ? demanda Geneviève qui sortit de la piscine pour aller se sécher avec une épaisse serviette blanche laissée sur une chaise longue.

— Il paraît que la réponse du gouvernement dans des cas semblables est toujours pareille. On va proposer aux propriétaires de déclarer leur secteur zone inondable et, en échange de leur acceptation, on va leur verser une petite compensation.

— Ce sera toujours mieux que rien.

— C'est ce que tu t'imagines, rétorqua Luc en sortant à son tour de la piscine. As-tu pensé que si les propriétaires acceptent, ils vont perdre non seulement le droit de construire quoi que ce soit sur leur terrain ; mais encore, ils pourront pratiquement plus jamais vendre leur propriété ? Qui voudrait d'une maison sur un terrain inondable ?

— Aïe ! Ça va crier fort, ajouta Geneviève, sérieuse.

— Je te le fais pas dire. En plus, voilà qu'on recommence à parler de fusion. J'ai pas assez de la caisse, il y a des

534

fonctionnaires du gouvernement qui aimeraient qu'on fusionne avec Saint-Cyrille. Là, je suis pas tout seul à être contre. J'ai pas besoin de te dire que le maire de Saint-Cyrille veut pas en entendre parler; il nous trouve trop pauvres pour sa municipalité. Pour lui, deux pauvres qui se marient font pas un couple riche, comme a l'air de le penser le gouvernement.

– Pauvre Luc, fit Geneviève.

– En tout cas, c'est pas ce que j'appelle un été calme et reposant.

– Viens t'asseoir à côté de moi, offrit son amie en s'assoyant sur la banquette en bois qui ceinturait le patio. Le soleil est en train de se coucher et on va essayer d'oublier tout ça jusqu'à demain matin.

***

Une semaine plus tard, la température était demeurée inchangée. Juillet tenait ses promesses. Depuis le début du mois, le soleil était au rendez-vous. Le mercure oscillait entre 27 et 30 °C dès le milieu de l'avant-midi et il fallait attendre le crépuscule pour qu'une brise timide vienne rafraîchir l'air. Parfois, une petite pluie fine se mettait à tomber au milieu de la nuit, mais au matin, les rayons du soleil avaient tôt fait de tout assécher. Tout le monde avait des raisons de se réjouir d'un aussi beau début d'été.

Chez les Riopel, comme chez les Bergeron, l'heure était au bilan de la saison des fraises. On ne se souvenait pas d'avoir connu une récolte de fraises aussi profitable.

Depuis maintenant vingt ans, l'entente entre les deux familles se maintenait. Les deux producteurs de fraises continuaient, bon an, mal an, à cultiver ensemble, à engager des cueilleurs et à permettre la cueillette libre. Tout était mis en commun: la table au marché de Drummondville comme la comptabilité. Jocelyne, Nicole et Brigitte n'avaient jamais cessé de pousser dans le dos de leur mari pour qu'ils développent au maximum cette culture. Elles y consacraient elles-mêmes beaucoup d'énergie, au point de négliger quelque peu leur grand jardin durant la saison de ce petit fruit rouge.

Quand Sylvain, le fils de Richard, avait raconté à Cyrille et à Marc Riopel qu'il allait être leur prochain voisin, tous les deux s'étaient empressés de le féliciter.

– C'est de valeur que le cousin de ton père ait vendu toutes ses bêtes et son quota; tu vas être obligé de recommencer à zéro, avait dit Marc.

– Non, c'est une bonne affaire plutôt. Moi, j'ai jamais voulu avoir des vaches. Il y a déjà celles du père à soigner et c'est ben assez. Non. Je vais me lancer dans la culture.

– Et t'as l'intention de cultiver quoi? avait demandé Cyrille Riopel, curieux.

– Je me suis renseigné. Le soja se vend bien depuis quelques années. Je pense que ça va être parfait. Oubliez pas que je suis pas tout seul dans l'affaire. Mon père et mon amie ont aussi leur mot à dire.

Les trois hommes, debout dans la cour des Riopel, jetèrent un coup d'œil avec un bel ensemble vers le champ qui s'étendait devant eux, de l'autre côté de la route. On avait justement planté du soja dans ce grand champ appartenant aux Marcotte. À voir la taille des plants, le sol avait l'air de convenir à cette culture.

— Planter du soja doit pas être si mauvais si les Marcotte i'ont fait, dit Marc en souriant.

— Ton père t'a pas parlé des fraises? lui avait demandé Cyrille. Pourtant, ça fait assez longtemps que tu travailles dans les fraises pour savoir qu'on peut faire des bonnes années comme cette année.

— Ça, je le sais, avait rétorqué Sylvain. C'est sûr que ce serait intéressant que je me mette avec vous autres pour en cultiver l'année prochaine, mais je voudrais pas vous nuire, non plus.

— Ben non, il y a pas de danger, avait répliqué Marc. On est ben prêts à prendre un autre partenaire. Pas vrai, p'pa?

— C'est sûr, avait répondu Cyrille. Ton père a eu, lui aussi, cette idée. Je suis certain qu'il va t'en parler.

— J'avais même pensé planter aussi des framboisiers, avait ajouté Sylvain. C'est pas mal de soin, mais, les bonnes années, il me semble que ça rapportait pas mal.

— De toute façon, avait conclu Cyrille avant de quitter les deux jeunes, si tu veux embarquer avec nous autres, on va te prendre.

— Je vous remercie, monsieur Riopel, avait répondu Sylvain. J'accepte.

Chapitre 29

Le départ de Bruno

Ce soir-là, les insectes donnaient un concert assourdissant. L'air chaud de ce premier samedi soir du mois d'août était rempli de stridulations et de bourdonnements auxquels se mêlaient les vrombissements caractéristiques des maringouins.

Même s'il était près de onze heures, Clément Leroux était encore assis sur le balcon en compagnie de Carole. La journée de travail avait été chaude, longue et épuisante. Ils n'avaient fini de décharger la dernière voiture à foin qu'un peu après huit heures. Après avoir pris une bonne douche, ils n'avaient eu qu'une idée: venir prendre le frais sur le balcon après le coucher du soleil.

Quelques minutes avant, Aurore, qui avait célébré son soixante-neuvième anniversaire de naissance deux jours auparavant, était rentrée avec son mari dans l'intention de se mettre au lit. Le vieux Bruno semblait mal supporter la chaleur humide et il avait été particulièrement agité toute la soirée. Épuisée par l'attention constante que demandait l'état de son mari, elle avait préféré rentrer pour aller se reposer.

– En as-tu encore pour longtemps dans l'étable? demanda Carole à son mari.

– Je pense avoir fini dans deux jours, affirma Clément. Et il est temps. Refaire tout le filage électrique dans une vieille bâtisse comme ça, c'est long et ça finit par coûter cher. Je veux ben croire que j'ai arrêté pour aider aux foins, mais j'ai tout de même commencé le job durant le congé de la construction.

– T'avais pas le choix, non?

– Non. On risquait de mettre le feu n'importe quand. Il y avait des grands bouts de fil tout carbonisés parce qu'ils avaient surchauffé. J'ai pas besoin de te faire un dessin pour te faire comprendre ce qui aurait fini par arriver si une étincelle était tombée dans le foin. Cette étable-là a été bâtie il y a presque cent ans.

Il y eut un court silence avant que Carole ne reprenne la parole.

– Mathieu est pas encore rentré. J'aime pas ça le voir traîner avec le petit Cormier. Ça m'a l'air de toute une tête folle, celui-là.

– Inquiète-toi pas pour lui; il est pas encore minuit et il est parti à neuf heures. Le petit Cormier était tellement fier d'étrenner la vieille Jeep qu'il vient d'acheter.

– Justement, il m'a l'air de conduire en fou, rétorqua Carole. Si j'avais pas été en train de prendre ma douche quand il est venu, j'aurais dit à Mathieu de rester ici.

– Voyons, Carole. Notre gars va avoir dix-sept ans dans un mois. Tu peux tout de même pas le garder sous tes jupes jusqu'à la fin de ses jours. Cet été, il travaille fort avec Marco et Laurent Giroux. Il faut ben qu'il se change un peu les idées.

– Ça fait rien, j'aime pas ça. Partir à neuf heures, en plus.

– C'est les jeunes d'aujourd'hui. Ils partent veiller à l'heure où nous autres, on commençait à penser à rentrer avant que le futur beau-père nous sacre dehors.

Carole eut un petit rire qui fit légèrement trembler son double menton.

– Julien m'a dit que sa Anne était pas un cadeau, elle non plus, reprit Carole. Il paraît qu'elle le fait enrager depuis un an. À dix-sept ans, mademoiselle veut rentrer à l'heure qui lui plaît. Karine m'a dit que Julien avait souvent été obligé de s'habiller à deux heures du matin pour aller la chercher chez des amis. Il a beau la chicaner, la punir, elle fait à sa tête. En tout cas, c'est une conso- lation pour nous autres. Mon frère a beau enseigner aux jeunes depuis vingt ans, ça a tout l'air qu'il a encore plus de problèmes avec sa fille que nous autres avec nos gars.

– C'est sûr qu'à cet âge-là, ils sont essoufflants, dit Clément. On en sait quelque chose. Les deux nôtres ont pas toujours été des anges et, c'est loin d'être fini… Je pense qu'à notre âge, on n'a plus la patience pour les endurer. Leurs niaiseries nous font faire des cheveux blancs.

– Le pire, ajouta Carole, c'est qu'il paraît que les jeunes veulent plus partir de la maison. Ils sont ben avec leur père et leur mère qui les font vivre. Il y en a qui restent jusqu'après trente ans. Si ça a de l'allure! Il me semble qu'on devrait faire comme les oiseaux font avec leurs petits. Quand les enfants sont rendus à un certain âge, on devrait les pousser en dehors du nid. Je trouve pas ça correct pantoute cette affaire-là. C'est pas leur rendre service que de les garder aussi longtemps à la maison. C'est pas comme ça qu'ils vont apprendre à se débrouiller dans la vie.

— Je te ferai remarquer que c'est ce que Marco veut faire, fit Clément à voix basse, sans méchanceté.

— C'est pas la même chose, protesta Carole. Marco est intéressé à reprendre la ferme de p'pa et à continuer à cultiver. Il va travailler. Il se fera pas vivre par nous autres.

— Je le sais, je disais ça pour…

Brusquement, il y eut plusieurs chocs sourds suivis d'un cri étouffé venant de la maison.

— Marco écoute donc la télévision fort, protesta Carole en tournant la tête vers la porte.

Clément allait répliquer quand leur fils apparut à la porte.

— Qu'est-ce qui se passe? demanda le jeune homme à travers la porte moustiquaire.

— Baisse le son de la télévision, lui commanda sa mère sans élever la voix. Tu vas réveiller ton grand-père et ta grand-mère.

– C'est pas la télé, protesta l'adolescent. Elle est éteinte depuis une demi-heure. Je joue sur l'ordinateur.

Les trois personnes eurent la même pensée en même temps. Clément et sa femme se levèrent brusquement et se précipitèrent à l'intérieur, suivis de près par Marco. La porte moustiquaire claqua dans leur dos et ils montèrent précipitamment l'escalier. Ils s'arrêtèrent devant la porte de la chambre à coucher des parents de Carole.

La quadragénaire frappa discrètement à la porte.

– M'man, m'man! êtes-vous correcte?

Tous les trois tendirent l'oreille. Ils entendirent la voix furieuse de Bruno Lequerré puis une plainte étouffée.

Sans perdre un instant, Clément ouvrit la porte de la chambre de ses beaux-parents.

L'électricien comprit immédiatement ce qui venait de se passer en voyant l'état de la chambre à coucher. L'une des lampes de chevet avait été projetée dans un coin de la pièce. Les couvertures et les oreillers étaient éparpillés sur le sol. Tous les tiroirs de la commode gisaient pêle-mêle sur le sol. Debout au pied du lit, les yeux fous et la tête hirsute, Bruno Lequerré vociférait des paroles inintelligibles en secouant sa femme qu'il tenait par un bras. Perdu dans son monde, le septuagénaire n'avait même pas remarqué l'irruption des trois personnes dans la pièce.

Aurore tentait de raisonner le pauvre malade, mais il était évident qu'elle était au bord de la panique. La marque rouge qu'elle arborait sur le côté droit du visage disait assez la violence de la crise de son mari.

Carole fit un mouvement pour se précipiter à l'aide de sa mère, mais Clément étendit le bras pour la retenir.

— Attends, lui dit-il à mi-voix, Marco et moi, on va s'en occuper.

Puis, se tournant vers Marco, indécis quant aux gestes à poser, Clément lui dit:

— Fais pas de gestes brusques. Il faut pas lui faire peur. Il sait pas ce qu'il fait. Approche-toi de lui doucement, comme moi.

— Comment ça va, monsieur Lequerré? Êtes-vous de bonne humeur? demanda Clément en s'approchant.

Le malade ne lui accorda pas la moindre attention.

— Est-ce qu'on va aller voir vos vignes? Il me semble que le raisin est pas mal prêt.

Le mot «raisin» sembla faire naître une vague lueur de compréhension dans les yeux de Bruno Lequerré et il cessa durant un moment de secouer Aurore. Clément et son fils en profitèrent pour saisir le bras de Bruno et lui faire lâcher prise.

Après avoir résisté un instant, le vieillard semble se désintéresser complètement de ce qui se passait autour de lui et il se laissa tomber sur l'unique chaise de la chambre.

Clément et son fils ne le quittaient pas des yeux.

543

– Où sont ses calmants? demanda-t-il à sa belle-mère.

– Il en a déjà pris, précisa Aurore.

– Il va en prendre d'autres, je vous le garantis, l'assura Clément, sujet à l'une de ses rares colères. Où est-ce qu'ils sont?

– Dans le tiroir de la table de nuit.

Marco s'avança et alla chercher la petite bouteille en plastique contenant encore une dizaine de pilules.

– Vous lui en donnez combien à la fois, madame Lequerré?

– Deux.

– Marco, va me chercher un verre d'eau. Ton grand-père va en prendre deux autres. Ça va le calmer. Carole, amène ta mère en bas. Je pense qu'il va falloir se parler.

Pendant tout cet échange, Bruno ne bougea pas de sa chaise, se contentant de fixer d'un regard vide le rectangle noir de la fenêtre.

Quand Marco revint avec le verre d'eau, Clément le tendit au vieillard et lui fit avaler sans aucune difficulté les deux pilules. Tout semblait indiquer que la crise était passée.

Avec l'aide de son fils, il conduisit le vieil homme jusqu'à son lit et il le fit se coucher. Après l'avoir couvert d'une couverture légère, Clément se tourna vers Marco.

– Es-tu capable de t'occuper de ton grand-père jusqu'à ce qu'il s'endorme ? Je pense que ça prendra pas plus que cinq minutes.

– Pas de problème, p'pa, fit le jeune homme en tirant vers lui la chaise après avoir ramassé la lampe de chevet. Si ça vous fait rien, vous pourriez éteindre la lumière et laisser juste la porte ouverte.

– O.K., fit Clément en quittant la pièce.

Clément Leroux descendit l'escalier en s'essuyant le front. Le quadragénaire rejoignit sa femme et sa belle-mère assises tristement de part et d'autre de la table de cuisine, devant une tasse de thé. Il prit le temps de se préparer une tasse de café soluble avant de s'asseoir à son tour.

– Bon, dit-il d'entrée de jeu, ça peut plus continuer comme ça !

– C'est juste une crise, Clément, protesta faiblement Aurore.

– Ça sert à rien de se mettre la tête dans le sable, madame Lequerré. Votre mari est rendu incontrôlable. Tant que c'était juste des promenades dans la maison durant la nuit ou qu'il se parlait tout seul, ça pouvait aller. À nous cinq, on pouvait s'arranger. Mais là, c'est rendu qu'il vous frappe et on attendra pas qu'il vous tue pour s'en occuper.

– On pourrait peut-être encore le garder un petit bout de temps…

Clément regarda Carole pour qu'elle intervienne.

– M'man, Clément a raison. Vous savez que j'aime p'pa et que j'ai tout fait pour en prendre soin depuis l'automne passé, quand il s'est sauvé la première fois. Mais là, c'est rendu invivable. On peut pas continuer à vivre comme ça. Il a besoin de soins qu'on n'est pas capables de lui donner. Sans compter qu'il va finir par lui arriver un accident et ce sera notre faute parce qu'on peut pas le surveiller vingt-quatre heures sur vingt-quatre. Une bonne fois, il va nous échapper.

Les larmes se mirent à couler sur les joues d'Aurore, acculée à une décision déchirante qu'elle n'aurait jamais voulu avoir à prendre. Se séparer de son vieux compagnon après plus de quarante ans de vie commune l'anéantissait.

– Écoutez, belle-mère, reprit Clément plus doucement. Votre mari est pas mort. On va seulement lui trouver un endroit où il sera en sécurité et bien traité.

– Il sera pas trop loin, m'man, ajouta Carole pour la consoler. On va pouvoir aller le voir aussi souvent que vous le voudrez, même s'il nous reconnaît plus. C'est triste, la maladie d'Alzheimer, m'man; mais c'est tout de même moins pire qu'un cancer.

– Sans parler qu'il faut se rappeler que lui, il se rend plus compte de rien. Il souffre pas, madame Lequerré, ajouta l'électricien. À cette heure, c'est de vous qu'il faut prendre soin. Ça serait pas lui rendre service si vous vous rendez malade à force d'en prendre soin.

Aurore secoua la tête et s'essuya les yeux avec un mouchoir qu'elle avait tiré d'une manche de sa robe de nuit.

– Bon, où est-ce que vous voulez l'envoyer?

– On n'a pas le choix, m'man, à Sainte-Croix.

– Quand? Demain matin?

– Je pense pas que ce soit une bonne idée, intervint Clément Leroux. Si on veut qu'ils lui trouvent vite une place, il va falloir le faire passer par l'urgence. Si on fait pas ça, ça va prendre des mois avant de lui trouver une place dans une institution.

– Ça veut dire quoi? demanda Aurore.

– Ça veut dire que le mieux est de faire venir l'ambulance pendant qu'il est endormi. Il se rendra même pas compte qu'on le change de place.

– Une ambulance! protesta la vieille dame.

– Mais c'est pas une honte, m'man. P'pa est malade et il a droit d'être transporté. Quand un patient arrive en ambulance à l'hôpital, ils s'en occupent plus vite.

– Surtout, ajouta Clément pour clore la discussion, que ce serait peut-être dangereux de le conduire nous-mêmes demain. S'il commençait à se débattre dans le char, on sait pas ce qui pourrait arriver. De toute façon, on le laisse pas partir tout seul. On va suivre l'ambulance et on va être là quand il va arriver là-bas.

Après avoir entendu ce dernier argument, Aurore rendit les armes. Pendant que Clément demandait une ambulance d'Urgences-Santé, Carole et sa mère préparèrent rapidement une petite valise pour Bruno avant de s'habiller pour aller à l'hôpital.

Moins d'une demi-heure plus tard, l'ambulance jaune d'Urgences-Santé s'immobilisait devant la porte de côté de la petite maison blanche. Il n'y avait eu aucune sirène pour annoncer son arrivée. Deux jeunes infirmiers efficaces en descendirent, ouvrirent les portières arrière et ils entrèrent dans la maison, chargés d'une civière. Il n'y eut pas de paroles inutiles. Ils se contentèrent de suivre Carole à l'étage. Moins de cinq minutes plus tard, ils descendirent l'escalier en portant leur civière sur laquelle Bruno, plongé dans un profond sommeil, était allongé.

– On vous suit, leur dit Clément, portant la petite valise de son beau-père.

– On fera pas de vitesse inutile, monsieur, dit l'un des ambulanciers. Ça sert à rien de prendre des risques.

– Tu restes ici, dit Carole à Marco qui venait de les suivre à l'extérieur. Tu expliqueras à Mathieu ce qui est arrivé. Attendez-nous pas pour vous coucher; on sait pas combien de temps ça va prendre pour installer ton grand-père à l'hôpital.

Les deux véhicules venaient à peine de quitter les lieux que la camionnette de Marc Riopel entrait dans la cour des Lequerré. Marc et son père en descendirent.

– Qu'est-ce qui se passe? demanda Marc à son neveu Marco, sorti sur le balcon en entendant une voiture freiner devant la maison. On a vu partir une ambulance.

– C'est grand-père.

– Qu'est-ce qu'il a? fit Cyrille.

– Il a eu une grosse crise et il a frappé grand-mère. Mon père et ma mère ont décidé d'appeler l'ambulance et de l'amener à l'hôpital.

– Ça devait ben arriver un jour ou l'autre, dit Cyrille à l'adresse de son fils. Ta grand-mère a rien, j'espère ? demanda-t-il à l'adolescent.

– Non. Elle est correcte.

– Bon, si t'as besoin de quelque chose, offrit Marc, t'as qu'à appeler à la maison. Gêne-toi pas.

Sur ces mots, les deux hommes montèrent à bord de la camionnette.

À l'hôpital Sainte-Croix, les Leroux et Aurore entrèrent à l'urgence au moment où les deux ambulanciers installaient Bruno, toujours endormi, sur une civière du département pour récupérer la leur. Il était largement passé minuit.

Il fallut attendre encore plus d'une heure avant qu'un certain docteur Lépine les fasse entrer dans une petite pièce et se penche sur le dossier du septuagénaire. Heureusement, il comprit assez rapidement ce cas de démence qui lui était présenté. Le diagnostic du neurologue qui avait examiné le patient l'automne précédent était clair.

Le praticien était un homme d'une quarantaine d'années à l'air épuisé dont l'épaisse moustache noire ne faisait pas oublier la large calvitie. L'homme était maigre et déjà voûté.

549

– Évidemment, nous allons le garder, annonça le médecin en relevant ses lunettes sur son front. À ce que je vois, vous en avez pris soin durant près de huit mois.

– Oui, depuis l'automne passé, dit Carole en jetant un coup d'œil à sa mère, assise près d'elle.

– Il est devenu un cas lourd, pas vrai ? Il a beau ne pas être responsable des accès de violence qu'il a maintenant, il représente tout de même un danger pour sa sécurité et celle des siens.

Clément fut le seul à hocher la tête. Le médecin jeta un coup d'œil à Aurore qui pleurait silencieusement, tassée sur sa chaise.

– Ne pleurez pas, madame, lui dit le docteur Lépine avec une certaine compassion. Vous avez fait tout ce qui était humainement possible de faire pour votre mari. Dites-vous que nous allons lui trouver un endroit où il recevra des soins mieux appropriés que ceux que vous pouvez lui donner. Vous ne l'abandonnez pas. Il n'est pas mort. Vous allez pouvoir aller le voir aussi souvent et aussi longtemps que vous le désirerez.

Carole tendit à sa mère un mouchoir de papier qu'elle venait de tirer de sa bourse.

– Une travailleuse sociale va vous contacter dans les prochains jours et elle va vous aider à trouver un bon endroit pour soigner monsieur Lequerré. En attendant, nos services vont le prendre en charge et s'en occuper.

Le médecin se leva, signifiant ainsi que l'entretien était terminé.

Clément, Carole et Aurore se levèrent et sortirent de la petite pièce après avoir remercié le médecin.

Avant de quitter l'urgence, Carole et sa mère allèrent embrasser sur le front le patient allongé paisiblement sur une civière autour de laquelle une infirmière avait tiré un rideau.

— Il est trois heures du matin, fit Clément en consultant ostensiblement sa montre. Il est temps qu'on aille dormir. Ici, je suis certain qu'ils vont ben s'occuper de lui.

Et il entraîna avec lui les deux femmes, épuisées par tant d'émotion.

Chapitre 30

La belle idée

Les derniers jours du mois d'août furent radieux et très chauds. On se serait cru au début de juillet tant l'air était chaud et embaumait. Partout, les jardins regorgeaient de légumes frais et les voisins s'amusaient parfois à comparer avec fierté la grosseur de leurs tomates, de leurs oignons et de leurs épis de maïs.

Si certains parents aspiraient avec une certaine impatience à voir leurs enfants retourner à l'école, ces derniers, par contre, donnaient l'impression que leurs vacances ne connaîtraient jamais de fin. Au village, on entendait des cris et des rires toute la journée dans le parc. À l'arrière de certaines maisons, des piscines familiales étaient devenues le rendez-vous préféré des amis avides de se rafraîchir et de s'amuser.

Daniel Cardin faisait des affaires d'or en vendant des cornets de crème glacée molle, tandis qu'à l'autre extrémité du village, à l'épicerie de Louis et de Marthe Gagnon, on écoulait un stock impressionnant de boissons gazeuses et de bières.

Depuis quelques jours, les habitants de Saint-Anselme faisaient des gorges chaudes à propos des

552

démêlés de Daniel Cardin avec sa nouvelle épouse, Mélanie Allaire. En tout cas, l'identité de la personne qui dirigeait le couple ne laissait place à aucun doute. Encore une fois, il était évident que l'autorité ne découlait pas de la taille de la personne.

Parfois, le restaurateur affichait un air si malheureux que le grand Gilles Gagné regrettait de ne pas avoir insisté suffisamment, l'automne précédent, quand il mettait le gros homme en garde contre le mariage.

Comme prévu, le premier samedi du mois d'avril, Daniel Cardin avait épousé celle avec qui il vivait depuis six ans. La nouvelle épouse de trente et un ans avait l'air minuscule à côté de son mari mesurant 1,82 m et pesant près de cent quarante kilos. Ses cinquante kilos et son mètre 60 n'avaient rien d'impressionnant.

À Saint-Anselme, peu de gens connaissaient bien cette fille de Sainte-Monique aux cheveux noirs et raides et au nez retroussé qui ne venait pratiquement jamais travailler au restaurant. Depuis son arrivée dans la municipalité, elle s'était contentée d'entretenir la petite maison que le couple possédait à l'extrémité du rang Sainte-Marie.

Mais tout changea après le court voyage de noces que les Cardin s'offrirent. Du jour au lendemain, les habitués du restaurant apprirent à connaître la nouvelle patronne des lieux.

Dès le premier jour, Mélanie s'installa fermement derrière le comptoir d'où elle donnait des ordres péremptoires à son gros mari. Avec elle, il n'était pas question de tourner les coins ronds. Le restaurant changea d'aspect en quelques jours. L'endroit n'avait jamais eu l'air aussi propre. Il faut dire qu'aussitôt qu'il y avait moins de clients, la nouvelle patronne trouvait un travail à son Daniel qui, le souffle court et la sueur au front, frottait et nettoyait sans relâche, du matin au soir… à la plus grande joie des habitués présents.

Gilles Gagné, pour un, ne manquait jamais, mine de rien, de jeter de l'huile sur le feu pour amuser la galerie.

– Mélanie, il me semble que le plancher est un peu collant proche du comptoir, faisait-il remarquer en adressant un clin d'œil de connivence aux autres clients.

Aussitôt, la petite femme s'emportait, sans prendre la peine de vérifier.

– Daniel! je t'ai dit cent fois de regarder si le plancher était propre avant d'ouvrir le matin. Est-ce qu'il faut que je fasse tout ici? Va chercher une chaudière d'eau et une mop et essuie-le, ce plancher-là.

Daniel Cardin jetait alors un regard mauvais au sexagénaire et il allait à l'arrière du restaurant chercher la chaudière demandée. Il revenait, essuyait le plancher, qui n'en avait nullement besoin, sous le regard sévère de sa douce moitié.

Gagné avait raconté à Miron et à Beaulieu comment la Mélanie avait rabroué le curé Gingras qui avait tenu à la rencontrer avec Daniel pour les préparer au mariage. Le brave curé avait pris un air un peu sévère pour parler de leur longue cohabitation avant le mariage et il avait insisté sur la nécessité d'une bonne confession des deux futurs époux avant la cérémonie.

– Bon, ça va faire avec vos niaiseries! s'était-elle exclamée. Si vous voulez pas nous marier, on va se contenter d'aller se marier au palais de justice et ça va régler le problème.

Selon celui qui avait tout raconté à Gagné, le prêtre avait été estomaqué par l'effronterie de la jeune femme, mais il s'était tout de même empressé de faire marche arrière.

Bref, la situation ne pouvait pas durer ainsi éternellement. Cela allait éclater à plus ou moins brève échéance. Comme l'affirmait Richard Miron: «À force de tirer sur l'élastique, il va lui péter en pleine gueule. Alors, là, la petite noiraude va avoir une méchante surprise!» Et des paris s'étaient ouverts sur la durée probable de ce couple mal assorti.

Il faut dire que si Daniel Cardin ne disait jamais un mot plus haut que l'autre durant les heures d'ouverture de son restaurant, il en allait tout autrement quand le dernier client avait quitté les lieux. Des passants et des voisins entendaient de plus en plus souvent des altercations qui opposaient le mari à la femme. Quelques auditeurs indiscrets ne se gênaient pas pour colporter qu'ils en entendaient des vertes et des pas mûres lors de ces empoignades conjugales qui devenaient de plus en plus fréquentes.

***

Le dernier vendredi du mois d'août tirait à sa fin. Après le dîner, Richard Miron, vaincu par la chaleur étouffante et une digestion un peu laborieuse, somnolait, assis à l'ombre d'un érable, sur sa chaise de jardin. Au Petit Foyer, tout était paisible en cette journée de fin d'été. Les locataires des cinq autres appartements étaient allés à la recherche d'un peu de fraîcheur à l'intérieur de leur logis ou dans l'un ou l'autre des centres commerciaux de Drummondville.

Soudainement, un cri tout proche fit sursauter le sexagénaire. Mal réveillé, il regarda à gauche et à droite, cherchant à déterminer s'il avait réellement entendu crier ou s'il l'avait seulement imaginé. Un faible appel au secours venant de chez Pierrette Marcotte lui fit reprendre contact avec la réalité.

Sans perdre un instant, Richard Miron se leva de sa chaise et il se précipita à la porte de la vieille dame dont il entendait maintenant les geignements.

– Madame Marcotte! Madame Marcotte! Qu'est-ce qui se passe? demanda-t-il, en secouant la poignée de la porte d'entrée.

Comme seule les plaintes de Pierrette Marcotte lui répondaient, Miron ne perdit pas un instant. Il enfonça la moustiquaire et ouvrit la porte. Il découvrit alors l'octogénaire étendue sur le plancher, au fond du couloir. Le visage de la dame de quatre-vingt-cinq ans avait une blancheur inquiétante et il était couvert de sueur. Sa jambe droite était repliée sous elle.

– J'ai mal! J'ai mal! se plaignit la vieille femme en secouant la tête dans tous les sens.

– Qu'est-ce qui vous est arrivé?

– J'ai glissé, gémit-elle. Je pense que je me suis cassée une jambe.

Elle semblait au bord de l'évanouissement.

– Je vous toucherai pas pour pas vous faire mal pour rien, la prévint Richard Miron. Mais ce sera pas long, madame Marcotte, j'appelle tout de suite une ambulance.

– Peux-tu demander à mon garçon André de venir? demanda-t-elle à son voisin.

– Je m'en occupe.

L'ancien inspecteur municipal se hâta de signaler le 9-1-1 et, ensuite, il appela chez Céline Lacombe pour qu'elle prévienne André Marcotte de l'accident dont venait d'être victime sa mère. Enfin, il quitta les lieux quelques secondes pour demander à sa femme de venir l'aider.

L'épouse de Richard venait à peine d'installer un oreiller sous la tête de Pierrette Marcotte, toujours étendue par terre, quand Céline Lacombe arriva.

– André s'en vient, dit-elle à la mère de son ami pour la rassurer. Il travaillait avec Pascal, mais Lucie est allée le prévenir.

Pierrette Marcotte ne fit aucun signe indiquant qu'elle avait entendu ou reconnu la compagne de son fils. André avait beau vivre à quelques centaines de mètres de chez elle depuis quelques mois, elle n'avait pas franchi cette distance une seule fois pour aller visiter le couple. Elle n'était entrée chez Céline que pour réveillonner la veille de Noël. Par conséquent, seul André allait lui rendre une courte visite une fois par semaine, pour s'assurer qu'elle ne manquait de rien.

L'attente ne fut pas longue. Quelques minutes plus tard, l'octogénaire quitta les lieux, accompagnée par les encouragements de quelques voisins alertés par la sirène de l'ambulance qui venait de s'arrêter près de son appartement. Céline Lacombe monta à l'arrière du véhicule après avoir demandé à Richard Miron de prévenir André de son départ avec sa mère.

Il se passa une heure avant que Céline, assise sur l'une des chaises inconfortables de l'urgence de l'hôpital, voie arriver André Marcotte qui prit place à ses côtés avec un soupir de soulagement.

– Ça t'a bien pris du temps, lui reprocha Céline à mi-voix.

– La maudite journée! dit André, les dents serrées. J'étais poigné avec le vieux tracteur au bout du champ. Pas moyen de faire tourner le moteur. Il a fallu que Pascal vienne me chercher. En plus, j'étais tout sale. J'étais pas pour venir comme ça à l'hôpital. Je suis allé me laver et me changer avant de venir.

– C'est pas grave, le rassura Céline. J'étais juste inquiète de voir que t'arrivais pas.

– Avant de partir, j'ai donné un coup de téléphone à ma sœur Émilie et à mon frère Claude. Émilie est à son chalet. Elle va descendre demain. Claude, lui, était déjà dans l'hôpital pour visiter un de ses malades. Qu'est-ce qui est arrivé à ma mère?

– D'après le docteur que je viens de voir, elle s'est fracturée la hanche en tombant.

– Où est-ce qu'elle est?

– Ils sont en train de l'immobiliser parce qu'ils peuvent pas la mettre dans le plâtre. Ils savent pas quand elle va pouvoir avoir une chambre. Je pense qu'elle va rester un bout de temps à l'urgence.

– Quand est-ce qu'on va pouvoir la voir?

– Le docteur m'a dit qu'elle va sortir de la salle de soins dans une quinzaine de minutes.

Au même moment, le docteur Claude Marcotte, vêtu d'un sarrau blanc et un stéthoscope autour du cou, entra dans la salle d'urgence. Il repéra immédiatement son frère aîné et Céline.

Le célibataire de cinquante-huit ans était plus petit et moins massif que son frère, mais il n'y avait que quelques mèches grises dans son épaisse chevelure brune. Il se dégageait de toute sa personne une assurance et une autorité incontestables.

– Venez avec moi, dit-il à André et Céline. Il y a une petite salle plus confortable au bout du couloir.

Claude Marcotte les entraîna dans une petite salle où on avait disposé une douzaine de fauteuils fatigués et une table sur laquelle trônait une cafetière et des verres en mousse de polystyrène.

– J'ai vu maman. Elle est correcte, fit-il d'entrée de jeu. C'est une fracture nette de la hanche. Le docteur

Desjardins s'en est occupé et il m'a dit qu'on allait la garder un bout de temps.

– Il y aura pas de problème ? demanda André.

– À son âge, on sait jamais. En tout cas, on prendra pas de chance. Avec son caractère, j'ai l'impression que les infirmières vont gagner leur salaire pendant le temps qu'elle va être ici.

– Et pour la chambre ? Il paraît qu'ils veulent la laisser à l'urgence un bout de temps.

– Ça va finir par se régler, affirma Claude Marcotte dans un soupir. Remarque que Desjardins va faire son possible pour lui trouver une chambre et la garder le plus longtemps possible, mais l'hôpital ferme des lits chaque été à cause des vacances… comme si les malades arrêtaient d'être malades durant l'été.

Céline fit signe qu'elle comprenait la situation, mais André, qui jouissait d'une santé de fer, était peu sensibilisé aux problèmes du système de santé.

– Voyons donc, ils peuvent pas mettre quelqu'un dehors qui est pas guéri.

– Avec le virage ambulatoire, tu sauras que ça arrive tous les jours. Tout va de travers depuis que ce maudit gouvernement s'est mis à faire des coupures parce qu'il trouvait que le système coûtait trop cher. Son idée de faciliter la retraite des employés de la santé en 1997 a pas fini de nous faire mal. Rochon avait pas prévu que tant de monde partirait en même temps. Une belle niaiserie! Depuis ce temps-là, on manque de personnel partout. On a même des salles d'opération dont on peut pas se servir parce qu'on n'a pas les infirmières qu'il faut.

– J'ai entendu dire qu'il y avait beaucoup d'infirmières et de médecins qui s'en allaient travailler aux États-Unis, dit Céline.

– Là et ailleurs. C'est juste une partie du problème. Québec dit qu'il a pas les moyens de payer son monde parce que le fédéral arrête pas de couper des milliards qui devraient aller dans la santé, reprit Claude Marcotte. Il veut équilibrer son budget sur le dos des patients. Il va l'avoir son déficit zéro, c'est sûr, mais à quel prix!

Il y eut un court silence dans la petite pièce, silence que brisa soudainement Claude Marcotte en s'adressant à son frère aîné.

– Dis donc, André, je sais que tu travailles encore pas mal sur la ferme, mais ça te tenterait pas d'essayer autre chose? demanda le médecin. Avec l'automne qui arrive, tu devrais avoir un peu moins d'ouvrage.

– De quoi tu parles? fit André d'un ton peu enthousiaste.

– Tu sais que actuellement, le gros problème de la plupart des gens qui restent autour de Drummondville, c'est de trouver un médecin de famille.

– Ça, c'est vrai, acquiesça Céline. C'est presque impossible d'en trouver un.

– Je le sais, ça, la coupa André avec agacement, mais je vois pas de quoi Claude parle.

– Je te parle d'une coopérative de soins de santé.

– C'est quoi cette patente-là ?

– Une coopérative où chacun des membres paie une cotisation pour avoir des soins quand il en aura besoin, pour être sûr d'être soigné proche de chez lui.

– Et comment ça va arriver ce miracle-là ?

– Écoute bien, fit Claude en levant une main. Au mois de mai, je suis allé visiter la Baie-James avec Alain Marois et Paul Dionne, le maire de Sainte-Monique. Là, j'ai trouvé une belle petite clinique préfabriquée qui ne sert plus à personne depuis déjà deux ans. Elle est à vendre pour une bouchée de pain.

– Puis ?

– Depuis que je l'ai vue, j'arrête pas de penser qu'on pourrait l'acheter, la démonter et la faire transporter ici, sur un terrain. Il me semble que ce serait pas si compliqué que ça de la faire remonter chez nous. On pourrait s'en servir.

– Et ça coûterait combien cette belle idée-là ? demanda André qui gardait, comme toujours, les deux pieds sur terre.

– Pas si cher que ça. Si on parvient à avoir assez de personnes prêtes à payer une cotisation de cinquante dollars pour devenir membres de notre coopérative, on devrait y arriver.

– C'est ben beau, ton histoire, fit André Marcotte, mais en supposant qu'on installe la clinique, ça nous donnera pas nécessairement des docteurs et des services. Tu viens de me dire qu'on manquait de docteurs.

– Moi, je viendrais, affirma Claude avec détermination. Je fermerais mon bureau de Drummondville pour en ouvrir un dans la nouvelle clinique. Je connais même un jeune généraliste qui serait prêt à venir deux ou trois jours par semaine. En plus, Ernest Cloutier a vendu sa grosse pharmacie du boulevard Saint-Joseph à son neveu, l'année passée. Il m'a dit qu'il serait prêt à en ouvrir une petite dans la clinique pour occuper sa retraite. Je te le dis ; à la longue, on finirait par avoir aussi des spécialistes. Ça va être juste une question de recrutement.

Ces dernières précisions semblèrent tirer André Marcotte de son indifférence.

– C'est facile à imaginer ta clinique ; mais c'est pas mal plus difficile à faire.

– Peut-être pas tant que ça si on s'organise bien, lui répondit son frère en s'assoyant plus près de lui. Écoute. Moi, je pourrais m'occuper des gens de Saint-Cyrille. Dionne est prêt à embarquer et il m'a dit que ça va être facile de convaincre le monde de Sainte-Monique. Qu'est-ce que tu dirais de t'occuper du monde de Saint-Anselme ? Tu trouves pas que c'est un beau défi pour un Marcotte ?

– Comment l'argent pourrait être ramassé ? Je me vois pas faire du porte-à-porte pour faire signer des cartes de membre et ramasser les cotisations.

– Vous avez pensé aux caisses populaires? suggéra Céline qui s'était contentée d'écouter depuis le début. Ce serait peut-être la meilleure manière de travailler. L'argent serait déposé dans un compte spécial par les caissières qui donneraient les cartes de membre.

– C'est une bonne idée, approuva André. Et le terrain? T'as pensé où on pourrait rebâtir la clinique? demanda-t-il à son frère. Tu peux être certain que chaque municipalité va vouloir l'avoir sur son territoire.

– La clinique va aller à la municipalité qui va nous vendre pas cher ou encore mieux, qui va nous donner un terrain dans le village. C'est sûr qu'il est pas question qu'on aille s'installer dans un rang.

– Donne-moi une chance d'en parler d'abord avec Luc Patenaude, suggéra André. À Saint-Anselme, on a la chance que le maire soit en même temps le gérant de la caisse. Il est pas mal d'affaire. En plus, il contrôle ben son conseil. Si je le persuade que la nouvelle clinique serait bonne pour la municipalité, tu peux être sûr qu'il va bouger pas mal vite pour pas se faire battre par les autres.

– Est-ce que ça veut dire que t'acceptes de faire partie de notre petite équipe avec Dionne?

Il y eut un court moment de flottement avant qu'André dise:

– O.K., j'embarque, moi aussi.

– Moi aussi, je suis prête à vous aider, offrit Céline avec un grand sourire.

– On vous accepte avec plaisir, madame Lacombe, fit Claude Marcotte.

– Bon, pendant que je m'informe du prix du bâtiment une fois démonté et aussi de ce que va coûter son transport, es-tu capable de t'occuper de Patenaude et de lui demander un terrain pas cher, dans le village?

– Pas de problème. Céline et moi, on va surtout lui faire comprendre que ce serait bon pour Saint-Anselme d'avoir la nouvelle clinique au village. Après tout, on est au centre, entre Saint-Cyrille et Sainte-Monique. Pourquoi on les laisserait avoir le bâtiment chez eux?

– Qui va s'informer pour les permis? demanda Céline.

– Vous, madame, si vous le voulez.

– D'accord.

– En tout cas, fit le médecin en se levant, ce projet-là va peut-être prendre un an avant de se réaliser, mais il va se réaliser. La clinique, c'est pas un luxe; c'est une nécessité. Plus tard, quand ce sera vraiment lancé, on formera un vrai conseil d'administration pour gérer toute l'affaire. En attendant, on commence à bouger.

André et Céline se levèrent à leur tour et se dirigèrent vers la porte à la suite de Claude Marcotte.

– Venez, on va aller voir comment va notre malade. Si elle est endormie, ça vous servira pas à grand-chose d'attendre qu'elle se réveille.

565

Chapitre 31

Quelques changements

Septembre tirait à sa fin et la nature avait déjà adopté un rythme plus lent. L'air transportait une vague odeur de terre mouillée et de végétation en décomposition. Les rayons du soleil ne parvenaient plus à réchauffer vraiment l'atmosphère. Pourtant, malgré quelques journées de pluie et de forts vents, la plupart des arbres avaient conservé leurs feuilles qui, peu à peu, tournaient au rouge, à l'orangé et au jaune éclatant. Çà et là, quelques feuilles, entraînées par un souffle de vent, se détachaient et venaient voltiger dans l'air comme si elles voulaient montrer à leurs consœurs le chemin qu'elles auraient à suivre dans peu de temps.

Les jardins avaient livré depuis longtemps leurs derniers trésors. Il ne restait que quelques citrouilles et des carottes dans la plupart d'entre eux. Dans les champs du rang Sainte-Anne, on pouvait voir des tracteurs traîner des charrues qui éventraient le sol et mettaient à nu une terre riche et noire. Des mouettes les suivaient à courte distance en se disputant bruyamment la manne livrée involontairement par ces labours d'automne.

À deux reprises déjà, le gel avait fait son apparition durant la nuit, laissant sur le paysage une mince couche de frimas blanc dont les premiers rayons du soleil étaient venus à bout rapidement. Mais personne ne s'y trompa; c'était un signal de l'arrivée hâtive de l'automne.

Partout, les silos regorgeaient de maïs et de grain. Les balles de foin étaient entassées jusqu'au plafond des «tasseries». Chez les Marcotte, la quantité impressionnante de balles de foin enfermées dans leur pellicule de plastique blanc disait assez à quel point la dernière coupe avait été profitable. André et son fils avaient décidé, le mois précédent, d'entasser une partie des énormes meules de près de quatre cents kilos près de la grange. Sylvain Bergeron avait accepté de leur louer sa grange pour la durée de l'hiver parce qu'ils ne savaient pas où entreposer le foin acheté en juillet à Pierre Bergeron.

Des effluves peu appétissantes de fumier et de lisier empestaient l'atmosphère. Depuis quelques jours, le bal incessant des tombereaux de fumier et des citernes de lisier battait son plein. Du matin au soir, on épandait ces matières organiques dans les champs. Personne ne se préoccupait des règlements qui exigeaient que l'épandage soit effectué de préférence juste avant une pluie, pour éviter de polluer l'air ambiant plus longtemps que nécessaire.

Bref, l'automne s'annonçait sans équivoque et chacun s'empressait d'abattre le plus de travail possible avant les journées froides et pluvieuses d'octobre.

***

Au village, les vieux avaient renoué avec leur routine rassurante. Aux yeux des villageois, ils faisaient figures de vieilles sentinelles. On pouvait presque régler sa montre sur leur train-train.

Ainsi, depuis le début du mois, Adrien Beaulieu avait repris ses promenades matinales à travers le village. Chaque matin, on pouvait le voir arpenter d'un pas égal les rues de Saint-Anselme.

Gilles Gagné et son ami, Richard Miron, le rejoignaient invariablement au restaurant sur le coup de huit heures, précédant de peu Céline Lacombe, venue prendre son petit-déjeuner en leur compagnie.

La veuve – mais pouvait-on encore la désigner ainsi? – se levait à cinq heures chaque matin pour préparer le déjeuner d'André et elle retournait se mettre au lit sitôt après le départ de son compagnon pour la ferme du rang Sainte-Anne. Elle ne se relevait qu'un peu après sept heures. Après avoir remis un peu d'ordre dans sa maison, elle allait déjeuner chez Daniel Cardin, tant pour apprendre les dernières nouvelles du village que pour le plaisir de participer à la bonne humeur générale du groupe. Cette routine n'était brisée que le dimanche, jour où André Marcotte demeurait à la maison.

Même si Céline n'avait pas apprécié le comportement désagréable et inutilement agressif de la nouvelle épouse du propriétaire du restaurant, elle n'avait rien changé à ses habitudes. Peu à peu, elle avait vu le caractère enjoué et bon enfant du restaurateur s'assombrir. À la fin de l'été, toute gaieté et joie de vivre semblaient avoir définitivement quitté le gros homme. La volonté évidente de sa femme de vouloir tout régenter à sa manière et d'une façon abrupte allait trop à l'encontre de sa conception des rapports entre les êtres humains pour qu'elle l'approuve. À ses yeux, Daniel Cardin était une trop «bonne pâte» et, elle se doutait bien qu'un jour ou l'autre, sa Mélanie allait s'en mordre les doigts.

À plusieurs reprises durant l'été, la veuve avait demandé sérieusement à Miron et à Gagné de ne pas attiser le feu inutilement entre le mari et la femme.

– Verrat! avait répondu invariablement Gilles Gagné, on fait ça pour le réveiller. Il peut pas continuer à se laisser manger la laine sur le dos comme ça indéfiniment.

Comme il a été dit précédemment, les disputes quotidiennes du jeune couple défrayaient la chronique du village depuis plusieurs semaines et les paris n'avaient pas cessé sur le gagnant de ce match inégal.

Toutefois, la fin sans éclat de l'histoire devait en surprendre plus d'un.

Le dernier vendredi du mois, le jour se leva sur un ciel bas et maussade et un petit vent du nord faisait frissonner les rares piétons du village. À leur entrée dans le restaurant de la rue Principale, les habitués découvrirent avec une certaine surprise que le patron officiait seul derrière le comptoir. Le gros homme affichait un air jovial qu'on ne lui avait pas vu depuis fort longtemps.

– Ta femme est-elle malade? demanda Gilles Gagné, indiscret.

– Non. Elle est correcte.

— Tant mieux, tant mieux, fit le grand sexagénaire en adressant une grimace mutine à Beaulieu et à Miron, assis à ses côtés au comptoir.

Et il ne fut plus question de Mélanie durant toute l'heure suivante, même quand Céline entra quelques minutes plus tard pour prendre son déjeuner quotidien. On parla de la minicentrale dont les travaux de construction avaient enfin pris fin au début de la semaine, du pèlerinage annuel au Cap-de-la-Madeleine prévu pour le lendemain et des menaces que Bertrand Vanasse avait fait au maire après avoir reçu une autre mise en demeure de hâter le nettoyage de sa terre.

Finalement, les clients quittèrent les lieux un à un peu après neuf heures, laissant derrière eux une Céline Lacombe étrangement silencieuse. L'amie d'André Marcotte n'avait pratiquement pas pris part à la discussion générale, se contentant, le plus souvent, de jeter de brefs regards inquisiteurs à Daniel Cardin.

Quand tout le monde fut parti, la veuve abandonna la banquette qu'elle occupait tous les matins pour venir s'accouder au comptoir pendant que le gros homme débarrassait le comptoir des tasses et des assiettes sales laissées par ses clients.

— Je veux pas me mêler de ce qui me regarde pas, Daniel, mais tu m'as l'air d'un homme soulagé, à matin. Tu vas bien?

— Parfait, madame Lacombe, dit Daniel en interrompant son va-et-vient entre le comptoir et le lavabo placé derrière lui.

– Ça fait longtemps que je t'ai pas vu d'aussi bonne humeur.

– Il y a de quoi, dit mystérieusement Cardin.

– Comment ça?

– Elle est partie chez sa sœur, à Montréal.

– Ta Mélanie se paie des vacances et, en même temps, elle t'en donne.

– Non, non, c'est mieux que ça, fit Daniel en passant machinalement un linge mouillé pour enlever les cernes laissés par les plats sur le comptoir en formica. Elle est partie pour de bon. Hier soir, elle a fait ses bagages et je suis allé moi-même la conduire chez sa sœur, sur le Plateau-Mont-Royal.

– Pauvre toi! fit la veuve, compatissante.

– Comment ça, «pauvre toi!»? C'est la meilleure nouvelle de l'année, madame Lacombe. C'était rendu qu'on pouvait plus s'endurer. J'étais à la veille de l'étrangler. On n'arrêtait pas de se chicaner du matin au soir. J'en pouvais plus. Je sais pas pourquoi je l'ai mariée au mois d'avril.

– Pourtant, tu la connaissais bien. Vous restiez ensemble depuis cinq ou six ans, si je me trompe pas, non?

– Six ans, madame Lacombe. Elle était pas comme ça pantoute avant notre mariage. Avant, on s'entendait ben. Elle s'occupait de la maison et moi, du restaurant. On n'était pas riches, mais on se débrouillait.

– Pourquoi vous êtes-vous mariés si ça allait si bien que ça avant?

– C'était son idée. Quand j'ai parlé que ce serait une bonne idée d'avoir des enfants, elle m'a dit qu'il en était pas question si on se mariait pas. C'est pour ça que j'ai décidé de la marier. Quand je pense qu'on a passé l'automne et l'hiver à ramasser de l'argent pour payer ce maudit mariage-là et notre petit voyage de noces.

– Tu pouvais pas prévoir, l'interrompit Céline Lacombe.

– Je pouvais pas deviner que l'affaire des enfants était un truc pour se faire marier, oui. Elle a jamais eu l'intention d'en avoir et elle me l'a avoué aussitôt qu'on est revenu de notre voyage de noces. C'est de ma faute; j'ai pas pu lui pardonner de m'avoir pris pour un nono.

– Je te comprends.

– Hier soir, quand elle s'est mise à me pousser dans le dos pour que j'aille travailler en ville pour son beau-frère, je lui ai dit que ça arriverait jamais, que j'avais l'intention de rester à Saint-Anselme. C'est là qu'elle m'a annoncé qu'elle voulait partir pour de bon… Et j'ai rien fait pour la retenir, vous pouvez être certaine de ça. Bon débarras! J'ai enfin la paix.

***

Ce matin-là, Diane Bergeron préparait le déjeuner de son mari et de son fils Frédéric. Elle les apercevait par la fenêtre de la petite cuisine. Ils étaient debout, les mains dans les poches, face à la rivière, au bout du terrain. Les deux hommes semblaient silencieux.

– Si ça a du bon sens se lever aussi tard, se dit la sexagénaire en jetant un coup d'œil à l'horloge qui indiquait sept heures et demie.

Depuis cinq semaines, Pierre et Diane avaient quitté leur ferme du rang Sainte-Anne et ils avaient emménagé chez leur fils célibataire, qui habitait l'ancienne maison du garagiste Cadieux depuis près de quinze ans. La seconde maison du village, érigée dos à la rivière et au sommet de la côte, était une petite habitation à un étage et au toit très pentu. Deux étroites fenêtres s'ouvraient dans chacun de ses murs recouverts d'aluminium blanc. À l'arrière, à courte distance, l'ébéniste avait construit son atelier.

– Où est-ce que j'ai mis ça encore? s'exclama Diane avec impatience en ouvrant une porte d'armoire.

Diane en était encore à apprivoiser son nouvel environnement. Elle avait encore l'impression d'être une invitée sans-gêne dans la maison de son fils.

Après avoir vécu plus de quarante ans dans sa maison du rang Sainte-Anne, le changement n'était pas plus facile pour elle que pour Pierre dont la vie avait toujours été réglée par les travaux de la terre. Si elle cherchait encore dans quel tiroir elle avait rangé ses ustensiles, son mari, plus taciturne que jamais, se promenait toute la journée comme une âme en peine entre le téléviseur et l'atelier de Frédéric. Sans le dire à personne, il avait hâte à la fête de l'Action de grâce parce qu'il aurait une raison d'aller chaque jour dans le rang Sainte-Anne pour jouer son rôle de surveillant des chalets du club gay de l'île Ouellet qui, comme chaque année depuis plus de vingt ans, allaient être laissés à sa garde.

Un petit vent semblait s'être levé parce que Diane vit des feuilles d'érable tourbillonner et venir se plaquer sur la façade de l'atelier de son fils.

Un bruit de voix la fit lever la tête. La mère aperçut Frédéric s'avancer vers la maison en s'adressant à une personne qu'elle ne pouvait voir de sa fenêtre. Pierre suivit son fils.

La porte située sur le côté de la maison claqua et Johanne Therrien entra dans la cuisine à la suite de Pierre et de Frédéric.

Même si elle portait une épaisse veste de laine bleu nuit, la propriétaire du vieux presbytère semblait avoir froid. La grande femme à la carrure imposante repoussa une mèche brune et passa le bout de ses doigts sur ses hautes pommettes un peu rougies.

– Je voulais pas vous déranger, dit-elle à Diane, mais Frédéric…

– Faites pas de manières avec nous autres, la prévint Diane. Venez goûter à mes confitures aux fraises ; elles sont pas mauvaises sur une toast.

– Merci, madame Bergeron, mais j'ai déjà déjeuné, répondit Johanne en s'assoyant tout de même sur la chaise que lui présentait Frédéric.

Les deux hommes prirent place autour de la table sans dire un mot. Durant un moment, pas un mot ne fut prononcé. Diane apporta sur la table le gruau qu'elle venait de préparer pendant que Frédéric versait du café dans les tasses.

Diane était un peu agacée par la situation fausse entretenue volontairement par son fils. L'ébéniste s'entêtait à faire semblant de traiter Johanne Therrien en voisine. Pourtant, son comportement ne trompait plus personne depuis longtemps.

Dès la première semaine de leur installation, elle et son mari avaient très bien vu que leur fils de quarante ans découchait de temps à autre et qu'il rentrait à pied aux petites heures du matin. Les parents avaient vite deviné où il avait passé la nuit, mais ils attendaient qu'il passe aux aveux. D'ailleurs, cela crevait les yeux que Frédéric et Johanne avaient une liaison. Il était facile de surprendre des gestes involontaires qui révélaient une grande intimité entre les deux. Pourquoi ne le disait-il pas carrément? Probablement par timidité.

– Monsieur Bergeron, j'aurais aimé vous demander quelque chose, déclara Johanne en se tournant vers Pierre.

– Quoi?

– J'aimerais que vous vous sentiez bien à l'aise de refuser.

– Demandez toujours, suggéra Pierre en déposant sa tasse sur la table.

– Votre garçon a dû vous dire qu'il va encore travailler une bonne partie de l'hiver à arranger le dernier étage du presbytère.

– Oui, il m'a dit ça.

– Vous savez que je dois aussi m'occuper de mes deux boutiques. En plus, je pensais que j'aurais pas de clients durant l'automne pour le gîte, mais ça arrête pas. J'en n'aurai pas des tas, mais j'ai déjà une ou deux réservations par semaine jusqu'aux fêtes. J'aurai jamais assez de vingt-quatre heures par jour pour faire tout ce que j'ai à faire.

– C'est sûr que ça en fait pas mal pour une seule femme, renchérit Diane.

– Je me demandais si vous accepteriez pas de vous occuper de l'entretien du terrain du presbytère. J'ai une bonne tondeuse et une bonne souffleuse et je sais que vous connaissez ça. Pour le salaire, on s'entendra facilement.

Pierre n'hésita qu'un instant avant d'accepter. Un sourire épanoui apparut sur les lèvres de Johanne.

– Vous m'enlevez une épine du pied, monsieur Bergeron. Il me reste plus qu'à me trouver quelqu'un qui va m'aider dans la cuisine. Même si j'ai juste quelques déjeuners à servir dans la semaine, il faut que je sois toujours là pour les préparer… Et il y a des jours où je dois aller m'occuper de mes boutiques. Jusqu'à la semaine passée, madame Lacombe venait m'aider de temps en temps, mais à compter de la semaine prochaine, elle va aller donner un coup de main à Lucie, la bru d'André Marcotte. Il paraît qu'elle en arrache avec sa grossesse.

– Moi, je suis capable de faire ça, dit Diane, heureuse de se trouver une occupation qui la sortirait de la maison durant quelques heures.

– Là, je suis contente! s'exclama la grande femme. Je pensais jamais que je trouverais si vite l'aide qu'il me fallait.

Diane tendit à son invitée une épaisse rôtie faite de pain de ménage. Cette dernière, même si elle avait affirmé qu'elle avait déjeuné, s'empressa de la tartiner d'une bonne couche de confiture de fraises. Après avoir mangé la moitié de sa rôtie, l'invitée sembla prendre une brusque décision.

— Madame Bergeron, dit-elle en se tournant vers son hôtesse, j'aimerais vous dire quelque chose.

Diane regarda son invitée, attentive aux paroles qu'elle allait prononcer.

— Je suis un peu gênée d'avoir à vous dire ça, à vous et à votre mari, mais j'aime les situations claires. Ça fait deux mois que je pousse dans le dos de Frédéric pour qu'il vous en parle, mais ça l'embarrasse.

Le visage de Frédéric tourna au rouge pivoine et il plongea le nez dans sa tasse de café.

— Puis? demanda Diane.

— Bon. Vous avez sûrement remarqué qu'il y a quelque chose entre Frédéric et moi.

— Il aurait fallu être aveugle pour pas le voir, dit Diane dans un gloussement qui détendit un peu l'atmosphère autour de la table.

— Même si on n'est plus des jeunesses, je pense qu'on s'aime. Pas vrai, Frédéric?

— Oui, c'est ça, admit difficilement l'ébéniste en rougissant de plus belle.

– Le jour où je pourrai le lui faire dire est pas encore arrivé, dit Johanne en adressant à son amoureux un regard plein d'affection.

– Inquiète-toi pas pour ça, la rassura Diane, son père est jamais parvenu à le dire non plus. On a des hommes qui aiment mieux prouver qu'ils nous aiment plutôt que de perdre leur temps à le dire.

– Ce que vous dites est vrai, madame Bergeron. Bon, à toi, Frédéric. Dis-leur ce qu'on a décidé de faire.

Frédéric se racla la gorge un instant avant de dire :

– Ben, je pense que je vais m'installer chez Johanne et vous laisser la maison à vous autres tout seuls. J'aurai juste à traverser la rue pour venir travailler à l'atelier. Qu'est-ce que vous en pensez ?

Pierre sortit enfin de son mutisme.

– Moi, je pense que ça va être ben mieux comme ça, dit-il lentement. Ça va être pas mal moins dangereux pour toi.

– Comment ça, p'pa ? demanda Frédéric, intrigué.

– Traverser la rue Principale en pleine nuit quand on n'a pas les yeux en face des trous, c'est une affaire pour se faire écraser. Là, tu vas traverser de jour et tu vas au moins être réveillé.

Il y eut un éclat de rire général.

Chapitre 32

À faire

Chez Richard Bergeron, on finit les labours d'automne et le fumage des champs à la fin de la seconde semaine d'octobre, au moment de l'année où les nuits fraîches et les pluies presque quotidiennes obligent les cultivateurs à garder leurs animaux dans l'étable.

Ce matin-là, sitôt la dernière bouchée du déjeuner avalée, Sylvain Bergeron s'empressa de quitter la table. Il attendait ce moment-là avec une grande impatience depuis plusieurs semaines.

Au moment où il venait de se charger les bras de produits nettoyants qu'il avait laissés dans l'entrée la veille, sa mère l'intercepta.

– Si t'as besoin d'aide pour ton ménage, gêne-toi pas. Ton père et moi, on peut aller t'aider.

– Merci, m'man, mais j'ai tout mon temps. Je vais revenir dîner à midi.

Le jeune homme tenait à être seul pour savourer cette première journée où il serait seul dans sa nouvelle maison. Durant quelques heures, il allait enfin pouvoir s'occuper sans se presser de la ferme qu'il avait achetée à Pierre Bergeron, le cousin de son père.

C'était devenu un véritable supplice de Tantale que de voir sa maison et ses bâtiments de chez son père et de ne pas avoir le temps d'aller y travailler à son goût. Parfois, il aurait même aimé faire disparaître la ferme de Cyrille et de Marc Riopel qui séparait son bien de celui de son père pour pouvoir admirer plus à son aise sa nouvelle acquisition.

En tout cas, il n'avait jamais été aussi heureux depuis le déménagement de Pierre Bergeron.

Depuis six semaines, chaque fois qu'il passait devant la petite maison à un étage recouverte de vinyle blanc et dont les fenêtres étaient flanquées de faux volets verts, il s'arrêtait. Le jeune homme de trente et un ans descendait de son tracteur ou de sa camionnette et il se plantait au milieu de la cour. Plein de fierté, il regardait, tour à tour, la maison, le garage, la remise, la grange et l'étable derrière laquelle s'élevait un haut silo gris en blocs de ciment. Il n'avait alors qu'une hâte, celle de venir redonner vie à cet endroit avec sa Stéphanie.

En ouvrant quelques fenêtres de la maison inhabitée depuis plusieurs semaines, Sylvain songea qu'il ne lui restait plus que deux mois et demi à attendre avant d'emménager définitivement avec sa femme. Cette constatation l'incita à se mettre au travail sans plus attendre.

Après avoir lavé une première chambre, il ouvrit un vieux journal sur lequel il déposa un quatre litres de peinture.

– Ah ben, maudit, la belle-mère! s'exclama-t-il à haute voix à la vue de la photo d'une femme au long visage sévère et aux lèvres pincées qui ressemblait à s'y méprendre à la mère de Stéphanie. Il manquerait plus que je vois la face de son brochet de mari pour me gâcher la journée.

Sylvain Bergeron se souvint avec une grimace de dépit de ses fiançailles qui avaient eu lieu le 15 août précédent. Il avait gardé un souvenir pour le moins désagréable de son premier contact avec sa future belle-famille.

Stéphanie ne lui avait jamais beaucoup parlé des siens et pour cause... Deux mois après l'événement, il avait encore du mal à imaginer que cette jeune femme pleine de vivacité et de fraîcheur avait été engendrée par des gens aussi collets montés.

***

Au début du mois d'août, Stéphanie, en visite chez les Bergeron, avait transmis à Sylvain et à ses parents une invitation à souper chez ses parents, à Québec, pour célébrer officiellement leurs fiançailles. Au cours de la soirée, elle avait tenté discrètement de préparer les Bergeron à cette rencontre en les prévenant que le snobisme de ses parents ne cachait qu'une grande timidité devant les inconnus.

Ce dimanche-là, les Bergeron avaient confié le soin de leurs animaux au jeune Mathieu Leroux avant de prendre la route de Québec à bord de leur Dodge brune 1993 fraîchement lavée. Jocelyne et Stéphanie avaient mis leur plus belle robe d'été, tandis que Richard et son fils s'étaient cru obligés de porter veston et cravate.

Quand Stéphanie indiqua à Sylvain de s'arrêter devant une grande maison en pierres de la rue Grande-Allée, ce dernier ne put s'empêcher de s'exclamer en jetant un regard admiratif à l'immeuble.

– Mais c'est un vrai château! Tes parents sont riches?

– Non, ils sont juste à l'aise.

La jeune femme entraîna son fiancé et ses parents jusqu'à la porte d'entrée qui s'ouvrit dès qu'elle eut sonné. Une soubrette au petit tablier blanc les fit passer dans un grand salon en leur disant que monsieur et madame arrivaient immédiatement. Stéphanie les pria de s'asseoir, ce qu'ils firent avec une certaine gêne tant les meubles de style provincial français couverts de brocart semblaient fragiles. Ils avaient déjà du mal à poser les pieds sur le tapis d'une blancheur immaculée.

Deux minutes plus tard, une grande femme à l'air compassé entra dans la pièce. Elle était suivie de près par son mari, un petit homme sec à la mine sévère. Avec un bel ensemble, tous les deux embrassèrent rapidement leur fille avant qu'elle ne fasse les présentations.

Ce premier contact guindé fut suivi d'un long repas ennuyeux pris autour de la grande table en chêne de la salle à manger. Malgré de louables tentatives, Stéphanie ne parvint pas à réchauffer l'atmosphère.

Durant tout le repas, Sylvain et ses parents eurent la pénible impression d'être examinés comme des bêtes curieuses. La mère et le père de Stéphanie ne cessèrent pas de poser des questions indiscrètes tant sur la vie des Bergeron que sur les projets d'avenir du jeune couple. Ils grimacèrent en apprenant que leur fille s'apprêtait à aller vivre sur une petite ferme. Ils cachèrent à peine leur désapprobation. Il était évident qu'ils considéraient le mariage de leur fille unique comme une sorte de mésalliance. Comme si cela ne suffisait pas, Joseph Éthier ne manqua pas une occasion de faire étalage de ses biens et de ses relations, croyant peut-être ainsi susciter l'envie de ses invités.

Sylvain n'avait jamais été aussi mal à l'aise de sa vie et il n'arrêta pas de s'inquiéter des réactions de son père dont il voyait la figure tourner au rouge brique de temps à autre, quand sa pression montait un peu trop.

Finalement, Stéphanie eut le bon sens de juger que neuf heures était une heure raisonnable pour rentrer à Trois-Rivières et à Saint-Anselme. Avant de quitter les Éthier, Jocelyne Bergeron ne put s'empêcher de lancer une flèche en direction de leurs hôtes.

– Nous allons nous revoir aux noces, le 24 décembre, leur dit-elle avec un sourire sans chaleur. Vous allez voir que chez nous, c'est moins beau qu'ici, mais on fera pas d'enquête sur vos revenus.

Le voyage de retour se fit dans un silence pesant. Ce n'est qu'en descendant de voiture devant sa porte que la jeune femme osa dire ce qu'elle pensait.

– J'espère que vous excuserez mes parents. Ils sont pas méchants, vous savez. Même s'ils sont un peu snobs, je les aime quand même.

Ce soir-là, avant de monter se coucher, Jocelyne exprima ce que son mari pensait tout bas.

– Si j'avais une fille, c'est à Stéphanie que j'aimerais qu'elle ressemble. Elle a du cœur et de la tête. Je suis certaine que Sylvain trouvera jamais une meilleure femme que celle-là.

Richard, en train de se déchausser, se contenta de secouer la tête en signe d'approbation.

***

L'épreuve appartenait maintenant au passé. Stéphanie, consciente de l'effet produit par ses parents, avait expliqué à Sylvain qu'ils étaient très différents en temps normal et qu'il apprendrait peu à peu à les découvrir. C'était une découverte qu'il n'était vraiment pas pressé de faire.

En attendant Noël et le mariage, la vie du jeune couple s'était organisée autour des préparatifs de leur future vie commune. Depuis que Sylvain et Stéphanie étaient entrés en possession de leur ferme à la fin de la première semaine du mois d'août, ils lui consacraient tous les temps libres que leur laissait leur travail.

Ainsi, il s'était établi une sorte de routine. Chaque vendredi soir, Sylvain allait chercher sa fiancée à son appartement de Trois-Rivières et la jeune femme s'installait dans l'ancienne chambre de Jean-Pierre jusqu'au dimanche après-midi. Stéphanie travaillait au grand ménage de leur future maison, aidée parfois par Jocelyne ou par Sylvain quand le travail de la ferme le permettait.

Le nettoyage et les transformations n'avaient pas tellement progressé durant ces quelques week-ends. Mais maintenant que Sylvain jouissait de plus de moments libres, tout allait se faire beaucoup plus rapidement.

***

Ce soir-là, André Marcotte revenait de Montréal en compagnie de Céline qui dormait paisiblement, tassée sur le siège du passager. Les essuie-glaces de l'Avalon avaient du mal à chasser la pluie abondante qui tombait sur l'autoroute Jean-Lesage. Les nombreux camions-remorques le dépassaient en l'éclaboussant. Imperturbable, le sexagénaire maintenait sagement son véhicule à 100 km/h. Après avoir jeté un coup d'œil affectueux à sa compagne endormie à ses côtés, il se laissa envahir par toutes sortes de pensées.

Il était content que les labours d'automne soient finis. Pour lui, c'était une année qui se terminait avec l'arrivée de l'automne; et cette année 2000 avait été particulièrement riche en événements.

Après presque six mois de vie commune avec Céline, le sexagénaire n'éprouvait plus de pincement au cœur quotidien en arrivant ou en quittant sa ferme. Sa véritable maison était dorénavant au village, en face de l'église.

Cette année avait vraiment marqué le début d'une nouvelle existence. Il ne vivait plus replié sur lui en solitaire, uniquement préoccupé par les profits qu'il pouvait tirer de sa terre et des affaires. Marguillier et coresponsable de l'implantation de la nouvelle coopérative de soins de santé, il s'intéressait maintenant à la communauté où il avait toujours vécu. Qui aurait cru cela un an auparavant?

André Marcotte était cependant bien conscient que cette nouvelle joie de vivre qu'il sentait sourdre en lui n'aurait jamais été possible si son fils Pascal et sa femme n'avaient pas apporté leur contribution à leur façon.

Durant la dernière année, le père avait découvert que son fils de trente-cinq ans avait hérité du sens de l'organisation et du flair en affaires des Marcotte. Déçu de n'avoir pu mettre la main sur la terre de Pierre Bergeron, Pascal n'avait pas perdu de temps à se plaindre sur son sort. Il avait aussitôt suggéré à son père de faire construire un entrepôt et de tirer profit de certaines de leurs terres sablonneuses du rang Sainte-Marie en y cultivant la pomme de terre.

Pour sa part, Lucie allait lui donner son premier petit-fils dans moins de deux mois. L'échographie avait été formelle. La race des Marcotte allait donc se perpétuer. En outre, il était heureux de voir la bonne entente régner entre la jeune femme et Céline. Cette dernière allait aider la future maman deux ou trois jours par semaine. Lucie, alourdie et affaiblie par une grossesse difficile, semblait apprécier au plus haut point sa présence.

André dut modérer pour laisser un camion-remorque se glisser lentement dans la circulation à la sortie de Saint-Germain. Lorsqu'il eut atteint à nouveau sa vitesse de croisière, il reprit ses réflexions un moment interrompues.

La fin des gros travaux sur la ferme signifiait plus de loisirs pour le sexagénaire. Pascal allait garder leurs deux employés durant tout l'hiver, ce qui allait permettre à son père de s'occuper plus activement de la coopérative de soins de santé. En un mois, son intérêt un peu tiède du début s'était transformé en volonté très nette de faire réussir le projet.

Dès la première semaine, son frère avait obtenu des précisions sur le prix demandé pour le bâtiment de la Baie-James. On lui avait même donné un aperçu de ce que coûteraient le démantèlement de l'édifice et son transport. Avant d'aller plus loin, André Marcotte avait rencontré le maire Patenaude qui avait été si emballé par le projet qu'il avait fait approuver par le conseil la vente d'un terrain de la rue Desmeules appartenant à la municipalité pour la somme symbolique d'un dollar. En plus, il avait accepté, à titre de gérant de la Caisse populaire, de percevoir les cotisations des coopérants. Pour sa part, Céline était déjà en train d'orchestrer la publicité dans le journal régional, mais le bouche à oreille faisait déjà son œuvre puisque près de deux cents cartes de membres avaient déjà été distribuées.

Tout n'était pas fait, loin de là. Il restait le plus important: négocier un emprunt important pour financer le tout. Les trois promoteurs, soit son frère, Dionne, le maire de Sainte-Monique, et lui allaient se démener comme des diables dans l'eau bénite pour que les responsables du crédit des caisses populaires accepte de leur prêter les deux cent mille dollars nécessaires en se contentant des cotisations versées et du terrain donné comme garanties. La promesse de subsides venant du ministère de la Santé allait probablement aider. En tout cas, s'ils y parvenaient, ils passeraient à l'étape suivante, soit faire élire un conseil d'administration et commencer le recrutement des médecins. Si tout allait bien, la clinique pourrait peut-être ouvrir ses portes au début de juillet 2001.

— Est-ce qu'on approche? demanda Céline en bâillant et en s'étirant discrètement dans le noir.

— On vient de dépasser Drummondville.

— À quoi pensais-tu?

— À toutes sortes d'affaires, répondit évasivement André.

— À ta mère?

André eut un petit rire sans joie.

— Non, pas particulièrement. Depuis que Marielle Miron s'en occupe, je suis pas mal plus tranquille.

— Oui, mais il faudrait tout de même pas que la femme de Richard Miron la brasse trop, dit Céline Lacombe d'une voix un peu inquiète. À son âge, on a le droit d'avoir ses petites manies.

— T'en fais pas pour ma mère; elle a la couenne dure, affirma André. Celle qui va arriver à lui faire faire ce qu'elle veut pas faire est pas encore née.

Cette conversation faisait référence à l'hospitalisation récente de Pierrette Marcotte et à la période qui l'avait suivie. La vieille dame irascible de quatre-vingt-cinq ans était demeurée une dizaine de jours à l'hôpital et elle avait profité de son séjour pour se rendre absolument insupportable. Elle se plaignait du matin au soir de la qualité de la nourriture, de l'air bête des infirmières et du sans-gêne des trois autres patientes qui partageaient sa chambre. Bref, quand son médecin avait signé son congé, on l'avait regardée partir sans le moindre regret.

Émilie, la sœur d'André, avait offert à sa mère d'aller vivre avec elle une semaine ou deux pour prendre soin d'elle. Pierrette avait refusé sèchement la proposition de sa fille qui avait été tout heureuse de demeurer aux côtés de son mari dans leur bungalow de la rue des Peupliers, à Drummondville.

Claude avait proposé d'engager une infirmière privée. Sa mère n'avait rien voulu entendre d'une étrangère se promenant chez elle comme en terrain conquis.

— Une fouilleuse qui va mettre son nez partout dans mes affaires, il en est pas question ! s'était indignée la vieille dame.

— Voulez-vous que Céline vienne prendre soin de vous, m'man ? avait demandé André.

— Non, j'en n'ai pas besoin de ta veuve, l'avait rembarré sa mère. Je vais m'organiser avec ma voisine. Tout ce que je veux, c'est quelqu'un qui va venir faire mes repas et un peu de ménage deux ou trois fois par semaine. Pour le reste, je suis capable de me débrouiller.

Le jour même, Pierrette Marcotte s'était entendue avec Marielle Miron, l'épouse de l'inspecteur municipal à la retraite.

Si la mère d'André Marcotte avait mauvais caractère ; pour sa part, Marielle Miron ne possédait pas un caractère plus facile. La grande femme osseuse à la chevelure bleutée était habituée à mener rondement son monde et personne ne lui faisait peur. Il avait suffi de quelques jours à Pierrette Marcotte pour apprendre à ses dépens que l'autre ne laisserait personne la faire tourner en bourrique. Quand Marielle entrait dans la maison, il était préférable d'afficher un air content et d'éviter de se plaindre inutilement. André, au courant, se gardait bien de s'en mêler.

Au moment où André Marcotte s'engageait dans la bretelle qui lui permettait d'accéder à la route 155, il s'aperçut que Céline s'était rendormie. Il n'y avait aucun éclairage sur cette voie secondaire. Par conséquent, il ralentit.

Sans aucune raison, le sexagénaire eut une pensée pour sa fille Nicole qu'il n'avait pas revue depuis près de vingt ans. Qu'est-ce qu'il lui arrivait soudainement ? C'était la deuxième fois qu'il pensait à elle cette semaine alors qu'en général, ce genre de souvenir ne l'effleurait qu'une fois ou deux par année. À trente-huit ans, à quoi ressemblait-elle ? Il n'en avait pas la moindre idée. Tout ce qu'il savait, c'était que sa fille s'était révoltée en silence contre les siens et qu'elle avait saisi la première occasion qui s'était présentée à elle pour tous les renier.

À dix-huit ans, elle avait quitté sa famille sous le prétexte d'aller étudier à Montréal et elle avait toujours rejeté toute aide matérielle. Un an après son départ, elle avait coupé définitivement les ponts. Cet abandon de sa fille, qui avait précédé de peu celui de sa femme, avait fini par se confondre un peu dans son esprit. Louise avait refusé de lui accorder une seconde chance et sa fille avait fait la même chose. Il en avait été ulcéré et il les avait rayées toutes les deux de sa vie. Elles ne voulaient plus de lui; alors, il en avait autant à leur service. C'est ainsi qu'André Marcotte n'avait jamais demandé à Pascal s'il revoyait sa sœur ou sa mère de temps à autre. Il aurait trouvé cela trop humiliant et cela ne l'intéressait plus… du moins jusqu'à tout dernièrement.

Depuis quelques jours, une étrange envie l'avait pris de revoir sa fille après tant d'années. Était-ce de la simple curiosité? Il n'aurait pas su le dire. Mais cette envie devenait lancinante et demandait à être satisfaite. Il n'avait pas beaucoup de secrets pour Céline, mais celui-là, il n'était pas prêt à le partager avec elle.

En entrant dans Saint-Anselme, le sexagénaire prit la résolution de retrouver celle qui lui avait tourné le dos vingt ans auparavant.

Chapitre 33

Demain

Au moment où André Marcotte arrêtait son Avalon noire au bout de l'allée asphaltée menant à la résidence de Céline Lacombe, Geneviève Biron écartait d'une main le rideau de dentelle qui masquait la baie vitrée du salon de la maison voisine habitée par Luc Patenaude.

– Tes voisins viennent d'arriver, dit la jeune femme en se tournant vers le maire occupé à ranger la vaisselle qui avait été utilisée pour leur petit souper intime.

– T'as des réflexes de fille de la campagne, plaisanta le petit homme blond, du fond de la cuisine. Quand t'entends un bruit dehors, il faut que tu te dépêches d'aller voir à la fenêtre ce que c'est.

– C'est pas parce que tu restes au village, Luc Patenaude, qu'il faut cracher sur les habitants, fit Geneviève en laissant retomber le rideau.

– C'est pas mon intention, répliqua Luc Patenaude, d'un ton plus sérieux. À dire vrai, je pense que j'aimerais mieux rester en dehors du village. C'est plus tranquille.

592

– T'as juste à venir rester chez moi, fit Geneviève. T'es le bienvenu. La maison est grande. Je te l'ai déjà offert, il me semble.

La jeune femme d'affaires vint s'appuyer contre le comptoir de la cuisine pendant que Luc passait un chiffon humide sur le meuble.

– Je le sais, fit le maire d'une voix moins assurée. Mais j'ai tellement mis d'argent et d'heures à transformer cette vieille maison que je me vois pas rester ailleurs. Puis, la vue est tellement belle. Derrière, j'ai la rivière; et devant, j'ai l'église et le presbytère. Je peux pas avoir mieux.

– T'aurais moi en plus si tu déménageais, fit Geneviève en adoptant une pose aguichante.

Luc l'embrassa sur le bout du nez avant de ranger son chiffon.

– C'est pas mal tentant, admit-il, mais je pense qu'on est mieux de pas revenir sur le sujet. On s'était entendu, il me semble.

– Oui, t'as raison, dit-elle à mi-voix. On n'habite pas la même maison surtout pour empêcher le monde de jaser. Mais regarde à côté. André Marcotte, ça le dérange pas de vivre avec la veuve Lacombe.

– Oui, mais Marcotte, c'est pas le maire de Saint-Anselme et le gérant de la caisse. Viens, on n'est pas encore pour se chicaner là-dessus une autre fois.

Sur ces mots, Luc prit sa compagne par la taille et l'entraîna au salon. Ils prirent place tous les deux dans une causeuse.

– De toute façon, dit Luc, notre situation va peut-être changer rapidement.

– Comment ça? demanda Geneviève, intriguée.

– J'ai décidé de pas me représenter à la mairie l'année prochaine. J'en ai assez. Il est temps que quelqu'un prenne ma place.

– Qu'est-ce qui t'arrive tout à coup?

– Il y a que je suis fatigué de me battre avec tout le monde en même temps. Le père Riopel arrête pas de me casser les pieds avec ses sinistrés et il veut que la municipalité poursuive les nouveaux propriétaires du barrage pour les forcer à payer des dédommagements. Il y a pas moyen de lui faire comprendre que c'est pas possible.

– Puis?

– Puis, il y a le ministère de l'Environnement qui me lâche pas d'une semelle avec l'histoire de Vanasse qui avance pas assez vite dans le nettoyage de sa terre. En plus, l'histoire des porcheries est loin d'être finie. Caron se débat comme un diable dans l'eau bénite pour avoir la sienne pendant que les voisins de la porcherie des Camirand commencent à se lamenter pas mal fort à cause des odeurs. Ça promet!

– À part ça?

594

– À part ça, dit Luc d'une voix lasse, il y a la nouvelle coopérative lancée par les frères Marcotte et le maire de Sainte-Monique. Je sens qu'il y a des demandes qui s'en viennent et elles seront pas piquées des vers. Puis il y a les maudites réunions qui en finissent plus à la MRC, les problèmes avec les puits du village et j'en passe, et des meilleures.

– T'es seulement un peu fatigué, déclara Geneviève, compréhensive. Dans quelques semaines, tu vas avoir tout oublié.

– Non, protesta Luc. C'est décidé; je finis mon mandat et ça s'arrête là. Il y a déjà assez qu'il va falloir que je me batte pour garder mon job à la caisse.

– Comment ça?

– Je te l'ai déjà dit. Au grand bureau, ils ont dans la tête que notre caisse devienne juste une sorte de succursale de la Caisse populaire de Saint-Cyrille. À la prochaine réunion du conseil d'administration, ils sont supposés prendre une décision. Ça fait deux fois que des inspecteurs viennent examiner tous les livres depuis la fin d'août.

– Qu'est-ce qui se passerait à ce moment-là?

– Je le sais pas trop. Je perdrais probablement une caissière. Peut-être même que je perdrais aussi ma comptable s'ils décident d'installer un de leurs maudits guichets automatiques. À la limite, ils pourraient me nommer gérant ailleurs.

– Qu'est-ce que tu vas faire?

– Je traverserai le pont quand je serai rendu là, dit Luc Patenaude d'une voix mal assurée.

– Tu pourrais les laisser tomber si ça te tente et venir travailler avec moi, proposa Geneviève. Je manque pas d'ouvrage et tu pourrais t'occuper de la comptabilité du Rona comme de la section de camionnage.

– Je vais y penser, répliqua Luc. Si la caisse veut me donner un poste trop loin, je pourrais l'envoyer promener. Et toi, qu'est-ce que tu vas faire si je viens travailler pour toi? demanda-t-il.

– La même chose qu'avant.

– T'as jamais pensé à te présenter à la mairie?

– Es-tu sérieux, Luc Patenaude? Il y a jamais eu une femme élue mairesse à Saint-Anselme.

– Pourquoi tu serais pas la première? T'as toutes les qualités qu'il faut pour faire le job. Moi, à ta place, j'y penserais à deux fois avant de refuser. T'es solide. T'as des idées et t'es capable de te défendre. En plus, t'as assez d'employés pour trouver quelqu'un qui peut te remplacer quand t'aurais à travailler pour la municipalité.

– Voyons donc! protesta mollement la jeune femme d'affaires.

– Je te le dis, Geneviève. Plus j'y pense, plus je trouve que mon idée est bonne.

Il y eut un long silence entre les deux amants pelotonnés l'un contre l'autre dans la causeuse.

– Je vais te faire une proposition, conclut Luc. Si tu te présentes comme mairesse, je me présente comme conseiller de ton équipe. On travaillera ensemble.

Geneviève tourna la tête vers son compagnon et scruta son visage durant un long moment avant de déclarer :

– O.K., je vais y penser sérieusement. Donne-moi une semaine ou deux pour me faire une idée.

– Il y a pas de presse ; les élections sont juste dans un an.

***

En ce lundi matin, le ciel roulait de lourds nuages gris. Une pluie froide et drue venait battre les fenêtres. Dans la cour des Lequerré, l'asphalte luisait, sauf là où s'étaient formées deux grandes mares.

Le calme était finalement revenu dans la cuisine où le plafonnier était allumé pour compenser l'absence du soleil. Aurore Lequerré, vieillie et un peu voûtée, entendait les pas de sa fille Carole, à l'étage. Cette dernière devait être en train de mettre de l'ordre dans la chambre de Mathieu qui avait tendance à flanquer toutes ses affaires en vrac sous le lit ou dans son placard.

La routine s'était installée. Comme chaque matin de la semaine, Clément et ses deux fils s'étaient levés à cinq heures pour faire le train et ils avaient ensuite déjeuné avant de partir chacun dans une direction opposée.

L'électricien avait été le premier à quitter la maison. Il installait l'électricité dans deux maisons neuves de Drummondville. Quelques minutes plus tard, Mathieu était monté dans l'auto d'un ami de Sainte-Monique qui le laissait chaque matin à la polyvalente de Saint-Léonard où le cadet des Leroux terminait tant bien que mal son secondaire.

Habituellement, son départ précédait de peu l'arrivée de Laurent Giroux venu travailler avec Marco. Après avoir bu rapidement une tasse de café noir, l'engagé se mettait à l'ouvrage en compagnie du jeune homme. Il avait été entendu, dès la fin de septembre, qu'il ne viendrait plus que quelques heures chaque jour jusqu'à la fin novembre, moment où il estimait que Marco saurait très bien se débrouiller seul. D'ailleurs, il était de plus en plus évident que le jeune cultivateur piaffait d'impatience à l'idée d'être l'unique responsable de la ferme familiale. Il avait hâte de tout prendre en main seul, même s'il aimait beaucoup son mentor.

La vieille dame se tourna un instant vers la chaise berçante préférée de son Bruno. Non, il n'était pas là, il ne s'y bercerait plus jamais. Elle s'approcha de la fenêtre de la cuisine qui donnait sur les bâtiments et elle y appuya son front, regardant sans les voir les grosses gouttes qui traçaient des sentiers extravagants sur la vitre. Elle fut tirée brusquement de sa rêverie par les pas de sa fille qui descendait l'escalier en ronchonnant.

– Attendez qu'il arrive, lui, il va m'entendre ! dit Carole, les mains encombrées de vaisselle sale. J'ai trouvé sous son lit deux verres et une assiette sales. Je lui ai dit cent fois de pas manger dans sa chambre ; c'est comme parler à un mur. Maudits enfants ! Ce qu'ils peuvent avoir la tête dure des fois.

Puis, voyant que sa mère lui tournait le dos et ne lui répondait pas, Carole sentit que quelque chose n'allait pas. La quadragénaire déposa la vaisselle sur le comptoir et s'approcha doucement d'elle.

— Qu'est-ce qu'il y a, m'man, demanda-t-elle d'une voix radoucie.

Sans quitter des yeux la cour qu'elle fixait à travers la vitre, Aurore Lequerré lui répondit :

— Je m'ennuie de ton père.

— Mais on va le voir au moins deux fois par semaine, m'man. Au centre Laferté, il est bien traité. On prend soin de lui.

— Je le sais ben, mais c'est pas comme s'il était encore ici, dans la maison.

Carole ne répondit rien. Parler de son père la bouleversait. Chaque fois qu'elle conduisait sa mère au centre, elle devait se faire violence pour entrer dans l'immeuble. Voir son père attaché dans un fauteuil de contention lui faisait mal au cœur. La raison de Bruno Lequerré semblait avoir sombré définitivement.

Aurore prit un mouchoir enfoui dans l'une de ses manches et s'essuya les yeux, sans se retourner. À mi-voix, la vieille dame sembla poursuivre un monologue qu'elle avait commencé avant l'arrivée de sa fille.

– Ça fait plus de soixante ans que je vois le même paysage, les mêmes bâtiments. Comme ma mère, je suis presque jamais sortie de Saint-Anselme. Dans toute ma vie, je suis allée deux ou trois fois à Québec et à Montréal. On a eu la même existence toutes les deux. On a travaillé comme des folles du matin jusqu'au soir en faisant ben attention à jamais dépenser une cenne de plus qu'il fallait. On a élevé nos enfants et on les a fait instruire. Puis on a vieilli. On s'est pas vues vieillir. On a perdu nos maris juste au moment où on pensait pouvoir se reposer et profiter enfin un peu de la vie.

– Voyons, m'man, protesta Carole, peinée de voir sa mère aussi triste. Vous êtes pas toute seule. Vous nous avez pour prendre soin de vous. Grand-maman Isabelle était malade; vous, vous êtes en santé. Tout est pas si noir. P'pa est vivant et il peut vivre encore ben des années. Julien, Karine et Anne viennent vous voir souvent. Vos frères restent tout près et ils vous oublient pas. Qu'est-ce que vous voulez de plus? Nous, on vous aime.

Aurore se retourna vers sa fille qui venait de l'enlacer.

– C'est l'automne qui vous rend comme ça. Vous êtes comme grand-maman. Vous vous rappelez comment elle était quand il y avait plusieurs jours de pluie? Elle voyait tout en noir. Attendez demain, il va faire un beau soleil.

– T'as peut-être raison, ma fille, fit Aurore en se secouant.

– Puis, entre nous, m'man, c'est pas si désagréable que ça de voir pendant toute sa vie les paysages de Saint-Anselme.

ACHEVÉ D'IMPRIMER
EN L'AN DEUX
MILLE
ONZE
SUR LES
PRESSES DES
ATELIERS GUÉRIN
MONTRÉAL (QUÉBEC)